A FRIEND I TRUST
Ex Libris
A GOOD
I WOULD
IS LIKE
FOREVER
A BOOK
KEEP

Narair Artinian

MÉMOIRES
D'EUROPE

OTTO DE HABSBOURG

MÉMOIRES D'EUROPE

Entretiens avec Jean-Paul PICAPER
du *Figaro*

Préface d'Alain LAMASSOURE
Ministre délégué aux Affaires européennes

CRITERIN
11, rue Duguay-Trouin 75006 Paris

© Editions CRITERION, Paris, 1994
ISBN : 2.7413.0078.X
Dépôt légal : janvier 1994
Première édition

Préface

« *Le dernier et le premier des Européens, et le meilleur prophète de l'avenir pour n'avoir rien oublié du passé.* » Ainsi écrit l'historien Pierre Chaunu à propos d'Otto de Habsbourg.

Cette seule phrase pourrait servir d'introduction aux entretiens que celui-ci a accordé à Jean-Paul Picaper, Béarnais malicieux, correspondant du *Figaro* à Bonn, et devenu l'un des meilleurs connaisseurs de la politique allemande et de la culture germanique. Mais la qualité même de la formule de Pierre Chaunu risquerait d'être trompeuse : elle cisèle une belle statue, alors que, dans ce livre, nous sommes d'abord en face d'un homme. Et quel homme !

Il naît à Vienne le 20 novembre 1912, dauphin de la famille régnante, dans le plus grand et le plus vieil empire d'Europe « *héritier*, écrit Jean-Paul Picaper, *de presque mille ans d'histoire européenne* ».

Un millénaire d'alliances familiales qui, des Bourbons aux Bragances, ont enrichi son sang de tous les peuples d'Europe. Quand il atteint l'âge de raison, la guerre a déchu sa famille et détruit l'empire séculaire. D'autres auraient succombé à la tentation de l'anonymat, de la revanche ou du romantisme. Le jeune Otto de Habsbourg a préféré se donner, comme devise personnelle, un dicton de chasseur : « *Ne pas tirer, c'est aussi manquer son but* ». Car très tôt, il a considéré que son nom « *comportait beaucoup plus d'obligations que de droits* ». L'Histoire, longtemps généreuse pour les siens, lui enlevait à jamais le pouvoir ? Il était trop orgueilleux pour se contenter de la gloire. Il décida de consacrer sa vie à servir son peuple — c'est-à-dire ses *peuples* — comme pour leur rendre un peu de ce que ses ancêtres en avaient reçu. Et voilà comment l'héritier de la plus puissante famille impériale d'Europe est aujourd'hui un simple député bavarois au Parlement européen.

Sa traversée d'un siècle inouï de lumières et d'horreurs aura été un parcours sans faute — j'entends, sans faute de jugement sur les grands débats politiques qui ont divisé ses contemporains. Et son destin est au-dessus du talent du meilleur biographe, comme du romancier le plus imaginatif.

Enfant, Otto voit son père, Charles de Habsbourg, le dernier empereur de notre continent, essayer en vain de réformer et de sauver cette Autriche-Hongrie, à laquelle Clemenceau et les héritiers français du jacobinisme n'ont rien compris, alors qu'elle aurait pu être un modèle original de coexistence des peuples d'Europe centrale. Adolescent, il assiste à l'un des premiers meetings d'Hitler au Bülowplatz. Von Hindenburg lui raconte ses souvenirs de la guerre de 1870. Il connaît l'exil, tout d'abord au Pays Basque près de Guernica, puis en Flandre, où il se fait appeler duc de Bar en référence à son héritage bourguignon-lorrain — il se mariera plus tard à Nancy. Devenu chef de famille à dix-huit ans, il fait ses études à l'université belge de Louvain. À vingt-six ans, il écrit au chancelier von Schuschnigg pour le mettre en garde contre les projets d'Hitler, dont il devient l'un des ennemis intimes : le Führer baptisera l'invasion de l'Autriche du nom de code d'« opération Otto ».

Après la campagne de France, il essaie de faire traverser l'Atlantique à des dizaines de milliers de juifs fuyant la barbarie nazie. Il a plus de chance auprès du dictateur dominicain Trujillo que de l'administration américaine de l'époque. Le voilà apatride : « *Je sais aussi*, dit-il sobrement, *ce que c'est de vivre sans passeport* ». Pendant et après la guerre, il plaide auprès de Roosevelt la restauration d'une Autriche indépendante et défend les intérêts de la Hongrie, comme ceux des Allemands des Sudètes en Bohême et Moravie. Il se heurte à l'incompréhension de Truman, dont il a pourtant partagé la maison à Broadmore, ainsi qu'à celle d'Anthony Eden, dont le flegme britannique se crispe alors jusqu'au mépris : « *Qu'est-ce que l'Autriche ? Cinq Habsbourg et quelques centaines de juifs* ».

La mort dans l'âme, il doit signer sa renonciation à toute prétention au trône d'Autriche, pour avoir le droit de revenir dans son pays pourtant redevenu libre. Aujourd'hui encore ses deux frères sont bannis d'Autriche et ses biens familiaux ont été confisqués à jamais.

Installé à Pöcking, en Bavière, avec la nationalité hongroise, qu'il avait conservée sans le savoir, il acquiert un passeport allemand par protection, grâce à sa carte de membre de... l'Institut de France ! Cela lui permet d'être candidat en 1979 à la première élection du Parlement européen au suffrage universel. Ainsi, après avoir lutté contre l'hitlérisme et le stalinisme « *ces deux dragons auxquels aucun Siegfried n'a osé faire face* », il peut se consacrer entièrement à l'œuvre de sa vie : l'union européenne, qu'il conçoit, non pas comme un super-État unitaire, mais comme une communauté de nations libres surmontant le vertige nationaliste : il aime à rappeler la phrase de Franz Grillparzer pour qui on peut aller « *de l'humanité à la bestialité en passant par la nationalité* ».

Cette vie si bien remplie, ou, plutôt, cette multiplicité de vies en une seule existence d'homme, ont fait de lui un témoin unique des grands événements du siècle.

On lira, avec passion, ses récits de la guerre, de l'exil, ces premières années de la libération de l'Autriche, de la naissance et de la mort de la Tchécoslovaquie. Sa longue familiarité avec le passé a laissé intact son enthousiasme d'adolescent pour toutes les expressions de la vie, pour les permanences des tempéraments nationaux, comme pour les ruptures soudaines qui jalonnent notre Histoire. Cet homme chaleureux a vu toutes les fées de son berceau se transformer en autant de sorcières. Pourtant, il est resté au-dessus de toute forme d'amertume. Et il porte sur les hommes un jugement de clinicien. Avare d'éloges — sauf pour Roosevelt, de Gaulle, Vaclav Havel et son ami Franz Josef Strauss —, il est impitoyable pour ceux que les historiens ont trop longtemps surestimés, tels Beneš. Après avoir organisé à l'été 1989 le grand pique-nique qui a servi de prétexte à la première brèche du rideau de fer en Hongrie, il n'est pas tendre avec les chefs d'État européens qui ont tardé à comprendre l'aspiration allemande à la réunification.

On pourra regretter que ces entretiens laissent dans l'ombre une autre des vies d'Otto de Habsbourg : celle de grand reporter, dont il a tiré de multiples ouvrages, et qui a enrichi encore sa connaissance des peuples. Dans un de ces essais, « *Européens et Africains : l'entente nécessaire* », écrit en 1963, au lendemain de la décolonisation, il portait, sur l'aide au développement, un jugement critique que les dirigeants européens auront mis près de trente ans à partager. Trop souvent inspirée par un sentiment de culpabilité inconscient, « *l'aide, écrit-il, qui n'est, en vérité, qu'une réparation tardive, n'atteint pas le but escompté. Elle ne fait que rappeler le souvenir amer d'un passé révolu. Les bénéficiaires la considèrent souvent comme un méfait nouveau* ».

L'année précédente, l'infatigable globe-trotter s'était déjà fait remarquer en publiant *l'Extrême-Orient n'est pas perdu*. Il invitait les Européens à voir l'Asie au-delà des images de misère de Calcutta et des discours neutralistes. « *En dépit du battage, l'autre Asie vit, agit, est forte. Elle ne nous regarde pas avec envie ou inimitié, parce qu'elle se considère comme notre égale. Elle n'a pas de complexes, bien qu'elle dérange les clichés établis. On ne pourra l'ignorer à la longue.* » Combien d'observateurs ont su ainsi saluer, dès leur berceau, les « dragons d'Asie » ?

Mais c'est naturellement sa vision de l'Europe qui nous intéresse le plus aujourd'hui. Les analyses que l'on avait lues dans *Bientôt l'an 2000* (1969) et *Naissance d'un Continent* (1975) sont reprises ici de manière plus vivantes et imagées. Entre temps, l'Histoire les a confirmées. Alors que les « pères fondateurs » voyaient plutôt en rêve les États-Unis de la Petite Europe rhénane, Otto de Habsbourg milite pour une grande Europe ouverte à l'ensemble du continent, capable de faire vivre et agir ensemble de vieilles nations, dont l'identité survivra mieux au sein d'une même communauté politique. Il nous rappelle que l'empire des Habsbourg, comme l'empire otto-man, ou même auparavant la Bourgogne médiévale, avaient eu le mérite de permettre de telles coexistences. Il est vrai, dit-il avec un sourire malicieux, que « *l'esprit des Habsbourg n'était pas cartésien* ». Il ajoute : « *On protestait contre le régime de l'empereur François-Joseph, non pas parce qu'il opprimait des nationalités, mais parce qu'il empêchait les nationalités de s'opprimer réciproquement* ». De là, sa passion à essayer de traiter, à temps, les problèmes de minorités nationales qui ont ressurgi dans toute l'Europe centrale et orientale avec la fin du totalitarisme communiste. Comment comprendre, en effet, qu'après un siècle, parfois plus, de pratique de la démocratie, des droits de l'homme, de la tolérance, les pays de l'Europe occidentale aient laissé s'embraser la Yougoslavie en des guerres fratricides que l'on croyait révolues à jamais de ce côté-ci de la planète ?

Cette Europe ne sera pas refermée sur elle-même. En parti-culier, elle devra entretenir des relations étroites avec le monde islamique de façon à « *faire de la Méditerranée la plaque tournante du monde occidental et non plus sa frontière sud* ».

*

De cette conversation à la fois digne et simple, si grave et pourtant pleine d'humour, se dégage l'image d'un grand stoï-cien, de la lignée de Marc-Aurèle. Ou de Charles Quint, le seul empereur d'Europe à avoir abdiqué par sa seule volonté, pour finir ses jours, dans la méditation, au monastère de Yuste. « *Car la vie n'a de sens que dans la perspective de son dernier jour au cours duquel il faudra rendre compte à Dieu.* »

Républicain en Suisse et royaliste en Grande-Bretagne, cet homme qui parle couramment six langues et qui a refusé le trône d'Espagne ne conçoit pas la politique sans un élément de mysticisme. C'est la Hongrie, sa chère Hongrie, qui lui paraît avoir le mieux concilié, depuis l'origine, ce que nous appelons, en France, la laïcité de l'État, avec le mystère, à vrai dire sacré de l'unité nationale : « *le chef de l'État hongrois n'est ni un roi ni un président mais la couronne de saint Étienne* », dont chaque citoyen est un diamant.

Et c'est ainsi qu'en quinze ans de présence au Parlement européen, le député Otto de Habsbourg est devenu l'autorité la plus influente de cette jeune institution, sur tous les problèmes de politique étrangère. À sa manière unique, faite d'intelligence aiguë des situations les plus complexes, d'autorité naturelle et d'inlassable courtoisie.

Est-il tout à fait sincère lorsqu'il répond que la fonction qu'il aurait vraiment aimé exercer est celle de ministre des Affaires étrangères ? A le voir, à l'entendre, on pense davantage au... président de la République idéal, tel que Victor Hugo l'avait esquissé dans *Choses Vues* : « *Entre pauvre — dans la fonction — et sort pauvre. Chez nous, l'égal de tous les citoyens. Ailleurs, l'égal de tous les souverains.* »

Otto de Habsbourg, ou l'héritier d'un Empire qui n'est plus, devenu l'architecte anonyme d'un Continent qui n'existe pas encore.

Alain Lamassoure
Ministre délégué aux Affaires européennes

Introduction

Mille ans d'Europe

Jean-Paul Picaper : Monseigneur, approuvez-vous le dicton :
« Noblesse oblige » ?
Otto de Habsbourg : Je suis d'accord avec cette assertion.
Néanmoins, j'ajouterai que cette obligation ne s'applique pas à
des signes extérieurs de noblesse. Ce n'est pas une question de
style, mais plutôt une attitude morale, une volonté de servir le
Bien public.

— De nos jours, après deux siècles de capitalisme triomphant, le
dicton : « Richesse oblige » devrait relayer dans bien des cas le
précédent. Mais est-il autant respecté que le « Noblesse oblige »
d'antan ?
— « Richesse oblige », certes. Seulement, il y a parmi les
riches des gens qui sont dignes de la fortune qu'ils ont acquise
ou reçue, comme il y en a parmi les nobles du nom qu'ils
portent, et d'autres qui ne le sont pas. Gardons-nous de géné-
raliser. Le vilain aristocrate existe tout comme le vilain richard.

— Quelle est votre devise ?
— Si vous me demandez quelle est la devise de ma Maison, je
suis bien obligé de vous dire qu'il n'y en avait pas, ou plutôt
que nous en avons eu plusieurs. On m'en a attribué un certain
nombre, mais j'ai ma devise personnelle. C'est un dicton de
chasseurs, presque intraduisible en français : « Nicht geschos-
sen ist auch gefehlt », ce qui veut dire : « Ne pas tirer, c'est
aussi manquer son but. »

— Le nom Habsbourg est en soi une devise. N'est-il pas difficile
de porter un nom comme le vôtre ?

1

— Porter ce nom comporte beaucoup plus d'obligations que de droits. Je l'ai fait comprendre à mes enfants et je leur ai transmis le sentiment de leur responsabilité dans la vie publique, une responsabilité vis-à-vis des peuples qu'ils auront l'honneur de représenter. Je leur ai également recommandé de s'engager au service d'une cause — ce qu'ils font déjà.

— *A votre naissance, à Vienne, le 20 novembre 1912, comme dauphin de la famille régnante au cœur d'un grand empire, vous étiez l'héritier de presque mille ans d'histoire européenne. Est-ce que cela vous obsède ? Et quel est le bilan de ce millénaire européen qui s'achèvera dans quelques années ?*

— Non, cela ne m'obsède pas. Le millénaire est une frontière artificielle. Les chiffres impressionnent, mais ils ne correspondent pas à la réalité. Je crois qu'un bilan ne pourra être établi que dans un avenir plus lointain. Il y a eu des hauts et des bas, mais quand on prend les réalisations de la civilisation européenne, il faut dire qu'elle a valu la peine d'être édifiée. Et ce n'est pas terminé.

— *Dire « Habsbourg », c'est, en un sens, dire « Europe ». A la différence de l'écolier moyen qui apprend les dates et les événements dans des manuels, il vous a suffi de connaître l'histoire de votre famille pour connaître celle de notre continent. Vos parents et grands-parents vous ont-ils transmis des récits du passé, d'événements, de situations qui avaient marqué la tradition familiale ; voire des souvenirs du XVIIIe et du XIXe siècle qu'on leur avait racontés ou qu'ils se rappelaient ?*

— Ma mère [1], surtout, nous a beaucoup parlé de certaines expériences du passé. Mon père n'en a guère eu l'occasion, étant mort prématurément. Quant aux grands-parents, j'ai beaucoup appris de ma grand-mère maternelle. Elle avait une grande mémoire et une vision très claire des choses à un âge très avancé. Elle avait élevé ma mère, ainsi que ses frères et sœurs selon des méthodes presque spartiates, si j'ose dire, et

1. Cf. Erich FEIGL, *Zita de Habsbourg. Mémoires d'un empire disparu*, Criterion, Paris, 1991.

cette tradition s'est maintenue chez nous. Ce ne sont pas des souvenirs de jeux dans des palais ni de fêtes brillantes pour jeunes oisifs ou de voyages somptueux que j'ai recueillis, mais ma mère et ma grand-mère m'ont parlé surtout de travail, encore de travail et toujours de travail.

Les études étaient très strictes et en plus, les enfants de la famille princière devaient coudre, raccommoder et rapiécer leur propre linge, leurs chaussettes, mais aussi ceux de personnes âgées ou de malades du village où ils vivaient, Schwarzau. Dans la famille, les aînés, issus du premier mariage de leur père, devaient parrainer les cadets, c'est-à-dire s'occuper de leur éducation et de leurs activités. Selon le même système, les frères et sœurs de ma mère parrainaient des enfants pauvres du village qu'ils allaient soigner avec des médicaments et habiller avec des vêtements qu'ils confectionnaient eux-mêmes. Ils se rendaient chez eux tout seuls avec une voiture à cheval ou simplement un cheval pour porter leurs affaires. Ma mère et sa sœur Franziska avaient tracé une frontière, chacune ayant son secteur. Au retour de leur tournée, épuisées par le service des autres, elles devaient ensuite se nettoyer à fond, changer de vêtements et désinfecter leurs cheveux avec de l'alcool. Il y avait beaucoup de tuberculose à l'époque et pas de sécurité sociale. Ma grand-mère avait coutume de leur dire quand elles s'étaient assez lavées : « Ça suffit maintenant ! La charité est le meilleur remède contre les risques de contagion. »

Moi, je n'ai pas été astreint à cela. J'ai grandi pendant la guerre, puis en exil dans des conditions différentes mais plus précaires. Cependant, ma mère m'a inculqué ces mêmes principes.

— *Ce n'est pas ainsi qu'on s'imagine l'enfance des Habsbourg. Cette attitude a dû vous aider à surmonter les difficultés ultérieures. Condamné à la fuite et à l'exil, ruiné par les guerres, vous avez dû travailler dur pour assurer l'existence de votre famille et payer de votre personne pour la liberté des peuples asservis par les dictatures. Le mérite personnel, et non la naissance, a été le ressort de votre carrière.*

Mais si vous jetez un regard en arrière sur votre vie, ne pensez-vous pas que cela a été votre chance ? N'avez-vous pas atteint davantage d'objectifs que l'on peut qualifier d'historiques, en tant que journaliste, conférencier, écrivain et enfin député européen que si vous aviez régné en qualité de monarque consti-tutionnel sur deux royaumes ? Les souverains n'ont pas davantage de pouvoir aujourd'hui qu'hier les présidents de la IVe République en France.

— Ma réponse vous paraîtra peut-être arrogante. Je ne regrette pas de n'avoir jamais été souverain, mais si je l'avais été, je ne me serais certainement pas contenté d'inaugurer des chrysanthèmes. Je crois que j'aurais été un peu différent de ces présidents dont vous parlez.

Je me souviens d'une conversation que j'avais eue, peu après l'indépendance de l'Inde, avec le président-écrivain indien Rajagopalacharya. C'était une de ces conversations fleuves qu'il affectionnait. Ce compagnon de route de Gandhi se mit à déverser tout le mal qu'il pensait des princes et des maharadjas, tout en généralisant de plus en plus. J'ai attendu qu'il prenne enfin le temps de respirer pour lui dire : « Excellence, je vous félicite pour vos maharadjas, car si j'avais été l'un d'eux, je serais peut-être installé ici à votre place et vous seriez en prison dans la cave de cette maison ». Il a éclaté de rire et m'a dit que nous étions faits pour nous comprendre.

Pour ce qui est de ma vocation, la fonction que j'aurais vraiment aimé exercer est celle de ministre des Affaires étrangères. Mais cette aspiration n'est pas déterminée par les côtés positifs de cette carrière. Disons que j'éprouve l'envie de recti-fier certaines fautes que l'on commet en politique internatio-nale et en politique européenne.

— *Vous êtes un des derniers grands témoins du XXe siècle. Deux guerres mondiales, 1914-1918, 1939-1945, la guerre froide, de 1947 à 1991, deux grandes révolutions, en 1917 en Russie et en 1949 en Chine, la décolonisation, des guerres locales et des coups d'État qui ont causé des millions de victimes et balayé des régimes et des empires, toutes ces tragédies ont jalonné votre parcours.*

Notre siècle a-t-il connu plus de malheurs que les siècles précédents ?

— Oui, c'est vrai, notre siècle a été certainement plus dur que d'autres. Mais cela a moins tenu aux qualités ou aux défauts des responsables de notre temps qu'au progrès technique qui nous a permis de commettre beaucoup plus de crimes que dans d'autres générations. Imaginez que Robespierre ait eu à sa disposition les chars, les avions, les transmissions radio d'Adolf Hitler ! Vous voyez quel bain de sang il aurait pu créer en Europe.

Je ne partage donc pas le point de vue des pessimistes qui affirment que l'Europe est en train de décliner sur le plan moral. Certes, nous avons certains problèmes qui résultent, pour la plupart, de nos fautes. Mais notre siècle a tout de même fait beaucoup avancer l'humanité. Ce progrès n'est pas toujours visible, mais en jetant un coup d'œil rétrospectif sur ce siècle que j'ai vécu, je dois dire que, de mon vivant, les choses ont fait un pas en avant.

Quand j'étais jeune, tout le monde était nationaliste et fier de l'être. Aujourd'hui, il existe certainement encore une majorité de nationalistes, mais ils ont mauvaise conscience. C'est la preuve d'un changement radical.

— *Quel fut le plus mauvais jour de votre vie ?*

— Le 11 mars 1938, quand les chars allemands sont entrés en Autriche.

— *Cette invasion de l'Autriche par les nazis qu'on a habillée du mot « Anschluss », « rattachement », portait le nom « Opération Otto ». Pourquoi ?*

— Hitler avait certainement beaucoup de raisons de me détester. Son livre *Mein Kampf* montre clairement qu'il détestait les Habsbourg essentiellement parce que ceux-ci n'étaient pas des nationalistes petit-bourgeois et étroits comme lui. Il éprouvait en outre une haine personnelle à mon égard, datant de l'époque où, étant à Berlin, j'avais refusé de le rencontrer quoiqu'il m'en ait fait prier.

Je comprends fort bien qu'un homme aussi imbu de sa personne, surtout à cette époque où il triomphait, se soit senti insulté par cette attitude du tout jeune homme que j'étais. Il ne faut jamais perdre de vue, dans l'histoire, ces petites réactions de gens qui ont peut-être un peu de génie, mais qui, au fond, sont des médiocres.

D'où le nom d'« Opération Otto » qu'il a donné à l'invasion de l'Autriche. Elle était arrangée avec le gouvernement de Belgrade qui, à ce moment-là, était l'un des piliers de l'Allemagne hitlérienne. Le président de la Tchécoslovaquie, Beneš, avait déclaré préférer Hitler aux Habsbourg. Ce sont des éléments qu'on a un peu oubliés aujourd'hui.

— *Et quel a été votre plus beau jour ?*

— Ce jour de 1944 où, retournant en Europe, j'ai revu une ville dont le centre était une cathédrale et non pas une grande banque ou un silo administratif.

— *Avez-vous regardé la télévision quand, le 21 juillet 1969, à 3 h 56 du matin, Neil Armstrong fut le premier humain à poser son pied sur la lune ?*

— Non, pour la bonne raison que je n'ai pas de poste de télévision. J'occupe mes soirées à travailler, car mes journées n'ont malheureusement que vingt-quatre heures. Je suis donc installé à mon bureau à l'heure où une bonne partie du genre humain est assis devant le petit écran. Mais j'admets aussi que c'est une lacune, car la télévision véhicule beaucoup d'informations importantes.

— *Quelle fut la plus grande joie de votre vie ?*

— La disparition des systèmes communistes en Hongrie et dans les autres pays d'Europe. J'en ai éprouvé une joie que je n'aurais jamais espéré connaître.

— *En dehors de ses conséquences immédiates, que représentait pour vous ce grand moment ?*

— La défaite de forces que beaucoup de gens croyaient invincibles.

Quand je luttais contre le communisme, que de fois des politiciens éminents de différents partis m'ont-ils assuré que ma lutte n'aboutirait jamais, que je me battais, tel Don Quichotte, contre des moulins à vent !

Je me rappelle aussi qu'au temps de l'hitlérisme, de nombreuses personnes, des intellectuels, des hommes politiques pensaient que ces idées représentaient l'avenir. En mars 1938, immédiatement après l'occupation de l'Autriche par Hitler, un diplomate autrichien est venu me voir dans mon exil belge, à Steenockerzel. Il me reprochait d'avoir pris parti pour ma patrie et ne comprenait pas que je proteste contre l'occupation par les troupes allemandes. Il s'irritait surtout que j'eusse parlé d'un « viol » de l'Autriche. A la fin, il m'a pratiquement qualifié de « traître ». J'ai éprouvé après la guerre un malin plaisir à voir que cet homme s'était vu attribuer un poste de haut niveau dans la Deuxième République autrichienne, tandis que moi, j'étais interdit de séjour, oui, banni de mon pays comme un condamné.

Le national-socialisme et le communisme, ces deux monstres du XXe siècle, ces dragons qu'aucun Siegfried n'osait affronter de face, ont dû capituler. Mais il faudra beaucoup de temps pour réparer les ruines qu'ils ont laissées, surtout celles, plus récentes, du communisme.

— Vous avez traversé la vie en ligne droite : fidèle à vos convictions, intransigeant sur les principes et surtout immunisé contre les propagandes et les manipulations. Et cela continue ainsi. N'avez-vous jamais douté de vous-même quand tout le monde condamnait vos idées, quand le Mal était victorieux ?

— L'explication de ma trajectoire est simple. Je suis convaincu que le jour qui clôt la vie d'un homme est le plus important de tous. En d'autres termes, c'est le jour où nous passons en jugement devant le Tout-Puissant. Celui-ci ne vous demandera jamais si vous avez été victorieux ou perdant. Il voudra savoir si vous avez toujours agi selon votre conscience et selon ce que vous considérez être votre devoir. Cette vision de l'avenir confère une indépendance considérable.

De plus, je n'ai jamais cru à la victoire du Mal, peut-être parce que je suis optimiste de nature. Cela découle aussi d'une certaine réflexion sur l'histoire.

— *On dit que les idées mènent le monde. La fin de notre siècle n'en a-t-elle pas réfuté quelques-unes, héritées du siècle précédent, qui ont commis beaucoup de ravages ?*

Prenez les trois grandes doctrines du XXe siècle : communisme, fascisme et freudisme. Vous venez de parler de l'échec du nazisme et du communisme. On a fini par comprendre que les idées de Marx, Engels, Lénine et Mao menaient à une tragique impasse. La préhistoire et la biologie moléculaire ont prouvé l'origine unique de l'homme, réfutant le racisme biologique prôné chez les nazis. Les idées de leur adversaire, Siegmund Freud, ne tiennent plus la route, elles non plus, face à l'étude du comportement. On ne peut plus guère parler de sa psychanalyse sans en sourire. Sauf ceux qui ont perdu tout leur argent chez le psychanalyste.

Ayant vu l'apogée et l'anéantissement de ces errements, en retirez-vous un sentiment d'amertume, tant est grande la sottise humaine...

— Certainement pas. Je ne nie pas l'existence de la sottise. Elle est exaspérante quand elle émane des dirigeants. Mais pour ce qui concerne la grande masse de la population, il faut être indulgent. Les gens n'ont pas les moyens ni le temps de s'informer comme ceux qui gouvernent.

Et pourtant, j'ai souvent eu l'impression que la population est plus intelligente que ne le croient les manipulateurs de l'opinion publique.

— *Ce qui explique peut-être le retour à la démocratie et l'effondrement des dictatures en notre fin de siècle. Du moins dans la plupart des pays européens tandis qu'ailleurs le fanatisme fait encore des ravages. Mais quel a été l'apport positif et original du XXe siècle par rapport aux siècles précédents ?*

— Le progrès scientifique, à coup sûr. Mais nous n'avons pas encore réussi à produire l'apport décisif qui consisterait à vivre, sur le plan moral et politique, à la hauteur de nos

inventions techniques. Nous devons maintenant prendre conscience du fait que Dieu nous a donné la puissance de détruire.
C'est une tentation à laquelle succombent certaines personnes
qui s'imaginent qu'elles sont devenues toutes-puissantes. Cela
commence au niveau individuel, dans la société de tous les
jours, et va jusqu'à l'échelon le plus élevé, à la direction des
armées et des États. Au cours du prochain siècle, il va falloir
dominer le danger des forces négatives.

— *C'est vrai qu'on n'a fait que peu de progrès dans la connaissance et la maîtrise des sentiments humains. Mais biologistes et
préhistoriens nous assurent que l'homme n'a plus changé depuis 20
à 30 000 ans parce que maintenant la culture change plus vite que
ses gènes. Pourtant, le progrès culturel dans le domaine de la
morale se fait attendre. Dans les sociétés industrialisées, la foi
religieuse recule, la violence et la criminalité se répandent, pour
beaucoup la vie perd son sens et on nous gouverne, on nous gère
avec cynisme. Est-ce que cela ne modère pas votre confiance en
l'avenir ?*

— Certes, on enregistre un recul de la religion dans les masses.
Mais il s'est produit un changement considérable par rapport
au xixᵉ siècle : les scientifiques ont redécouvert Dieu. C'est un
changement qui concerne presque tous les hommes de science
de notre temps. Alors qu'au xixᵉ siècle, il fallait avoir la grandeur d'un Louis Pasteur pour oser se dire croyant, aujourd'hui
c'est devenu naturel.

— *Le physicien Niels Bohr disait que « la prédiction est difficile,
surtout quand il s'agit du futur ». Mais Tocqueville, au xixᵉ siècle,
avait prophétisé la montée en puissance des États-Unis et de la
Russie et il ne s'est pas trompé. Pouvez-vous deviner à quoi
ressemblera le monde, ce que sera l'Europe, dans un demi-siècle ?*
— Je pense que l'Europe sera unie, qu'elle inclura beaucoup
de ces pays d'Europe centrale et orientale qui n'en sont pas
encore aujourd'hui membres de plein droit. Que l'Europe se
sera consolidée et qu'elle a toutes les chances d'être la première
puissance du monde. Quant au monde, la recherche de la

spiritualité y jouera un rôle plus important qu'au cours des deux siècles précédents.

— *Vu le recul des naissances dans nos pays et l'explosion démographique hors d'Europe, ne peut-on penser plutôt que, dans un siècle, notre vieux continent aura définitivement perdu sa place dans le monde, au profit de la Chine ou du monde islamique, par exemple ?*

— La formule « le vieux monde » pour désigner notre continent, nous vient d'Amérique. Elle ne définit pas l'Europe. Après la Deuxième Guerre mondiale, on s'imaginait que notre continent était dépassé et fatigué et que l'avenir était en Amérique. De nos jours, on réalise déjà que l'Europe a de l'avenir, mais dans un sens différent de celui qu'avait ce mot dans les siècles passés. L'Europe, telle que nous l'entendons aujourd'hui, est une idée neuve.

Voyez la Chine, on en parle comme d'un pays jeune et nouveau. C'est une appréciation ridicule parce que la Chine est plus ancienne que l'Europe et qu'elle a conservé le sens de ses traditions. Mais elle possède aussi un dynamisme dont la puissance réside dans le sens de son destin historique.

Pour ce qui concerne nos amis islamiques, je les considère comme très proches de nous. Je suis convaincu qu'à la longue, nous aboutirons à un accord entre l'Europe et le monde islamique qui nous permettra de faire de la Méditerranée la plaque tournante du monde occidental et non plus sa frontière sud.

— *C'est une vue bien optimiste en effet. Le vieux philosophe juif Isaïa Berlin, un des survivants de l'Holocauste, se disait heureux, récemment, d'avoir quatre-vingt-deux ans parce que son grand âge lui épargnera sans doute de voir l'anéantissement de l'Europe. Selon lui, jamais notre continent n'a été autant menacé, notamment par le fondamentalisme islamique.*

— Ce n'est pas certain. L'Europe a souvent été menacée. Des armées conquérantes ont pénétré jusque dans son cœur à plusieurs reprises et elles ont été repoussées. Elle a été menacée encore plus par les querelles suicidaires survenues entre des pays qui la composent.

— *L'historien Pierre Chaunu écrit que vous êtes « le dernier et le premier des Européens, et le meilleur prophète de l'avenir pour n'avoir rien oublié du passé ». Un tel jugement ne heurte-t-il pas votre modestie ?*

— Ce jugement est un peu trop généreux, venant d'un ami qui veut me faire plaisir. Je ne me crois pas si parfait. Que je prenne l'histoire comme base de départ est naturel. Parce que sans histoire on ne peut pas faire de politique.

Chapitre I

Une jeunesse de prince

Jean-Paul Picaper : Historiens et romanciers ont beaucoup écrit sur la fin de l'empire des Habsbourg. Certains semblent persuadés qu'une fatalité s'acharnait sur votre famille au cours des décennies allant de la deuxième moitié du dernier siècle au début du nôtre.

Otto de Habsbourg : Il est vrai que les Habsbourg ont été particulièrement éprouvés par le sort. Leurs fonctions les exposaient aux agressions. La région dont ils avaient la responsabilité était très déstabilisée. Leurs tentatives de conciliation n'ont pas toujours été comprises, certaines ont cependant réussi.

— En particulier à l'époque de l'empereur François-Joseph et l'on a parfois l'impression d'une corrélation entre ces catastrophes familiales et les drames qui ont ensuite ensanglanté le XXᵉ siècle. Ne peut-on en déduire que les massacres de 1914-1918, puis les révolutions totalitaires qui ont suivi, étaient dans la logique de cette série de malheurs ? Des signes annonciateurs en quelques sorte ?

— Je crois à une logique de l'histoire et non à la fatalité. Par exemple, ce que nous venons de vivre dans l'ex-Yougoslavie a été la conséquence directe des traités de paix à la fin de la Première Guerre mondiale. On a commis l'erreur de promettre l'autodétermination aux peuples pendant la Première Guerre mondiale et d'oublier hâtivement cette promesse après l'armistice. C'est ainsi qu'est née la Yougoslavie. Deuxième erreur que le Congrès de Vienne, en 1815, avait évitée, les vaincus ne faisaient pas partie de la négociation. Les vainqueurs discutèrent entre eux avant d'imposer aux vaincus un « Diktat ».

Yalta a encore renforcé cette faute puisque là, même les alliés des deux grands vainqueurs, États-Unis et Russie, n'étaient pas admis à la conférence. Les superpuissances se sont partagé le monde à huis-clos. On a vu ensuite ce que cela a donné.

— *C'est sans doute la raison pour laquelle les peuples aujourd'hui rejettent les créations politiques du XXᵉ siècle pour revenir, non pas à 1914, comme on le dit souvent, mais au substrat établi et accepté au cours du XIXᵉ siècle.*

Mais, pour en rester à votre famille, les adultes qui ont entouré votre enfance vous semblaient-ils marqués par cette accumulation de malheurs ? J'ai lu qu'une légende circulait à Vienne, au début du siècle, à propos de la « dame blanche des Habsbourg », une apparition transparente et fluide dans les couloirs du palais de la Hofburg qui emportait toujours quelqu'un des vôtres dans les plis de sa robe.

— J'ai entendu parler de cette histoire, mais, dans ma famille, personne n'y croyait. En tout cas, aucun membre de notre famille n'a rencontré cette dame...

— *Je vois que vous n'êtes pas attiré par les nébulosités romantiques. Néanmoins, je dois rappeler que le pape Pie X avait prophétisé à votre mère, après son mariage avec Charles, que votre père serait l'héritier du trône. Or, à cette époque, le trône revenait à François-Ferdinand.*

— Peut-être était-ce en effet une prémonition, mais c'était en tout cas un sage conseil. Je puis confirmer, en tout cas, qu'en 1914, l'héritier du trône, François-Ferdinand, était conscient du danger qu'il courait. Avec la duchesse de Hohenberg, son épouse, il rendait souvent visite à mes parents au château d'Hetzendorf. C'est au cours d'une de ces soirées, durant l'hiver 1913-1914, qu'il leur dit : « Je dois vous faire part d'une chose... Je... je vais être assassiné. » D'après ma mère, il semblait convaincu que sa fin approchait. Il attendait cette issue fatale en homme calme et courageux.

— *Cette série fatale n'était pas exceptionnelle dans les familles*

14

régnantes de l'époque. Tout avait commencé par la mort tragique de Louis XVI et de Marie-Antoinette, par l'assassinat de leur fils en prison, deux taches noires dans l'histoire de France. La famille de votre mère avait vécu aussi l'assassinat d'un oncle, Ferdinand de Bourbon-Parme, empoisonné par un carbonaro, et l'assassinat de son grand-père, Charles III, poignardé par un autre nationaliste italien. Mais rien n'égala les malheurs de François-Joseph de Habsbourg.

— Oui. Il y eut d'abord la mort de son frère Maximilien, au Mexique, pris et fusillé par les troupes de Juarez le 19 juin 1867, après que Napoléon III, qui l'avait incité à cette aventure, eût retiré son corps expéditionnaire. Triste affaire que l'empereur des Français tenta de se faire pardonner en venant à Salzbourg avec son épouse Eugénie pour une visite de condoléances. Mais la mère de Maximilien, l'archiduchesse Sophie, refusa de les recevoir.

— *Était-ce vraiment la faute de Napoléon III ? Vous m'avez dit que François-Joseph avait déconseillé à Maximilien cette aventure. Est-ce exact que Maximilien n'avait pas d'avenir dans l'empire à cause de ses idées libérales et qu'il se lança dans cette affaire mal ficelée, dans un pays lointain, parce qu'il s'ennuyait dans son château de Miramar, près de Trieste ?*

— Je ne puis confirmer cette remarque. Je n'en sais vraiment rien.

— *Ce fut ensuite le double suicide du prince héritier, le « Kronprinz » Rodolphe, fils de François-Joseph, le 30 janvier 1889, dans le pavillon de chasse de Mayerling au sud de Vienne, et de sa maîtresse de 18 ans, Mary Vetsera. Beaucoup d'encre a coulé et continue de couler sur ce drame.*

Comment se fait-il que « l'énigme de Mayerling » continue de passionner l'opinion publique, un siècle après ?

— Je ne crois pas que ce soit une vraie énigme. Certains historiens ou pseudo-historiens usent de ces soi-disant mystères de l'histoire pour captiver l'intérêt de leurs lecteurs. C'est exactement la même chose avec le drame de Dallas. On peut publier avec succès tous les six mois une nouvelle révélation sur la mort de John Kennedy.

— *Selon la biographe de Rodolphe, Brigitte Hamann, son suicide serait dû à un sentiment d'échec politique. Elle écrit que ce prince avait des traits communs avec son grand-oncle Joseph II, y compris les tendances libérales et éclairées, favorable aux Hongrois, aux Juifs. Il écrivait dans* Le Figaro *pour faire passer ses idées, son père François-Joseph, qui pourtant l'aimait bien, ne lui accordant aucune responsabilité politique. Le sentiment a donc pu le gagner d'avoir tout raté. C'est l'explication rationnelle.*

Selon d'autres « révélations », les deux amants prenaient des stupéfiants, ils auraient mis fin à leur jour dans un état d'inconscience et l'archiduc avait des tendances morbides, sujet à une fascination romantique de la mort. De plus, il menait de front deux vies parallèles, travail écrasant d'un côté, existence dissolue de l'autre.

Épaississant ce mystère qui fascinera sans doute encore des générations, la Neue Kronenzeitung, *à Vienne, a écrit, en décembre 1992, que les restes de Mary Vetsera ont été volés dans sa tombe, au cimetière du couvent de la Sainte-Croix à Vienne où elle avait été inhumée en secret. D'après ce récit rocambolesque, deux Autrichiens qui affirmaient les avoir exhumés à la demande d'un membre de l'aristocratie, les auraient vendus ensuite, cercueil de zinc inclus, à un marchand de meubles de Linz en 1988 dans la petite ville de Budvar en Bohême. Ce journal a écrit que le crâne de la morte trouvé chez ce commerçant ne porte aucune trace de suicide par balle. Ce qui contredit le constat officiel de l'époque.*

Il y a enfin une thèse, récente, selon laquelle l'archiduc Rodolphe aurait été assassiné dans ce pavillon de chasse avec son amie par des agents de l'Allemagne. Son libéralisme et ses orientations francophiles gênaient la politique expansionniste de Berlin. Alors on aurait maquillé le meurtre en suicide.

Ensuite, il y eut l'assassinat de sa mère, l'impératrice Élisabeth, née dans la famille bavaroise des Wittelsbach et immortalisée sous les traits de Sissy par Romy Schneider, le 9 septembre 1898 à Genève, par l'anarchiste italien Lucheni. Par son goût du sport, de la littérature, des voyages, cette femme était en avance sur son temps, d'autant qu'elle était d'orientation libérale et avait fait élever son fils Rodolphe dans cet esprit, contre la volonté de son père. Sa beauté était célèbre et son rayonnement a séduit la postérité. On a dit que ses malheurs l'avaient rendue instable, qu'elle s'était mise en marge de la cour autrichienne. Sa fin tragique, comme celle de son fils, n'a-t-elle pas contribué à accréditer l'idée que la dynastie était poursuivie par un mauvais sort ?

— Je vois que vous cherchez à m'amener à l'admettre. C'est légitime du point de vue journalistique ou littéraire. Je sais que l'on a écrit beaucoup d'histoires sur ces événements. Mais je ne suis pas convaincu par toutes ces interprétations. Mon attitude à l'égard de l'histoire est simple : tant qu'elle est utile à la planification de la politique, je m'y intéresse. Dès lors qu'il s'agit de dénicher des mystères, je ne m'y intéresse pas. Ceci ne s'applique pas seulement à Mayerling, mais à tous les chapitres obscurs, prêtant à des spéculations.

Je veux néanmoins ajouter que notre famille n'était pas persécutée par un mauvais sort. Elle a eu ses malheurs, comme toutes les familles. Seulement, on n'en parle pas autant quand il s'agit de personnes n'exerçant pas de responsabilités politiques ou autres.

— *Le deuxième frère de François-Joseph, Charles-Louis était mort en 1896. Son troisième frère, Victor-Louis, était, d'après certains historiens, « incapable de régner ». Raisons pour lesquelles tous les espoirs s'étaient reportés sur le neveu de l'empereur, votre oncle François-Ferdinand, fils de Charles-Louis. Il passait, lui, pour un homme très énergique, comme l'avait montré d'ailleurs son mariage, contre la volonté de l'empereur, avec la comtesse Sophie Chotek, issue d'une ancienne maison de Bohême mais qui ne jouissait pas de « l'immédiateté d'empire », une « mésalliance » donc.*

François-Ferdinand avait aussi la réputation d'être un homme assez emporté, doté d'un grand courage physique qui le perdit, lui et son épouse. Au lieu de quitter Sarajevo après un premier attentat à la bombe manqué, il retraversa la ville en voiture

*

découverte, facilitant ainsi l'agression du terroriste Gavrilo Prin-cip. Ce détail relaté par les historiens est-il exact ?

— Oui. François-Ferdinand était un homme courageux. Et je comprends son attitude. Je crois qu'à sa place, j'aurais fait la même chose. Si vous fuyez devant la menace, vous perdez la victoire.

— Deux assassinats, sans rapport apparent, ont marqué le début de la Première Guerre mondiale : celui de l'archiduc François-Ferdinand et celui de Jean Jaurès. Un indice de l'atmosphère qui régnait à cette époque ? Le coup de départ du gigantesque mas-sacre ?

— C'est juste de mettre en parallèle Jaurès et François-Ferdi-nand, car c'étaient des hommes de paix. François-Ferdinand voulait la réconciliation avec les Slaves, Jaurès la réconciliation européenne. Ils sont dû terriblement souffrir tous les deux de voir monter ce nationalisme exacerbé qui a entraîné leur mort.

— L'historien Jean Bérenger écrit que François-Ferdinand « était en réalité, comme beaucoup de Habsbourg, indécis et très sensible à l'influence de son entourage quand ses conseillers savaient le prendre ». Qu'en pensez-vous ? Est-ce une preuve d'indécision ou d'intelligence que de suivre l'avis de conseillers ?

— La thèse de Bérenger est fausse. François-Ferdinand avait des conseillers, mais il était très indépendant.

— Votre père me paraît avoir été le plus sensé et le plus réfléchi des prétendants au trône à cette époque. Des historiens écrivent que son père, l'archiduc Otto, décédé en 1906, menait une vie dissolue. Au contraire, jusqu'à son décès prématuré en 1922 votre père fut un modèle d'esprit familial. Il était très attaché à votre mère et à ses enfants. De plus, embrassant par tradition la carrière militaire, il s'est soucié essentiellement de ses hommes.
Je rappelle brièvement qu'il s'est rendu en 1916 sur le front italien, puis en Galice, après l'offensive de Broussilov, où il a relevé le moral des troupes. Après son accession au trône, il montra que l'armée ne gouvernait plus et tenta de négocier une paix

séparée avec l'Entente. Ce qui fut sa malchance. Lui qui déclarait à ses peuples « vouloir bannir, dans les plus brefs délais, les horreurs et les sacrifices de la guerre et leur rendre les bénédictions disparues de la paix aussitôt que le permettront l'honneur des armes », se heurta, d'une part, à l'hostilité de Guillaume II et, de l'autre, à l'incompréhension de Clemenceau. Malgré la caution de vos oncles, engagés dans l'armée belge. Et tout finit par la gaffe de son ministre des Affaires étrangères, Czernin, qui vanta, le 2 avril 1918, devant le conseil municipal de Vienne les vertus de l'alliance austro-allemande. Déclaration qui fournit l'occasion au « Tigre » de publier la lettre de votre père qui lui offrait une paix séparée avec l'Entente « si l'Allemagne refusait d'entrer dans la voie de la raison ». Qui était ce Czernin ?

— Mon père s'est plutôt heurté à l'hostilité du grand état-major prussien et, bien entendu, au manque de compréhension du côté des alliés, qu'à celle de Guillaume II. Le souverain allemand était plus raisonnable qu'on ne l'a dit par la suite.

Quant à Czernin, c'était un traître qui n'avait aucun sens des réalités. Beaucoup d'hommes sont morts parce que son geste contribua à retarder la signature d'une armistice.

— Il me semble que votre mère joua un rôle très important lors de ces tentatives de paix. J'ai lu une description qu'elle a donnée, au retour des tranchées, des horreurs de la guerre, de la souffrance des hommes, de l'envahissement de leurs quartiers par les rats.

— Mon père lui avait beaucoup parlé du front. Il voulait mettre un terme aux souffrances de ses soldats. C'était un pacifiste raisonnable. Il servait en soldat, mais il défendait la paix. Et ma mère partageait son point de vue. Mes parents formaient un couple très uni.

— Avant la guerre, la cour de Vienne avait « un train de vie splendide », à ce qu'on dit. Les Habsbourg étaient « immensément riches » et appréciaient tout ce qui était raffiné. Cette année, une exposition de leur vaisselle, en Suisse, donne une idée de la façon magnifique dont leur table était agencée.

— On a beaucoup parlé de ce faste de Vienne qui, sur le plan artistique et culturel, existait. Mais il suffit de voir la chambre où dormait François-Joseph pour se rendre compte que ce faste n'était qu'extérieur. Lui-même vivait dans l'austérité. Comme mon père, sauf que lui, qui accéda au trône durant la guerre, élimina tous les éléments somptuaires du train de vie de la monarchie.

— *En novembre 1916, à l'occasion des obsèques de votre grand-oncle l'empereur François-Joseph, vous marchiez entre vos parents à la tête du cortège, vêtu de blanc, avec une cravate de crêpe noir. Sur cette photo, vous avez l'air beaucoup plus sérieux qu'on ne l'est généralement à cet âge.*

— J'avais quatre ans et j'étais très impressionné par ces grandes personnes en manteaux noirs. Étant le seul petit enfant à participer à cette cérémonie, tout me paraissait gigantesque. J'ai conservé cette sensation de grandeur. Je me souviens aussi de ma tristesse. On disait : « L'empereur est mort ». L'empereur, c'était un peu le Bon Dieu.

— *Sur une photo, vous êtes assis sur ses genoux. Était-il aussi une sorte de grand-père avec lequel vous jouiez ?*

— Non, je ne l'ai vu que trois ou quatre fois, et c'est assez flou dans mon esprit. Néanmoins, je me rappelle du jour où la photo dont vous parlez a été prise, de notre entrée dans le salon, du photographe surtout, avec son voile noir sur la tête, et de l'éclair. Bref, il me reste les images qu'enregistre un enfant. Mais j'avais quand même le sentiment de vivre quelque chose d'exceptionnel.

— *Vous rendiez-vous compte du rôle important que jouaient vos parents ?*

— Oui, mais j'en ai surtout pris conscience après le couronnement de mon père à Budapest. J'ai beaucoup plus de souvenirs de ce jour-là que de l'enterrement de mon grand-oncle.
D'abord le couronnement dans l'église, avec, aux côtés de mon père, le comte Tisza, Premier ministre. Étant calviniste, il portait un costume noir. Chez les catholiques hongrois, les

tenues sont très bigarrées tandis qu'elles sont noires chez les protestants. Plus tard, ce pauvre comte fut assassiné. Aujourd'hui, son petit-fils, député au Parlement de Budapest, est un de mes plus proches collaborateurs en Hongrie.

Le roi Ferdinand de Bulgarie, qui était à côté de moi, essayait de m'expliquer ce qui se passait par de la philosophie historique tout à fait hors de ma portée.

Et puis devant l'église, mon père, à cheval, montant sur un monticule de terre apportée de tous les comitats du pays. Il donna quatre coups d'épée vers les quatre points cardinaux pour s'engager à défendre la Hongrie. Et la foule, immense...

— *Une foule qui a longuement acclamé, à la sortie de l'église, « le petit prince blanc »...*

— Nous repartîmes le soir même, en train, pour rejoindre le grand quartier général autrichien, à Baden, près de Vienne. Mon père fit d'ailleurs quelques mécontents en n'acceptant pas toutes les festivités d'usage. Mais nous étions en pleine guerre.

— *Les tempéraments hongrois et autrichien sont-ils très différents ?*

— Ils sont complémentaires. Les Hongrois sont mobiles, les Autrichiens stables. Ces deux pays sont fait pour s'entendre. N'oublions pas que, lors des événements de 1956, c'est l'Autriche qui a aidé les Hongrois. Et c'est encore l'Autriche qui a poursuivi sa politique de fenêtre ouverte sur la Hongrie lorsque la répression soviétique a sévi dans ce pays.

— *Avez-vous gardé un souvenir de l'émotion entourant la mort de l'archiduc François-Ferdinand et des journées suivant la déclaration de la Première Guerre mondiale ? Vous n'aviez que deux ans...*

— Je ne me souviens pas des événements de Sarajevo ni de l'éclatement de la guerre.

— *En revanche, votre mère a dû vous en parler ?*

— Oui, elle gardait un souvenir très vivace de ces journées

tragiques, mais aussi de l'enthousiasme des foules lors de la déclaration de guerre. Mon père, par contre, qui connaissait bien l'histoire et la géographie, ne partageait pas cette exaltation. Il savait ce qu'était la guerre et un pressentiment douloureux quant à l'issue du conflit le tenaillait.

— *Quand vous pensez à cette période de votre vie, disons jusqu'à l'âge de dix, douze ans, ressentez-vous un sentiment de tristesse ou au contraire de plénitude ? Ou une évolution, du bonheur vers la tristesse ?*

— Franchement, je ne sais que répondre. Les événements se suivaient et ne se ressemblaient pas. Ils allaient en sens inverse les uns des autres et nous passions de la joie à la tristesse et vice-versa. Ce fut une période très agitée.

— *Quels préceptes moraux et intellectuels votre mère Zita vous a-t-elle inculqués ? Car c'est elle qui a eu l'influence dominante et décisive sur votre formation, n'est-ce pas ?*

— Elle insistait sur la discipline de la vie. Je ne sais pas si cela correspondait à son caractère ou si elle s'était crue obligée, à la mort de mon père, de le remplacer. Toujours est-il que son éducation fut très sévère, mais je lui en suis profondément reconnaissant aujourd'hui.

— *Vous souvenez-vous des enfants qui vous entouraient, de ceux qui n'appartenaient pas à votre famille ? Les avez-vous revus plus tard ? Ou bien les ponts ont-ils été coupés par l'exil ?*

— Ma famille a été tellement ballottée que je ne me souviens pas d'enfants du même âge que moi avec lesquels j'aurais joué.

— *Vous a-t-on parlé du fils de Napoléon, de celui que la littérature et la légende ont appelé « l'Aiglon » ? J'ai revu sa chambre au château de Schönbrunn. Dans les derniers temps de sa courte vie, il avait pour compagnon un oiseau dans une cage. Connaissez-vous cette chambre ?*

— Non, je ne l'ai jamais vue. Quand nous étions enfants, nous ne sommes guère allés à Schönbrunn puisque le grand quartier général se trouvait à Baden où nous résidions.

— *Vous n'avez pas passé votre prime enfance à Schönbrunn, certes, mais à la Villa Wartholz am Schneeberg, près de Vienne, où vous êtes né, puis au château d'Hetzendorf, relié par une allée au château de Schönbrunn. Que ressentez-vous en revoyant Schönbrunn ?*

— Je trouve le château très beau. La signification qu'il a pour moi est liée à ma pensée politique. Quand Napoléon occupait Vienne, il avait fait sculpter ses aigles devant la façade du château. Et quand les Autrichiens redevinrent les maîtres dans leur capitale, les conseillers de l'empereur François lui demandèrent d'enlever ces aigles. L'empereur s'y opposa, déclarant qu'ils appartenaient à notre histoire. Aujourd'hui, les aigles sont encore à Schönbrunn et c'est une belle leçon que François nous a donnée.

— *Naître dans un milieu exceptionnel comme le vôtre, côtoyer des tragédies historiques dès l'enfance, n'est-ce pas déboussolant pour un enfant ? Comment peut-on alors garder ce que j'appellerai le sens commun ?*

— Je dois à ma mère d'avoir appris où est le bon sens. Elle situait toujours les choses par rapport à un contexte rationnel, en nous montrant leur enchaînement.

— *Après le traumatisme infligé à votre famille par la défaite et la déchéance du trône en 1918, après les malheurs qui ont frappé votre pays et vous ont poursuivi jusque dans l'exil, n'êtes-vous pas passé du luxe à la tragédie.*

— Non, car le luxe était rare en ces temps de guerre à la cour impériale. Et mon père était très hostile au faste, c'était un homme au goût simple.

— *Le destin de votre mère a eu quelques points communs avec celui de Marie-Antoinette d'Autriche, l'épouse de Louis XVI. Comme cette malheureuse, elle a subi de terribles campagnes de calomnies. Les propagandistes de la Révolution française avaient fait surnommer Marie-Antoinette « l'Autrichienne », ce qui revenait à l'accuser implicitement de haute trahison.*

De même, les Bolcheviks faisaient appeler la dernière Tsarine, Alexandra Feororovna, née Alix de Hesse-Darmstadt, « l'Allemande », pour mieux la condamner à mort.

Votre mère, une Bourbon-Parme, avait été surnommée à l'instigation du parti prussien, en Allemagne où l'on haïssait les Français, « la Bourbon » ou « la Française » et en Autriche où l'on détestait les Italiens, « la Parme » ou « l'Italienne ».

Après l'échec de l'offensive austro-hongroise contre les Italiens à Piave, en juin 1918, l'état-major allemand, autour de Ludendorff, accusa votre mère d'avoir trahi. L'historien autrichien de votre famille, Erich Feigl, insiste sur l'illogisme de ces accusations. Votre mère elle-même regrettait de n'être pas née en hiver, comme sa sœur aînée, quand sa famille résidait en Basse-Autriche, à Schwarzau, mais l'été dans leur résidence italienne, la villa delle Pianore, à Lucques.

— « Je n'ai rien contre Pianore, disait ma mère. Mais si, comme mes frères et sœurs, j'étais née à Schwarzau, j'aurais été également autrichienne de naissance et l'on n'aurait pas pu me vouer aux gémonies comme "Italienne" pendant la Première Guerre mondiale, du seul fait de mon lieu de naissance ». L'empereur François-Joseph avait été le parrain de la sœur aînée de ma mère, Franziska, née, elle, à Schwarzau.

Pourtant, ma mère se sentait autrichienne. Elle avait grandi à Schwarzau et connaissait bien les gens du village. Elle possédait une demi-douzaine de langues. Elle parlait l'allemand avec l'accent de Schwarzau, mais sa langue maternelle était le français, ce qui explique la pureté de son style dans toutes les langues, votre langue étant très exigeante à cet égard.

Pour revenir à l'accusation de trahison portée contre ma mère, c'est une légende qui a été fabriquée de toutes pièces par le grand état-major allemand et reprise, bien sûr, par certains services de désinformation alliés. Penser qu'elle aurait pu trahir est absurde. Il n'y a d'ailleurs jamais eu la moindre preuve pour étayer cette calomnie.

24

— *Ne dit-on pas que tout bon Allemand doit avoir sa constitution dans sa poche ? Et tout bon Français son dictionnaire sous le bras ?*

— C'est simplement un peu plus lourd à porter ! Mais c'est exact, les Français veulent être en accord avec leur langue et leur culture. Les Allemands veulent être en règle sur le plan juridique. Cela s'explique par l'histoire, un État de droit ayant succédé à l'arbitraire hitlérien.

— *Votre mère était d'origine franco-portugaise. Elle descendait par sa famille paternelle en ligne directe de Louis XIV et du petit-fils de ce dernier, le duc d'Anjou, devenu Philippe V d'Espagne, qui donna à l'un de ses fils l'héritage de sa mère, Elisabeth Farnèse, ancêtre des Bourbon-Parme. « Sa grand-mère, Louise de Bourbon, avait sauté sur les genoux de Louis XVIII et de Charles X aux Tuileries. Louise avait été pratiquement élevée par la fille de Louis XVI, Marie-Thérèse, duchesse d'Angoulème, l'"orpheline du Temple" », écrit Erich Feigl[1].*

— La tradition de la Maison de Bourbon était française dans son essence même. Les Bragance y avaient, certes, apporté une note portugaise, mais le côté français primait. Mes oncles Sixte et Xavier ont servi au cours de la Première Guerre mondiale dans l'armée belge parce qu'en tant que princes de Bourbon, on ne les admettait pas dans l'armée française. Durant l'occupation allemande de la France, mon oncle Xavier a été arrêté et traîné dans plusieurs camps de concentration allemands. Il a échappé de peu à la mort. Je fus le premier à l'accueillir à sa sortie du camp. Il était dans un état misérable.

— *Cette Première Guerre mondiale, souhaitée par les Prussiens et les Russes plus que par les Autrichiens et les Hongrois, plaçait votre mère entre deux feux. N'est-ce pas elle qui a poussé votre père à tenter de faire la paix en pleine guerre avec les puissances de l'Entente, France, Angleterre ? Des démarches que l'état-major allemand a ressenties comme une trahison...*

1. Cf. E. FEIGL, *op. cit.*, p. 27, 34-35, 45...

— On a fait courir ce bruit que ma mère en avait été l'instigatrice, mais je suis tout à fait certain qu'elle n'a pas eu besoin de pousser mon père à le faire. La négociation menée par le truchement du prince Sixte de Bourbon n'a été que la plus connue de toutes. Sans doute, les relations familiales de ma mère avec le prince Sixte facilitaient les choses. C'était un homme supérieur, doté d'une très grande intelligence, d'un grand cœur et très dynamique. Il offrait donc toutes les garanties possibles et il disposait d'excellents contacts dans les milieux politiques français.

Mais il y eut plusieurs autres négociations qui sont allées très loin, pour échouer toutes en dernière phase. Il y eut par exemple la négociation menée avec le général sud-africain Smuts, qui était mandaté par les Anglais. Ces pourparlers ont continué à Neuchâtel en Suisse. A ma grande joie, les habitants de Neuchâtel s'en souviennent et ils m'avaient invité pour l'inauguration d'une plaque commémorative qu'on a fixée sur la maison où ces négociations avaient eu lieu. C'est un des chapitres de l'histoire encore relativement peu connu.

— *En tout cas, on n'a su aucun gré à vos parents après la guerre de leurs tentatives de paix. Que s'est-il passé en 1918, après la défaite ?*

— Mon père, Charles de Habsbourg, secondé par ma mère, Zita, ne voulait pas renoncer à réorganiser son État anéanti. Il rêvait d'un nouveau départ, mettant en œuvre les principes du fédéralisme que les réformateurs de l'empire voulaient depuis longtemps. Aussi lança-t-il, à la veille de la débâcle militaire, le 18 octobre 1918, un manifeste à tous ses peuples leur accordant une autonomie complète sous sa tutelle. Le prince de Windisch-Graetz remit aux diplomates alliés une note les assurant que l'empereur ne tenait ni à sa couronne ni à sa dynastie, mais qu'il voulait rétablir l'harmonie entre les États indépendants naissants.

— *Alors, pourquoi n'a-t-on pas accepté ?*

— C'était le chaos. La révolution grondait à Vienne et nous

dûmes nous retirer au château d'Eckartsau, non loin de la capitale. Un gouvernement provisoire sommait mon père d'abdiquer. Il dut choisir entre l'abdication et l'internement. Il accepta de se retirer en Suisse avec les siens. Avant de franchir la frontière, le 24 mars, il lança un dernier manifeste disant qu'il avait été appelé pendant la guerre sur le trône de ses pères, mais qu'il s'était efforcé de conduire ses peuples vers la paix et que c'était dans la paix qu'il voulait rester pour eux un père juste et fidèlement dévoué.

— *Votre père a ensuite essayé de revenir dans son pays.*

— Oui, pas en Autriche, mais en Hongrie. Au cours de l'année 1921, il tenta à deux reprises de restaurer la monarchie en Hongrie. Le 27 mars 1921, après avoir passé la frontière en voiture, venant de Vienne, il s'arrêta devant le château royal de Budapest. Il avait l'appui tacite d'Aristide Briand et du maréchal Lyautey. Le peuple hongrois réclamait le roi à grands cris. Après la Terreur rouge de Béla Kun, la Terreur blanche sévissait. Mais l'amiral Horthy réussit à gagner du temps et convainquit mon père de retourner à Stainamanger (Szombathely) pour y attendre la suite des événements. Horthy en profita pour négocier avec Berne son retour en Suisse et fit courir le bruit que le roi était reparti. Victimes de cette supercherie, les Français ne soutinrent plus Charles qui dut quitter le pays.

— *L'idée de votre père était, je crois, celle d'une grande fédération des États qui avaient composé l'Autriche-Hongrie, modèle que vous préconisez aujourd'hui au niveau européen pour nous préserver de malheurs semblables à ceux qui ont abouti à la Deuxième Guerre mondiale. La France n'a pas réellement soutenu votre père. Même l'attitude d'Aristide Briand était bien ambiguë.*

— Aristide Briand voulait vraiment l'aider. Mais ce fut impossible puisque son soutien avait pour condition que mon père réussisse. Je n'en éprouve aucune rancœur. Quant à ma mère, elle est toujours restée très attachée à la France.

— *Beaucoup de Hongrois, en revanche, n'ont pas pardonné à la France les erreurs de 1919-1921. Consciemment ou inconsciemment, Clemenceau avait semé la graine des malheurs ultérieurs, le fléau du nazisme et le fléau du communisme.*

— Évidemment, il y a des ressentiments justifiés envers ceux qui ont fait la paix de Versailles, de Saint-Germain et de Trianon. Mais les Hongrois n'étaient pas seuls à les éprouver. Beaucoup de Français en voulaient aux « concocteurs » des traités mettant fin à la Première Guerre mondiale, trouvant qu'ils avaient mal servi leur pays. Je me souviens d'un entretien avec Edouard Daladier, alors Premier ministre, immédiatement après le déclenchement de la Deuxième Guerre mondiale dans la maison de l'ambassadeur des États-Unis, William C. Bullit. Daladier m'exprima toute son horreur face aux erreurs de Clemenceau. Il ajouta que si l'on voulait être logique envers l'histoire, il faudrait enlever le monument dressé à Paris à la gloire de Clemenceau. La responsabilité des auteurs des traités de paix fut très lourde. Ils n'écoutèrent pas les sages conseils, par exemple de Jacques Bainville qui voyait les erreurs commises et essayait de faire comprendre aux alliés ce qu'aurait été une politique réaliste.

— *Votre père avait-il vu venir le danger nazi et le danger communiste ?*

— Oui. Durant les mois qui suivirent l'armistice, la Hongrie fut secouée par des attentats terroristes, de droite comme de gauche. La première réunion du parti national-socialiste d'Hitler avait eu lieu à Munich. La mauvaise graine des traités de Versailles, de Saint-Germain et de Trianon commençait à germer en Europe. Mon père avait été l'un des rares hommes à voir venir le danger, avec le pape. Pendant la guerre déjà, il s'était opposé à l'idée fantasque de l'état-major allemand de rapatrier Lénine en Russie. En 1921, les premières émeutes communistes faisaient déjà des milliers de morts en Europe.

— *Est-ce à ce moment-là que votre père fit sa seconde tentative ?*

— Oui, c'est le pape qui l'engagea à revenir sur le trône. Un nouveau départ en Hongrie fut fixé au 20 octobre 1921. Mes parents s'y rendirent dans ce qu'on appellerait de nos jours un avion charter. Décollant de l'aéroport de Zurich-Duebendorf, en Suisse, ils mirent le cap sur la Hongrie occidentale, dans un Junker F 12 piloté par un Hongrois, Alexay Andréas. L'avion se posa dans la propriété d'un fidèle, le comte Cziràky, au village de Dénesfa, mais le colonel Lehàr — le frère du musicien — qui devait accueillir mon père avec des troupes, n'était pas là. Trahison ou négligence ? Le télégramme lui était parvenu avec 24 heures de retard. Il s'avéra plus tard que le porteur du télégramme était un collaborateur apprécié de la police helvétique.

De ce fait, le roi et les siens ne disposèrent ni des wagons ni des troupes qui les auraient accompagnés directement à Budapest. Horthy arma des étudiants, leur affirmant que le roi entrait à la tête d'une armée tchécoslovaque. Il y eut des coups de feu, des tués. Le général Hegedüs, auquel mon père confia à contre-cœur la direction de ses soldats, le trahit au profit de Horthy. Le drame s'acheva par l'arrestation de mes parents que l'on conduisit en détention à l'abbaye de Tihany. Puis ils durent quitter la Hongrie sur un bateau anglais, par le Danube.

— *On peut se demander si votre père aurait pu retourner le destin dans un sens favorable. Tout semblait déjà pris par une sorte d'engrenage auquel nul n'échappait. Comme avant 1914. Le glissement vers les crises précédant la Deuxième Guerre mondiale commençait. On doit pourtant s'étonner de l'attitude de Horthy, cet ancien amiral austro-hongrois sans navires. Déception d'avoir dû livrer sa flotte à la Yougoslavie ? Ambition personnelle ?*

— Miklos Horthy qui venait d'entrer en novembre 1919 à Budapest à la tête de l'armée contre-révolutionnaire et avait été nommé le mois de mars suivant « régent de Hongrie », n'avait certainement pas envie d'abandonner cette charge fraîchement acquise.

— *Votre père s'était-il trompé sur sa personne, voyant encore en lui l'ancien aide de camp de François-Joseph ?*

— Horthy n'avait pas été seulement l'aide de camp de l'empereur François-Joseph. Il avait également bénéficié d'un avancement spectaculaire dans sa carrière de marin sous les ordres de mon père. Une fois la monarchie renversée et le régime rouge de Bela Kun établi, Horthy était venu jurer spontanément fidélité à son roi. Mon père avait donc toutes les raisons de lui faire confiance, d'autant que le sentiment de l'honneur était prédominant dans l'ancienne armée austro-hongroise.

— *Comment, de là, en est-on arrivé à l'alliance hongroise avec le IIIe Reich ? Horthy appartenait pourtant à la noblesse et avait servi l'empire. Fut-il contaminé par le mouvement fasciste dans les années 30 ? Est-ce que cela tenait à sa personne ? Ou bien au fait que la Hongrie, sans le soutien de la Double monarchie, ne faisait plus le poids face à l'Allemagne ?*

— Pour moi, Horthy n'a jamais été fasciste. Certes, sa famille appartenait à la noblesse. Mais en Hongrie il y a beaucoup de nobles parce que l'impératrice Marie-Thérèse avait anobli des villages entiers. Cet élément de sa personnalité était de peu de poids. Il a passé une alliance avec l'Allemagne nazie parce qu'il n'avait pas le choix. L'Allemagne exerçait une forte pression sur son pays. Et puis, Horthy n'avait pas l'esprit politique. Il croyait donc à la victoire de l'Allemagne. Un coup d'œil sur la carte suffit pour comprendre : Horthy était en position de faiblesse vis-à-vis des Allemands. Avec un peu plus d'imagination, il aurait peut-être pu faire mieux, mais toutes les issues étaient bouchées pour lui.

— *En fait, l'Allemagne hitlérienne s'est assujetti la Hongrie par une sorte d'« Anschluss » atténué.*

— Ce fut une alliance imposée par le chantage. Horthy n'était plus libre d'agir.

— *En partant, ce 20 octobre, vos parents n'avaient pas dit aux enfants où ils allaient. Avez-vous des souvenirs de leur retour ?*

— Non, car ils furent déportés par les Anglais à l'île de Madère. Je ne les revis que beaucoup plus tard ; ma mère, quand elle vint en Suisse pour l'opération de mon frère Robert, et mon père, quand nous arrivâmes nous-mêmes à Madère, en janvier 1922.

Je n'avais guère eu l'occasion d'être avec mon père durant toutes les années précédentes parce qu'il était soit au front — il avait très à cœur d'être auprès de ses soldats —, soit accaparé par ses tâches politiques. Je me souviens néanmoins de quelques événements, notamment des crises ministérielles en Hongrie, ce qui prouve que ceux qui ont un héritage politique ne peuvent pas lui échapper.

La vie était très dure. Ce qu'on appelait la « conférence des ambassadeurs », c'est-à-dire les alliés victorieux de la Première Guerre mondiale, avait bloqué tous nos avoirs de sorte que nous nous trouvions matériellement dans une situation difficile.

Nous étions pourtant dans l'ensemble assez heureux, nous les enfants, bien que moi-même, je réalisais déjà à cet âge ce que signifiait la perte de la patrie. Mes parents ont toujours fait de gros efforts pour nous protéger d'un environnement destructeur.

— Y eut-il encore de beaux jours avec votre père ? On bien sa santé commença-t-elle à décliner jusqu'à la maladie qui l'emporta ?

— Nous eûmes quelques belles périodes ensemble et avec ma sœur Adelaïde. Nous faisions de longues promenades. Il essayait de nous transmettre son savoir comme s'il pressentait sa mort prochaine. Naturellement, nous ne le réalisions pas. Ce n'est que plus tard que j'y ai pensé.

Chapitre II

Adversaire des nazis

Jean-Paul Picaper : Après la fin de la monarchie en 1918, le IIIe Reich fut la deuxième grande césure de votre vie. Comment avez-vous vécu l'ascension du IIIe Reich ? On rapporte que vous aviez été condamné à mort par la Gestapo et que vous êtes parvenu à leur échapper.

Otto de Habsbourg : J'ai été condamné par les nationaux-socialistes et non par la Gestapo qui, à l'époque, faisait encore partie de l'appareil d'État et n'existait pas sous sa pire forme. Grâce à la télévision allemande qui vient de tourner un film sur le journaliste Gerlich, rédacteur d'un hebdomadaire allemand anti-hitlérien, *Der Gerade Weg*, j'ai redécouvert ce qui s'est réellement passé.

Le prince Erich de Waldburg finançait ce journal polémique et agressif, mais d'orientation catholique. Ce n'était pas du haut journalisme, mais un étalage de scandales, d'affaires de mœurs et autres qui se passaient dans les milieux nationaux-socialistes, bref une feuille du genre *Bild Zeitung* ou *Daily Mirror* aujourd'hui. Lorsque les nationaux-socialistes s'emparèrent du pouvoir en Bavière, ils s'en prirent à la rédaction de l'hebdomadaire de Gerlich, battant celui-ci à mort, arrêtant ses collaborateurs. J'étais en rapport avec Gerlich avant l'arrivée d'Hitler à la tête de l'État. Visiblement, les nazis l'ont su.

— *Étiez-vous en Allemagne à cette époque ?*
— J'ai travaillé à Berlin jusqu'à la fin du mois de janvier 1933, quittant la capitale le jour même où Hitler a été nommé chancelier. La raison de mon départ ne tenait pas à ce changement politique mais à ce que mes recherches pour ma thèse sur

le droit d'héritage dans les familles paysannes autrichiennes étaient achevées. Naturellement, comme je m'intéressais déjà beaucoup à la politique, j'ouvrais grand mes yeux et mes oreilles. Étant interdit de séjour en Autriche, je m'étais inscrit à l'institut du professeur Sering, le meilleur spécialiste agricole d'Allemagne, un adversaire courageux des nazis. C'est à cette époque que j'ai lu *Mein Kampf* (Mon combat), le livre d'Hitler. Une torture ! Comme l'avait si bien écrit la *Vossische Zeitung*, cet ouvrage aurait dû s'intituler « Mon combat contre la langue allemande », tant son style était mauvais.

La situation à Berlin devenait tragique. L'Allemagne comptait sept millions de chômeurs, dénués souvent de tout soutien financier. Rien d'étonnant à ce qu'ils aient cru Hitler. D'autant que celui-ci prononçait des discours apaisants. Je me suis efforcé de les lire. L'homme débordait de pacifisme. Je n'ai retrouvé cela, par la suite, que dans la propagande soviétique. Je me souviens aussi d'un meeting au cours duquel Hitler devait prendre la parole, au Bülowplatz. J'étais au milieu d'un groupe de communistes qui avaient décidé d'en découdre avec lui. Mais Hitler se mit à parler et il les subjugua, tous. Quand il repartit, sous les acclamations de la foule, une forêt de bras se levaient autour de sa voiture. Il avait quelque chose de démiurgique dans le regard et dans la voix, qui fascinait les gens.

J'ai rendu visite aux Hohenzollern à Potsdam. Puis le prince August Wilhelm, député national-socialiste au Landtag de Prusse, me reçut en uniforme des Sections d'Assaut nazies. Il voulait me faire rencontrer Hitler. Mais je refusai, après avoir compris qu'il voulait se servir de moi. Goering aussi aurait bien voulu me recevoir.

J'ai rencontré aussi le vieux maréchal von Hindenburg. J'ai écouté ce géant impressionnant me raconter ses souvenirs de la guerre de 1870 dont il était un des derniers témoins. Je fus l'ultime visiteur extérieur à le voir avant qu'il nommât Hitler chancelier du Reich, deux jours plus tard. Ce fut le moment que je choisis pour quitter Berlin et rentrer en Belgique.

— *Jusque-là, on ne vous avait pas menacé ?*

— Non, car je suis revenu en Allemagne encore une fois, en mars 1933. Juste après les dernières élections qui n'avaient donné à Hitler qu'une majorité relative. Je me rendis sur le lac de Constance et pris la route de la Bavière en voiture, de Lindau à Mittenwald, au sud de Garmisch-Partenkirchen. C'est ainsi que j'assistai à la prise de pouvoir national-socialiste dans des villages et des villes bavaroises. J'ai vu les nationaux-socialistes s'emparer de l'hôtel de ville de Mittenwald. Ils amenèrent l'ancien drapeau et hissèrent l'étendard national-socialiste à croix gammée. Ils n'étaient qu'une poignée de nazis mais personne ne réagissait.

De Mittenwald, j'allai chez ma grand-mère, l'archiduchesse Maria Josepha, qui avait une maison près de Munich, à Geiselgasteig. Je désirais rester chez elle quelques semaines, car j'avais toujours l'intention d'achever ma thèse à Munich. Mais, le lendemain de mon arrivée, un inconnu nous rendit visite, se présentant comme officier de la police d'État. C'était un Croate naturalisé Allemand. Il me pressa de disparaître parce qu'« ils venaient d'abattre Gerlich et ses amis ». Ayant découvert des documents compromettants à la rédaction du *Gerader Weg*, « ils » savaient que j'étais en relation avec ces gens et me réservaient le même sort.

Avec le comte Degenfeld, je quittai donc immédiatement Munich en train pour la Belgique où j'arrivai sain et sauf. Quelques heures de plus en Allemagne et mon compte était bon. Ensuite, je n'ai plus remis les pieds en Allemagne jusqu'en 1945.

— *Cet homme qui vous a prévenu était un ancien sujet de la monarchie austro-hongroise.*

— Oui. C'était, je pense, un monarchiste autrichien. Une deuxième fois, au moment de l'assassinat du fameux mage Hanussen, j'ai été averti aussi par un ancien sujet de notre Maison. Ce prophète avait un assistant du nom de Ismet Agha Dzino, un Bosniaque naturalisé Allemand. Quelques jours avant le putsch du chef des sections nazies, Röhm, cet homme est venu me voir en Belgique pour m'informer de ce qui se tramait. En tant qu'assistant de Hanussen, il avait accès à l'entourage immédiat d'Hitler.

— *Qui était ce Hanussen. Hitler se laissait donc guider par ce voyant ?*

— Hitler le consultait très fréquemment. Hanussen avait prévu que l'aventure hitlérienne allait très mal se terminer et il en avait averti son client. C'est ce que me rapporta son assistant. Cette prophétie avait plongé Hitler dans une terrible colère. Aussi se servit-il des désordres qui suivirent l'affaire Röhm pour faire disparaître ce mage qui lui faisait peur. Ismet Agha Dzino avait échappé à l'assassinat, à la différence de son patron. Il avait pris le chemin de la Belgique pour gagner sa Bosnie natale. Je ne sais pas ce qu'il est ensuite devenu.

— *La Gestapo aurait donc essayé de vous assassiner en Belgique ?*
— Telle était visiblement leur intention.

— *Vous avez eu, ensuite, le courage de proposer de remplacer le chancelier Kurt von Schuschnigg à la tête de l'Autriche pour barrer la route à Hitler. Pourtant, le chancelier Engelbert Dollfuss avait été assassiné par des groupes nazis qui s'étaient introduits dans la chancellerie le 25 juillet 1934. La même chose aurait pu vous arriver.*
— Oui. D'ailleurs, il y a eu quelques tentatives mais qui n'ont pas abouti.

— *L'exil de votre famille à Lequeitio au Pays Basque, se poursuivit ensuite en pays flamand à Steenockerzeel, de 1929 à 1940. La population locale belge a applaudi quand vous avez accepté de vous appeler « duc de Bar » — au lieu de Habsbourg — un titre qui faisait partie de votre héritage bourguignon-lorrain.*
— Nous dûmes quitter l'Espagne à cause des menaces de guerre civile. Non pas que la « Casa de Austria » eut quoi que ce fût à craindre des parties qui s'affrontaient, mais parce que nous risquions d'être exposés aux combats. D'ailleurs, la villa

Urribaren dans laquelle nous résidions, située à quelques kilomètres de Guernica, n'échappa point à la guerre civile de 1936.

Notre résidence en Belgique, le « Château de Ham », qu'on appelait plus familièrement « Steenockerzeel », avait été également endommagé en 1940, après notre fuite, par la Lufwaffe allemande.

— C'est là que vous avez été promu chef de famille et héritier du trône, à l'âge de 18 ans, le 20 novembre 1930, et c'est en Belgique que vous avez accompli vos études universitaires, à l'université de Louvain.

— Oui.

— Entre temps, donc, Hitler a pris le pouvoir à Berlin et depuis 1936, il se prépare à la guerre. Pour mener une grande guerre, il lui faut absorber l'Autriche. La menace d'un Anschluss se précise. Le 17 février 1938, vous écrivez donc au chancelier Schuschnigg. Vous vous proposez pour barrer la route à Hitler. Vous n'avez que 26 ans.

Qu'est-ce qui vous avait inspiré cette lettre et pourquoi posiez-vous comme condition à votre retour la réconciliation avec la social-démocratie ?

— Reprenons le fil des événements survenus avant que je ne rédige cette lettre. En 1934, j'étais intervenu dans la politique autrichienne en faveur des hommes qui avaient été internés, à Vienne, à la suite des émeutes de février, pour demander que la peine capitale leur soit épargnée. Même si j'étais dépossédé du droit de grâce, c'était tout naturel. Mon père, l'empereur Charles, avait fait de même en son temps, et j'étais, comme lui, hostile à la peine de mort, à plus forte raison pour des motifs politiques.

J'ai tout fait pour essayer de sauver ces pauvres gens, par l'intermédiaire de mes amis et collaborateurs, Friedrich von Wiesner et Ernst Karl Winter, restés en Autriche. La pensée qui m'obsédait était que les adversaires d'aujourd'hui pouvaient être des alliés de demain, d'autant que je pensais qu'il n'y avait qu'un danger pour l'Autriche : le national-socialisme.

D'où mon insistance auprès des autorités autrichiennes pour qu'on pratique une politique de clémence et d'ouverture à l'égard des socialistes. Je suis persuadé que Dollfuss l'aurait mise en œuvre s'il avait vécu, car c'était un homme politique authentique, doué d'un instinct exceptionnel. Il avait très vite saisi la nature totalitaire du national-socialisme, beaucoup plus vite que Schuschnigg qui était trop intellectuel.

— Sans rendre Schuschnigg responsable de ce qui s'est passé, vous semblez penser qu'il aurait peut-être pu contribuer davantage à éviter le pire ?

— L'Autriche tout entière en fut victime, mais aussi maint destin personnel fut scellé par le manque de jugement politique du chancelier. Le secrétaire d'État et général Wilhelm Zehner, avec qui je fus en contact dès son entrée au ministère en 1934, le paya de sa vie. C'était un soldat simple et droit, un vrai patriote, un authentique officier de la Double monarchie. Sa profonde intégrité était aussi une faiblesse parce qu'il s'imaginait que tous les êtres humains étaient aussi honnêtes que lui. Il n'a donc pas partagé mes doutes sur la volonté de Schuschnigg de résister aux nationaux-socialistes. Grand fut son tort.

— On insiste souvent sur le fait que Schuschnigg avait signé un accord avec Hitler, dès 1936, sans vous en informer. Par cet accord, Hitler promettait de ne pas intervenir dans les affaires autrichiennes, mais Schuschnigg accordait des postes importants dans le gouvernement à des personnalités favorables à l'Allemagne. Il installait officiellement la cinquième colonne dans les offices gouvernementaux.

— Oui, Schuschnigg avait rompu sa promesse de m'informer. Comme il savait que je n'aurais pas approuvé le texte de cet accord, il s'est bien gardé de m'en parler avant de signer. Par cette accord, l'Autriche admettait être « un État allemand » et Schuschnigg dut prendre dans son gouvernement deux nouveaux collaborateurs pro-allemands, Edmund von Glaise-

Horstenau, ministre sans portefeuille, et Guido Schmidt, ministre des Affaires étrangères.

— A cette époque, vous voyagez beaucoup, en Italie, en Suède et au Danemark, en Grande-Bretagne, en France où vous rencontrez notamment le maréchal Franchet d'Esperay qui était lorrain et vous était favorable, comme le maréchal Lyautey, mais que Clemenceau avait écarté à la fin de la Première Guerre mondiale, et puis vous allez également en Suisse, pour y rencontrer Schuschnigg. Mais tout cela ne sert à rien parce que Schuschnigg ne comprend pas ce qui se prépare et n'est pas à la hauteur de sa tâche.

Alors, dernière planche de salut pour l'Autriche, vous adressez cette lettre à Schuschnigg.

— Voilà. Je lui écrivis — permettez-moi de me citer — que je ne doutais pas de ses convictions légitimistes. Je lui rappelais que je n'avais pas approuvé l'accord avec Hitler du 11 juillet 1936, « ni dans sa forme ni dans son contenu », et que « j'avais toujours dit qu'il fallait satisfaire les désirs des travailleurs, mais qu'il fallait condamner sans complaisance les assassins de Dollfuss et les traîtres nationaux-socialistes ». J'attirais l'attention sur le changement radical qui venait de se produire les jours précédents, Berlin ayant dicté au gouvernement un accord léonin qui ouvrait la porte à l'ingérence. « Ce précédent est de nature à remplir d'inquiétude tout Autrichien, écrivais-je. C'est pourquoi je dois vous parler, à vous qui portez une telle responsabilité pour ma patrie devant Dieu et le Peuple, une responsabilité terrible. »

Je remettais en mémoire au chancelier que le peuple d'Autriche voyait en lui le garant de l'indépendance du pays et de l'idée autrichienne qui avait consisté, au cours des siècles, à rassembler autour du bassin du Danube un pouvoir supranational de cohésion des peuples, une idée qui avait aujourd'hui encore des chances de susciter la reconstruction de cet ensemble. Et j'écrivais aussi que l'Autriche était restée la patrie du véritable Saint Empire Romain de la nation allemande, à la différence de l'empire païen des dirigeants nazis de

Berlin. « Seule l'Autriche peut sauver l'Allemagne et l'empêcher de sombrer dans un effrayant chaos », disais-je à Schuschnigg, en poursuivant sur la nécessité de sauver le catholicisme
de sa destruction par les nationaux-socialistes.

Alors, « en tant qu'héritier légitime d'une dynastie qui avait
protégé l'Autriche pendant six cent cinquante ans et en tant
que fils de mon défunt père qui avait perdu la vie pour son
peuple sur une île lointaine », je lui offrais de partager sa
responsabilité qui devait bien lui peser, à cette heure. Ce n'était
pas une offre creuse. Dans cette lettre, je lui soumettais un plan
en plusieurs points. Premièrement, il fallait qu'il se rapproche
en secret, sans en parler à Guido Schmidt, des puissances
occidentales qui avaient de bonnes intentions à l'égard de
l'Autriche et que l'Allemagne inquiétait. Deuxièmement, il
devait réarmer notre pays, quel qu'en soit le coût financier,
pour parer à toute éventualité venant d'Allemagne, et ce, sous
la responsabilité du général Zehner.

Troisième point concernant la politique intérieure, je lui
signalais que les ouvriers avaient prouvé l'authenticité de leur
patriotisme et que la propagande national-socialiste n'avait pas
prise sur eux. J'étais très attaché, je tiens à le rappeler
aujourd'hui encore, à la réconciliation avec la social-démocratie. C'était une politique que j'avais poursuivie avec mes collaborateurs dès le mois de février 1934, c'est-à-dire à l'époque de
la guerre civile autrichienne entre les socialistes et le gouvernement. Mon collaborateur principal en Autriche, Friedrich von
Wiesner, avait toujours été un grand partisan de l'entente avec
les socialistes. Il s'était lié d'amitié avec plusieurs des hautes
personnalités de ce parti. Ce parti qui n'était pas un bloc mais
divisé en plusieurs tendances.

— *Le plus extraordinaire est que Schuschnigg ait dit plus tard,
après la guerre, à August Lovrek qu'il n'était « pas sûr que les
socialistes auraient accepté votre proposition ». L'alibi d'un
homme qui n'avait pas saisi l'occasion au moment opportun ?
Mais que proposiez-vous à Schuschnigg ? Qu'il vous rende la
couronne ?*

— Mais non, voyons. Je lui demandais clairement, premièrement, de ne faire aucune concession à l'Allemagne ou à ses
partisans, ceux qu'on appelait les « Hyper-nationalistes », les
« Betont-Nationalen », tant qu'il serait chancelier ; deuxièmement, de m'informer de toute nouvelle pression ou menace de
l'Allemagne, et, troisièmement, de me remettre les fonctions de
chancelier s'il avait l'impression de ne pouvoir résister aux
pressions. Je lui précisais que je ne demandais pas la restauration de la monarchie parce que l'urgence ne permettait pas
qu'on perde du temps à changer la constitution ni à quérir la
reconnaissance d'un souverain par les puissances étrangères. Je
terminais sur une allusion au martyre de mon père, assurant
que j'étais prêt à braver la mort à mon tour pour le bien de
l'Autriche. Enfin, je le priais de considérer ma lettre comme
strictement confidentielle.

— *Vous étiez donc conscient d'avoir autant de chances d'être
assassiné que de réussir, si Schuschnigg avait eu l'intelligence
d'accepter. Que saviez-vous des crimes de la Gestapo ? Était-on, à
l'époque, au courant de l'existence des camps de concentration ?*
— Oui. Vers 1938 pour ce qui me concerne. Tous mes collaborateurs en Autriche furent enfermés dans ces camps.
M. August Lovrek, par exemple, qui habite encore à Salzbourg. Il a été arrêté en mars 1938. M. Friedrich von Wiesner,
le chef des monarchistes autrichiens, ainsi que le baron Zessner
von Spitzenberg, chef des monarchistes catholiques, qui fut le
premier Autrichien à mourir à Dachau. Et beaucoup d'autres
encore.

— *Schuschnigg ne donna pas suite à votre lettre. Au lendemain
de l'Anschluss, la populace payée par les nazis se rassembla immédiatement devant l'immeuble des légitimistes en criant : « Juda
verrecke ! », ce qui signifiait « mort aux juifs » ou « aux Judas »,
et « Otto in die Kapuzinergruft », « Otto au caveau des Capucins ». Le caveau des Capucins était le monument funéraire des
Habsbourgs. C'est aussi le titre d'un roman du Viennois exilé
Joseph Roth. Il raconte l'histoire d'un officier autrichien qui se*

réfugia le 12 mars dans ce tombeau pour être, là au moins, en terre autrichienne.

— Ce furent des jours terribles. Alors que les premiers attentats nationaux-socialistes commençaient, en mars 1938, Mme von Wiesner brûla les documents du mouvement légitimiste, et mon fidèle Lovrek rassembla les 30 000 noms du fichier des fonctionnaires, membres, bienfaiteurs du mouvement et les jeta dans le canal du Danube. Ces initiatives sauvèrent la vie et la liberté de milliers de nos amis. Néanmoins, les nazis étaient bien renseignés. Les têtes du mouvement monarchiste furent arrêtées dès les premiers jours de l'Anschluss, Erich Thanner, Karl Serschen, le pasteur Steinbock, pour n'en citer que quelques-uns qui survécurent à cet enfer.

Sans pouvoir lui parler, parce que c'était interdit, Lovrek a vu Zessner à Dachau le jour de sa mort. Les SS l'avaient condamné à aplanir la place de l'appel. Il s'acquittait de sa tâche, les pieds enflés et si faible qu'il ne tenait plus debout, en plein soleil avec un pilon de bois.

— *Mais on ne savait pas encore que ces camps étaient des camps d'extermination ?*

— Après la mort de Zessner, nous l'avons compris. Nous savions qu'on pouvait ne pas en sortir vivant. Mais ce n'est que plus tard, après la guerre, qu'on a appris l'existence des chambres à gaz et d'autres moyens d'extermination collective.

— *On dit pourtant que les alliés étaient au courant !*

— Non. Ils ont été surpris eux aussi. Comment leur reprocher d'avoir laissé faire une chose qu'ils ignoraient. En revanche, le manque de cœur de certains Américains envers les juifs persécutés est impardonnable.

Réfugié au Portugal, après la débâcle en France, j'avais en charge des dizaines de milliers de juifs. J'essayais de leur faire traverser l'Atlantique. Conscient des dangers de cette situation, je me rendis à Washington, où un secrétaire d'État — que je ne nommerai pas —, me répondit froidement, alors que j'essayais de le convaincre de faire quelque chose pour eux : « Nous avons déjà assez de juifs ici. Qu'Hitler garde les siens ».

Je partis peu après avec mon frère Félix en République dominicaine, chez le dictateur Rafael Leonidas Trujillo qui me donna 3 000 visas pour mes gens quand je lui eu décrit leur situation. Puis j'allai voir le dictateur Fulgencio Batista à Cuba. Cet homme auquel on a fait une très mauvaise réputation et que Fidel Castro fit chuter par la suite, m'accorda sur le champ 1 500 visas sans me poser de questions.

Les expériences qui suivirent l'effondrement de la France m'ont appris qu'il ne faut jamais préjuger des êtres humains. Ceux dont on attend le pire se comportent en honnêtes hommes, tandis que d'autres, dont on espérait beaucoup, vous tournent le dos au beau milieu de la catastrophe.

L'antisémitisme latent des États-Unis, un pays où vivent pourtant davantage de juifs qu'en Israël et où bon nombre d'entre eux occupent des postes importants, m'a toujours chagriné. J'ai assez bien connu Henri Morgenthau junior, le ministre américain des Finances de l'époque, de même que son père qui avait été ambassadeur des États-Unis auprès de la Sublime Porte durant la Première Guerre mondiale. Au cours de l'été 1940, le vieux Morgenthau, qui connaissait mes parents, voulut me rencontrer. Mon logeur était membre d'un club où, pensai-je, nous pouvions nous donner rendez-vous, Morgenthau et moi. Je lui fis cette proposition qu'il déclina aussitôt, alléguant qu'il était juif et qu'on ne l'y laisserait pas entrer.

— *Le fils Morgenthau haïssait les Allemands ?*

— Morgenthau junior était moins intelligent que son père. Malgré la haine qu'il vouait à l'Allemagne, ce pays n'a jamais eu meilleur ami que lui. Je veux dire que sa sottise a produit exactement l'effet inverse de celui qu'il escomptait. Henri Morgenthau père m'avait confié un jour : « J'ai eu cinq fils. Quatre d'entre eux sont très intelligents, le cinquième est bête. Et c'est précisément celui-là qui est ministre des Finances ».

Ce fils Morgenthau a concocté le fameux plan Morgenthau dont l'objectif était d'éliminer l'Allemagne une fois pour toutes. Ce projet, à base de démontage industriel, eut pour résultat que les Allemands, travailleurs comme ils l'étaient, attirèrent chez eux les investissements et les machines les plus modernes pour remplacer ce qu'on leur avait enlevé. Trois ans plus tard, les Alliés travaillaient sur des appareils vétustes provenant de l'héritage allemand tandis que les Allemands produisaient sur du neuf. Ce fut un des facteurs du miracle économique allemand.

— *Sebastian Hafner a écrit qu'Hitler était antisémite à la manière viennoise. L'antisémitisme était plus viscéral, plus agressif à Vienne qu'à Berlin, d'après cet adversaire du IIIᵉ Reich aujourd'hui décédé, qui — faut-il le préciser ? — était berlinois.*

— Je le crois assez partial en faveur de Berlin. L'antisémitisme viennois était avant tout verbal. Le tramway arrivait-il en retard ? C'était la faute des juifs. Nul ne savait pourquoi, mais c'était ainsi.

Prenez le cas de monsieur Jerzabek, député au Parlement impérial autrichien. Après la Première Guerre mondiale, il prend la tête de la Ligue antisémite d'Autriche. Arrive Hitler, le 12 mars 1938. Et Jerzabek de dissoudre la Ligue antisémite avec ce mot historique : « Cela va cesser d'être amusant ».

Réaction typiquement viennoise. On arrête les frais avant de tomber dans la vulgarité.

— *On a dit qu'après la chute de l'empire allemand, à Berlin, en 1918, la noblesse ayant été éliminée de la direction des affaires, les juifs avaient occupé ce créneau abandonné et que l'antisémitisme berlinois se nourrissait d'un sentiment de jalousie envers cette « Ersatz-Aristokratie » dont on enviait la réussite.*

— Hitler exploita ce sentiment d'envie quand il commença à spolier les juifs. Mais cette place de choix, ils l'avaient déjà avant, à Vienne. Dans le monde intellectuel, du temps de François-Joseph, les juifs jouaient un rôle très important dans les arts, la littérature, la peinture ; en médecine et en économie aussi.

— *En 1940, vous avez échappé de justesse à l'avance des troupes allemandes. Pourquoi avoir tant attendu ?*

— J'ai dû attendre jusqu'au dernier moment, car il s'agissait de sauver des personnes dont j'étais responsable. Nous étions beaucoup d'Autrichiens d'abord à Paris puis dans le Midi, et autour de Lectoure dans le Gers. Je ne pouvais pas les abandonner. Quant à moi, j'étais sur la première liste des personnes à arrêter et à extrader, rédigée à la conférence de Wiesbaden qui définissait les conditions de capitulation de la France. Le Quai d'Orsay m'en informa. Je restai encore deux jours en France, faisant le tour des ministères. En principe, la police me recherchait, mais la France et les Français fermaient les yeux et j'ai pu négocier, autant que possible, le départ des Autrichiens.

— *Avez-vous cru, dans les années de guerre, qu'Hitler gagnerait ?*

— Non. J'ai toujours pensé qu'il serait vaincu, qu'il y aurait un enchaînement historique, que les Américains entreraient en guerre et que cela mènerait au dénouement. Mais je dois admettre que j'ai eu un moment de doute quand l'armée allemande a avancé si vite en Russie. S'ils avaient réussi à s'imposer là-bas, ils seraient devenus invincibles.

— *Mais justement, Hitler était tributaire, lui aussi, de l'histoire allemande. Sa tendance à se surestimer est une constante de cette histoire, une sorte de prométhéisme allemand dont l'actuelle République Fédérale a réussi enfin à se débarrasser, espérons-le, définitivement.*

— Cette conversion de l'Allemagne de l'après-guerre au réalisme tient à un facteur méconnu. C'est aussi la raison pour laquelle on ne peut pas comparer la République fédérale d'après 1949 à la République de Weimar qui précéda le IIIe Reich. Sous cette dernière, de 1919 à 1933, les structures prussiennes avaient conservé la direction de l'État. Après la guerre, ce furent des Allemands expulsés de l'Est, des gens d'ascendance ou de spiritualité autrichienne qui assumèrent la direction de la République fédérale, et avec eux des Rhénans, comme Konrad Adenauer. Ces gens-là avaient une approche des réalités politiques très différente de celle des hommes de Weimar.

— *C'étaient ce que vous appelleriez des « fédéralistes » ?*

— Exactement. Faites une analyse des élites dirigeantes de la République fédérale. Vous trouverez aux postes-clés des Silésiens — qui, bien qu'ayant été pendant deux cents ans sujets prussiens, sont encore et toujours autrichiens dans le fond de leur âme —, des Allemands des Sudètes, des Allemands du Danube, tous détachés de l'orbite autrichienne.

— *Entre temps, la deuxième et la troisième génération sont arrivées aux responsabilités. Aux côtés des descendants des Silésiens et des Sudètes, il y a des Rhénans, des Rhénans-Palatins, des Souabes, des Bavarois dont l'un, Theo Waigel, tient les Finances, comme avant lui Strauss à la fin des années soixante. Mais si les socialistes reviennent au pouvoir, ne risque-t-on pas d'assister à un transfert vers le Nord et même à un retour vers Berlin ?*

— Je pense que oui, vers le Nord-Est... Mais depuis que Rudolf Scharping, Rhénan-Palatin comme Helmut Kohl, a succédé à Björn Engholm en tant que candidat chancelier de l'opposition, le balancier revient à l'Ouest. Après Brandt et Schmidt, les deux Nordistes, les socialistes ont aligné contre Kohl, le Bavarois Hans-Jochen Vogel, le Rhénan Johannes Rau et le Sarrois Oskar Lafontaine.

— *Le 21 juin 1991 à Bonn, le Bundestag a voté à la très faible majorité de 17 voix, le transfert du siège du parlement et du gouvernement allemands à Berlin. Décision fatale qui pourrait détourner l'Allemagne de l'Europe occidentale ?*

— La majorité de voix en faveur de Berlin équivalait au nombre exact des députés du PDS, le parti héritier du parti communiste est-allemand SED de l'ex-RDA. Des mauvais plaisants ont dit que les communistes berlinois ont décidé du futur siège de la capitale allemande. C'est une interprétation excessive, bien sûr, mais la RDA était, en un certain sens, la

Prusse rouge. Elle cherchait à récupérer certaines traditions prussiennes et elle est restée prussienne jusqu'au bout.

— *Jusqu'à la scène finale du crépuscule des dieux ?*

— Ils auront eu ce crépuscule des dieux à deux reprises, sous Hitler et sous Honecker.

Les gens qui avaient percé à jour le véritable caractère d'Hitler, prévoyaient ce monstrueux crépuscule. Au cours de l'été 1940, j'étais à Washington. Les ambassades des pays alliés qui se trouvaient à Berlin lors de l'agression hitlérienne, la Belgique, le Luxembourg et les Pays-Bas, avaient été expulsées. Nombre de leurs diplomates voyageaient vers Londres en passant par l'Amérique. J'ai parlé aux Belges qui venaient de Berlin. Parmi eux, le baron de Gruben qui m'a prédit jusqu'au moindre détail ce que serait la fin d'Hitler. « Cet homme est wagnérien, m'a-t-il dit, cela finira dans une Götterdämmerung, un crépuscule des dieux ».

— *Le fascisme dans son intégralité n'était-il pas une gigantesque mise en scène.*

— Le national-socialisme plus encore que le fascisme. Il ne faut pas oublier — je crois que c'est Paul Boncourt qui l'a dit — que Mussolini fut un « César de carnaval ». Cette épithète ne s'applique certes pas à Hitler.

— *Vous avez écrit que le régime hitlérien était un régime satanique.*

— Comme tous les régimes totalitaires. Ernst Jünger a dit : « Dämonen bewohnen verlassene Altäre », « Les démons habitent les autels abandonnés. » Le totalitarisme a expulsé le christianisme et tenté de recréer sur ses autels une religion séculière. La religion a, elle aussi, un caractère totalitaire mais qui débouche sur l'éternité. Dans les régimes totalitaires, qu'il s'agisse du communisme ou du national-socialisme, de nombreux parallélismes défigurent les réalités religieuses tout en les imitant.

— *Les totalitarismes promettent le paradis sur terre tandis que la rédemption chrétienne n'est acquise que dans l'au-delà. C'est le tentateur, n'est-ce pas, le démon...*

— Le démon des « autels abandonnés »...

— *Qui insinue : je te donnerai le paradis « hic et nunc »...*

— Ce sont ses propos exacts. Comment résister à pareille offre ?

Dans les périodes critiques, des personnages, incapables de conquérir la majorité et qui s'installent à l'extrême-droite ou à l'extrême-gauche de l'échiquier politique, refont surface. Ce sont des charlatans, s'affirmant aptes à résoudre tous les problèmes du monde et promettant la félicité et le bien-être. Comme s'ils détenaient une formule magique. Ils recrutent généralement leurs partisans dans les couches non instruites et mal informées de la population. Il leur faut un bouc-émissaire, les « étrangers » ou les « juifs » ou encore les « capitalistes ».

Le paradis sur terre qu'ils promettent a toujours été pour leurs adeptes un raccourci vers l'enfer. A preuve les illusions des bolcheviks et les promesses des nazis. Les annonciateurs de cet Eden terrestre ne sont jamais des hommes religieux. Car ceux qui croient en Dieu savent que la réalisation de tous les rêves ne peut avoir lieu sur terre. Cette leçon, que la religion nous enseigne, est mise à l'épreuve très pragmatique de la politique qui, certes, doit concourir à mieux faire mais qui ne peut ici-bas réaliser le Bien absolu.

— *Dans son livre allégorique* Les falaises de marbre, *Ernst Jünger a donné à Hitler les traits de Kniebolo, une sorte d'Esprit du Mal. Les illuminations politiques d'Hitler ne relevaient-elles pas d'une inspiration diabolique ?*

— J'en suis certain. C'était un Génie du Mal. Tout comme Staline.

— *Vous avez connu tout au long de votre vie des hommes acculés à des situations critiques. Vous avez côtoyé aussi les grands hommes de notre siècle. Pensez-vous que le caractère satanique soit inné ou créé par les circonstances ?*

— Je ne sais pas s'il y a une réponse à cette question. Ce sont des personnalités hors norme, dotées d'une hérédité anormale. Mais encore faut-il que ces dispositions trouvent un terrain fertile pour germer. Cela implique un environnement particulier comme prémisse à l'éclosion de l'anomalie.

En dehors d'Hitler et de Staline, notre siècle a connu un troisième specimen de cette catégorie : le président tchèque Edvard Beneš. Totalement atypique, cet espèce de Napoléon de l'émigration n'avait rien de commun avec les deux autres. Cet homme-là fut génial durant son exil. Mais à peine rentré chez lui, il commença à tout rater, détruisant son État, créant une situation telle que le régime communiste de Klement Gottwald fut inévitable.

— *Ce monsieur Beneš n'était-il pas un adversaire de longue date des Habsbourg ? N'avait-il pas contribué à faire échouer le retour de votre père sur le trône en 1921 ? Il aurait même amené les puissances de l'Entente, vainqueurs de la Première Guerre mondiale, à supprimer la Double monarchie austro-hongroise. C'est lui qui a conçu la Tchécoslovaquie, un État qui n'avait jamais existé auparavant dans l'histoire. Et c'est encore lui qui, avec tout l'argent dont il disposait, a empêché la formation d'une armée de libération autrichienne, comparable à celle de la France Libre.*

— Beneš était un homme habité par la haine, une haine qui l'aveuglait en dépit de son intelligence. Il avait par ailleurs une technique de travail remarquable. Son immense influence à la Société des Nations, comme d'ailleurs à Paris, lui permit de manipuler les conférences réglant à l'époque le statut de l'Europe. Si l'on projetait une conférence, il établissait l'ordre du jour et le communiqué final, conformément à la vieille expérience des conférences internationales selon laquelle celui qui prépare le dossier est également celui qui décide des conclusions.

C'est donc ce Beneš qui disait, avant l'occupation de Vienne par Hitler, qu'il valait mieux avoir Hitler à Vienne que les Habsbourg. Il fallait être aveugle et ignorer la place de la Tchécoslovaquie sur la carte pour ne pas voir qu'une fois

Vienne perdue, Prague devenait intenable. Vous devinez que je n'ai jamais été un partisan convaincu de la politique de Beneš.

— Mais ne lui faites-vous pas beaucoup d'honneurs en le classant dans la galerie des hommes politiques démoniaques de notre siècle ?

— C'est en toute objectivité qu'il faut noter la faillite complète de sa politique et sa trahison envers son propre peuple. Lors de l'affaire du traité de Munich, on a beaucoup blâmé, à juste titre, Daladier et Chamberlain. Mais on a oublié que c'est Beneš qui a capitulé le premier. Car il ne s'agissait ni de la France, ni de l'Angleterre, mais de la Tchécoslovaquie. C'était donc à Prague qu'il appartenait de prendre la première décision. La Tchécoslovaquie avait une armée suffisante pour résister. C'est pourtant de Prague, de Beneš, qu'est venue la proposition de capituler devant Hitler. Cette attitude n'a-t-elle pas quelque chose de suicidaire ?

Son rôle a été particulièrement néfaste par la suite aussi. Il a commis un crime irréparable : l'expulsion des Allemands des Sudètes de Tchécoslovaquie en 1945. C'est à Beneš que revient la primeur d'y avoir pensé. Il était incapable de gérer une situation difficile, comme tout charlatan digne de ce nom. Et actuellement, ce genre d'hommes fait plus que jamais sa réapparition.

Ils ne sont pas seulement aidés par la crise économique qui déçoit les attentes de ceux qui avaient atteint un niveau de vie confortable, mais par l'insatisfaction résultant de l'absence générale d'une vision d'avenir. Les capitales européennes et Bruxelles, siège de la Commission, ont réussi à satisfaire les besoins matériels de la plupart des citoyens d'Europe. En revanche, les hommes politiques européens ont fait trop peu pour subvenir aux besoins de l'âme et de l'esprit. Remplir ce vide serait pourtant la seule façon de gagner notamment la jeunesse. C'est dans ce vallon que campent les faux prophètes. Pourquoi leur laisser l'annonce du paradis terrestre ? Pourquoi ne pas confier aux gens des tâches qui donnent un sens à l'avenir ?

— Parlons de ces « tentateurs », comme disait l'écrivain autrichien Hermann Broch. Franz Schönhuber ? Gerhard Frey ? Jörg Haider ? Jean-Marie Le Pen ? Pour ne citer que les personnalités qui mobilisent une extrême-droite considérée comme encore respectable. Que pensez-vous d'eux ? Croyez-vous qu'après les expériences de notre siècle, les gens soient immunisés contre le fascisme ?

— Ne perdons pas une chose de vue : de nos jours, en Europe occidentale, les deux tiers de la population n'ont pas vécu personnellement la dictature ou la guerre. Ils ne sont donc pas « mithridatisés » contre ces dangers comme c'est le cas de ma génération et pourraient donc, surtout si la crise économique s'aggravait, être victimes, une fois de plus, de la tentation totalitaire.

En ce qui concerne les personnes que vous mentionnez, je dois faire quelques réserves. Franz Schönhuber n'est pas un idéologue. Je le connais car nous avons le même éditeur. C'était, de plus, un ami de Franz-Josef Strauss. Il a changé à plusieurs reprises de parti politique.

Pour ce qui est de Frey, son rôle politique sera toujours mineur.

Je ne veux pas juger la personne de Jean-Marie Le Pen. Je l'ai attaqué en public lors de l'affaire du Golfe et aussi à propos de certaines de ses déclarations anti-européennes. Mais il y a dans son groupe des gens de valeur et je n'ai pas perdu l'espoir qu'on parviendra à une solution éliminant le danger d'extrême-droite.

Quant à Jörg Haider, c'est un démocrate, et certainement pas un homme qui aspire à la dictature. Certes, je suis en désaccord avec lui sur de nombreux points, mais je dois dire, en toute objectivité, qu'il ne faut pas attribuer à quelqu'un des intentions qu'il n'a pas. Le danger émane d'autres personnes que nous ne connaissons pas encore.

Chapitre III

Retour au pays natal

Jean-Paul Picaper : Vous avez été exilé. Pourchassé par les sbires d'Hitler, vous étiez devenu apatride. Une vie d'errance commença. Pendant et après la guerre, vous avez possédé plusieurs nationalités.

Otto de Habsbourg : J'ai eu plusieurs passeports, tous légaux. Mais je sais aussi ce que c'est de vivre sans passeport, ou tout au moins avec des papiers qui n'ont pas le rang d'un passeport. Je n'ai pas fait mien, en tout cas, l'enseignement d'un vieil ami, le ministre délégué hongrois Bartok qui disait : « Tant que j'aurai une machine à écrire, j'aurai aussi un passeport ». Certes, on n'avait pu m'enlever la nationalité autrichienne, mais je n'avais plus le droit de retourner dans mon pays.

— *Après la guerre, vous étiez retourné en Autriche, croyant pouvoir vous y installer puisque la dictature nazie était abolie.*
— Mon frère Robet et moi, nous avons fait beaucoup dans notre exil pour l'Autriche, moi aux États-Unis, lui à Londres. Nous avons obtenu davantage pour le Haut-Adige que le gouvernement autrichien d'après-guerre, notamment une décision du gouvernement américain aux termes de laquelle cette province, devenue italienne mais peuplée d'Autrichiens, devait revenir à l'Autriche. C'était l'un de nos objectifs dans nos pourparlers avec nos amis américains. En outre, nous voulions la restauration de l'Autriche indépendante, l'interdiction de chasser de chez eux les Allemands des Sudètes et le report à la date la plus reculée possible des bombardements en Autriche.
   Pour répliquer à cette folie d'Hitler qu'avait été le bombardement de l'Angleterre, près d'un millier de bombardiers

53

attaquèrent Cologne, fin novembre 1942. Puis, la destruction intégrale de villes allemandes commença en 1943. Je restai pendant un an et demi à Washington, sans bouger de cette ville. J'avais un ami qui faisait partie du « Bomb-Target-Command » à Gravelly Points dans le Maryland. Il m'informait des décisions concernant l'Autriche et je devais rester pour tenter de les influencer. Ce fut une époque au cours de laquelle je dormis très peu, toujours sur le qui-vive, fumant trois paquets de cigarettes par vingt-quatre heures, jusqu'à ce jour tragique d'août 1943 au cours duquel la vieille ville de Vienne fut bombardée sous la pression des militaires américains et des Russes.

Par la suite, nous avons pu empêcher les Américains de renoncer à occuper l'Autriche. C'est un mérite qui revient tout particulièrement à mon frère. Il était intervenu de Londres auprès de l'ambassadeur américain John Winant. Je fis de même auprès de Roosevelt qui suivit mon conseil. S'ils avaient abandonné leurs premiers plans d'occupation, les Américains auraient cédé aux Russes la Haute-Autriche et la Styrie et cela aurait changé beaucoup de choses.

Les archives prouvent aujourd'hui que personne d'autre que mon frère et moi n'a pu, pendant la guerre, se faire entendre des leaders politiques qui avaient le monopole des décisions. C'est nous qui avons pu imposer aux vainqueurs l'idée d'une Autriche indépendante et libre. La plupart des Autrichiens qui se trouvaient hors de cette sphère s'imaginaient qu'après la guerre l'Anschluss serait maintenu. En revanche, nous n'avons jamais demandé à des étrangers à l'Autriche la restauration de la monarchie. L'indépendance de l'Autriche fut le seul objectif pour lequel mes frères et moi ayons lutté, contre la résistance de tant de compatriotes que je pourrais nommer ici...

S'y ajoutait la défense des intérêts de la Hongrie et celle des Allemands des Sudètes, en Bohême et Moravie, qui étaient d'anciens sujets autrichiens. Une fois qu'ils en furent chassés, à la fin de la guerre, le vide qu'ils laissèrent contribua au déclin de la Tchécoslovaquie. Cela, nous n'avons pu l'empêcher. A partir de 1944, j'eus aux États-Unis les mains liées en raison des intrigues de Beneš et de ses complices, comme Alger Hiss, ce proche du président qui s'avéra par la suite avoir été un agent soviétique.

— *Ceci, pendant la guerre. Et après ?*
— Il fallut agir dans une Europe qui commençait à se libérer du joug allemand. Ce fut le retour par Lisbonne, non sans avoir réussi auparavant à empêcher quelques catastrophes pour mon pays à la 2ᵉ conférence de Québec. Je vous ai déjà parlé dans ce contexte du rôle de Morgenthau.

Par Lisbonne, j'arrivai à Paris avec mon frère Rodolphe qui partit ensuite, avec notre autre frère Charles-Louis, organiser une résistance intérieure en Autriche. Rodolphe avait subi un entraînement militaire des Rangers américains. Après avoir franchi la frontière autrichienne, à partir du Liechstentein, il manqua être pris. Des moines capucins le cachèrent. Puis il prit part aux combats pour la libération de l'Autriche.

Pour moi, ce furent les Ardennes, le Luxembourg, la Belgique, toujours en suivant le front et en liaison avec la résistance autrichienne, et enfin le retour dans mon pays libéré. Contre toute attente, je ne pus y rester longtemps.

— *Pourquoi ?*
— Une campagne de dénigrement fut lancée contre moi avec à sa tête, des gens qui avaient dit « Oui » à l'Anschluss en 1938. Mon grand ami Roosevelt était mort et je ne connaissais que superficiellement Truman pour avoir habité, quelques années durant pourtant, la même maison que lui à Broadmore. Les Américains se mirent à faire tout ce que les Soviétiques leur demandaient et, comme je ne connaissais pas bien l'entourage de Truman, je ne pouvais les avertir des pièges. Ma situation en Autriche devint intenable et je quittai donc ma patrie à la fin de 1945.

Je me rendis en Belgique puis en France. En Belgique, le roi Léopold était l'épicentre d'une crise de l'État. Son frère Charles, auquel je n'avais pas caché la mauvaise opinion que j'avais de lui, voulait à tout prix me chasser. Heureusement, en

France, le général de Gaulle avait les rênes en main et j'avais deux amis haut placés, deux hommes de grande valeur, Charles Vitasse aux Affaires étrangères et le comte François de Lanoë, un haut fonctionnaire. Grâce à ce triumvirat, je pus survivre en France, pas légalement, il est vrai, parce que j'avais aussi, dans votre pays, des ennemis puissants.

Mais le général de Gaulle tint sur moi sa main protectrice, de la même manière qu'en Autriche en 1945 où les Français avaient été les seuls à s'opposer à mon expulsion de mon pays. Mais comme ils étaient les plus faibles des « Quatre Grands », à l'époque, ils n'avaient pu imposer leur point de vue. Je n'étais pas seul dans cette situation. De nombreux fidèles qui n'avaient pu rentrer chez eux, étaient ainsi à la dérive.

Un des derniers atouts qui nous restait était Winston Churchill. Mais il avait des problèmes dus à la présence dans son gouvernement de cet être vindicatif qui s'appelait Anthony Eden, cet homme politique qui échoua par la suite lamentablement comme Premier ministre. Eden avait dit : « Qu'est-ce que l'Autriche ? Cinq Habsbourg et quelques centaines de juifs ». L'attitude de Churchill était très différente, comme me l'a confirmé mon frère Robert. Dès que Churchill quittait la pièce, Eden nous manifestait son hostilité, attitude qu'il n'osait pas adopter en présence du vieux Monsieur.

— *Ainsi, vous êtes reparti en exil ?*

— Oui, il n'y avait plus rien à faire pour moi, sinon mes activités dans l'Union paneuropéenne, et nous étions sans le sou. Il fallut d'abord rembourser les dettes en travaillant. J'ai cherché à garder des contacts avec mes compatriotes hongrois, ce qui n'était pas facile, derrière le rideau de fer, et autrichiens, ce qui fut moins compliqué. Mais ces relations avaient leurs limites. Je compris bientôt que je n'arriverais à rien pour l'Europe si je ne pouvais reposer le pied sur le sol autrichien.

— *Mais Vienne ne voulait pas entendre parler de vous ?*

— Il y avait ce papier qu'on me demandait de signer et que mon cousin Max Hohenberg — fils de l'archiduc François-

Ferdinand assassiné à Sarajevo — appelait le « KZ-Papier », le « papier concentrationnaire ». En le relâchant du camp de concentration, les Allemands avaient exigé, en effet, qu'il signe un papier similaire. Je me suis dit qu'il faudrait bien que j'avale un jour cette couleuvre. Après tout, ce n'était pas la première dans ma vie.

— *Cette couleuvre, comme vous dites, était votre renonciation à toute prétention au trône d'Autriche.*
— Oui, j'ai fini par signer ce papier pour pouvoir retourner dans mon pays.

— *Cela a dû être dur. N'était-ce pas une deuxième abdication, après celle de votre père en 1919 ?*
— C'est vrai, et cela ne m'a pas fait plaisir. Mais pas pour les raisons que l'on croit en règle générale. J'étais un peu indigné que comme citoyen autrichien, et après tout ce que j'avais fait pour mon pays pendant la guerre, on m'ait traité un peu à la manière d'un criminel qu'on amnistie.

— *Mais pourquoi vous être plié à une telle condition ?*
— Parce j'avais besoin de sortir d'un rôle qui m'opposait à mon pays pour pouvoir remplir ma fonction européenne. Ces conditions ne sont pas encore abolies, notamment la signature au bas de la Convention universelle des droits de l'homme qui demande qu'exception soit faite pour les membres de la famille de Habsbourg. Mes deux frères sont encore bannis d'Autriche.

— *Mais cette renonciation ne vaut pas pour la Hongrie ?*
— Là, je n'ai pas dû renoncer à quoi que ce soit et tout s'est passé de façon naturelle et amicale.

— *Donc votre interdiction de séjour abrogée, vous voilà revenu avec votre passeport autrichien que vous aviez conservé.*
— Oui, un passeport autrichien sur lequel était mentionné jusqu'alors « non valide sur le territoire autrichien ».

— *Un document unique en son genre, une pièce de musée, non ?*

— J'étais banni mais non déchu de la nationalité autrichienne. On ne me l'avait pas retirée parce que c'était légalement impossible. On m'avait banni aux termes d'une loi constitutionnelle qui figure encore dans la constitution autrichienne et que j'avais finalement réussi à neutraliser par le recours devant la justice indépendante de mon pays. Mais alors que j'avais déjà réussi à obtenir un jugement en ma faveur, les politiciens ont réussi à retarder de plusieurs années mon retour en Autriche. Le combat pour le retour au pays natal a duré encore six ans.

— *Encore vous en êtes vous assez bien tiré. Le comte de Paris, descendant de Louis-Philippe, Henri, qui a aujourd'hui quatre-vingt-cinq ans, n'avait pu revenir officiellement en France qu'en 1950, après l'abrogation de la loi de protection de la République promulguée en 1886 qui interdisait de séjour en France tous les prétendants directs au trône.*

— Dans mon cas particulier, ce fut une lutte très dure et le gouvernement autrichien n'a pas été toujours correct. J'en suis même arrivé un jour à accomplir un geste qui restera, je l'espère, unique dans ma vie : jeter quelqu'un à la porte de mon domicile, ici, à Pöcking. Il s'agissait d'un mandataire haut placé du gouvernement autrichien qui était venu me proposer de me restituer toute la fortune de ma famille si je renonçais à rentrer en Autriche. Je dois dire que celui qui vendrait sa patrie pour de l'argent est, à mes yeux, le pire des scélérats. Et pourtant cela n'a pas été la seule offre de ce genre.

Mais cette lutte n'a pas été inutile. Je me suis dit que si l'on me faisait pareille chose, on pourrait la faire demain à quelqu'un d'autre. Aussi mon combat pour mon retour au pays a-t-il tourné peu à peu à la défense d'un principe de droit. Il a fallu d'ailleurs faire intervenir aussi des juges administratifs pour briser la résistance du parti socialiste autrichien. Les tribunaux disaient que si les socialistes continuaient à me refuser le passeport du gouvernement, la justice serait obligée de me l'établir elle-même. C'est finalement le bon chancelier

Klaus qui m'a ouvert la porte de l'Autriche. Mais contrairement à mainte sottise qu'on avait répandue, je ne suis pas entré en coup de vent. Je suis revenu peu à peu au pays, par une petite porte.

— *Qu'entendez-vous par là ? Vous êtes revenu en Autriche en 1966...*

— Ce fut un retour très discret. Les socialistes avaient menacé d'une grève générale. Ne voulant pas mettre le gouvernement dans l'embarras, je l'ai fait de façon rapide et effacée. Finalement, j'ai réussi à faire admettre l'idée que la république ne s'effondrerait pas du fait de ma présence...

Alors, on s'est habitué à moi, on a vu que je n'étais pas un ogre. Un des plus beaux moments de ma vie a été ma participation, en 1972, à une fête de l'Union paneuropéenne en territoire autrichien, à laquelle assistaient le fondateur, le comte Coudenhove-Kalergi, et le chancelier Kreisky. La réconciliation en Autriche s'est effectuée dans un cadre européen et c'était d'ailleurs la seule voie d'avenir. La poignée de main de Bruno Kreisky en 1972 a mis fin à une petite guerre absurde des socialistes contre les Habsbourg. Cet homme politique a eu ensuite le mérite de laisser revenir au pays ma mère, l'impératrice Zita, sans requérir d'elle une renonciation à son titre. Lors de son discours d'adieu, au parlement, il a cité avec beaucoup d'émotion la lettre de remerciements de ma mère. Mais je veux exprimer aussi, pour la postérité, ma gratitude à ceux qui m'ont aidé, notamment le préfet de Styrie, Josef Krainer, le ministre Piffl-Percevic et l'ambassadeur libéral Wilfried Gredler et naturellement le chancelier Klaus.

— *Et vos biens, vous les a-t-on restitués ?*

— Il y a beaucoup de racontars qui circulent au sujet de la fortune des Habsbourg. Si des membres de ma famille cherchent à récupérer leur part, je ne saurais les en blâmer, car il est normal de défendre ce qui vous appartient. Quant à moi, je n'ai jamais rien entrepris en ce sens. Ma famille et moi, nous avons prouvé notre aptitude à gagner notre vie en toute indépendance.

— *Alors vous n'avez pas de domicile en Autriche ? Vous logez à l'hôtel ?*

— Je n'ai qu'un petit appartement à Innsbruck où habitent mes enfants. Je n'y ai logé qu'une seule fois. Mon fils Charles possède, en outre, une maison en Basse-Autriche. Mais c'est un bien qui ne lui vient pas de mon côté, mais du côté des Saxe-Meiningen, la famille de sa mère. Non, je n'ai rien récupéré des biens de ma famille.

Je me suis abstenu de toute action de restitution parce que c'était la politique qui m'intéressait. Mais je ne voulais pas jouer un rôle dans la politique intérieure de l'Autriche, chose qui ne correspondait plus, pour ce qui me concerne, aux réalités de notre temps. Il me fallait simplement pouvoir retourner en Autriche pour avoir une base solide pour mes activités européennes. J'avais compris dès cette époque que la seule politique raisonnable pour l'Autriche était la politique du retour à l'Europe.

C'est une vaste tâche. Il y va de l'Europe centrale. Les événements actuels montrent combien l'Europe est importante pour tous ces peuples de l'ancienne Autriche.

— *Ne voulant pas vous lancer dans la politique autrichienne, vous êtes donc resté à votre domicile de Pöcking en Bavière, et en 1979, lors de la première élection du Parlement européen au suffrage universel, vous avez obtenu un mandat de député à Strasbourg. Pour être élu en Bavière, il fallait avoir la nationalité allemande. Comment avez-vous reçu votre passeport allemand ?*

— Grâce à mon appartenance à l'Institut de France. Je ne voulais surtout pas abandonner ma nationalité autrichienne. Il me fallait donc acquérir la double nationalité, et ce genre de naturalisation est très difficile en Allemagne, à la différence de ce qui se passe en Autriche. Les Allemands l'accordent à des professeurs, à des membres de grandes académies internationales, bref à des intellectuels de renom ou encore, troisième catégorie, à des footballeurs célèbres. Comme je ne suis pas joueur de football... c'est par le biais de l'Institut de France que j'y suis parvenu. Je n'ai pas de carte de l'Institut de France, mais j'en suis membre.

— *Nombre de personnes croient qu'étant naturalisé allemand, vous n'avez plus que cette nationalité. On pense à tort que vous avez dû renoncer à rester autrichien.*

— Non seulement, je n'y ai pas renoncé, mais j'ai aussi la nationalité hongroise que j'avais conservée sans le savoir.

Après la condamnation du cardinal Mindzenty, le gouvernement communiste hongrois de Rakosy avait publié un communiqué selon lequel certains traîtres — dont j'avais l'honneur d'être — seraient déchus de la citoyenneté hongroise. Or, après la libération de la Hongrie, plus précisément après les premières élections libres, le nouveau ministre de l'Intérieur découvrit que je n'avais jamais cessé d'être hongrois. Les communistes avaient publié ce communiqué de presse relatif à une déchéance, mais vu le chaos dans lequel ils travaillaient, aucun acte légal n'avait été établi.

— *Vous êtes aussi citoyen de « l'État libre de Bavière ». Deux mots sur la « citoyenneté bavaroise ». On a soupçonné Strauss d'avoir rêvé d'une fédération du Sud, d'une « République alpine » avec la Souabe et l'Autriche.*

— Certains en ont parlé, mais je ne crois pas que Strauss en ait rêvé. Le jour où j'ai reçu la nationalité allemande, j'ai assisté à une réception que donnait Strauss [1] dans le cadre d'une conférence à Wildbad-Kreuth dans les montagnes. « Enfin, voici le retour du Saint Empire romain germanique ! », s'exclama-t-il en m'accueillant.

— *Il parlait à bon escient puisqu'il portait deux de vos prénoms, Otto Franz Joseph. Mais aujourd'hui encore une certaine opposition culturelle sinon politique subsiste entre l'Allemagne du Nord dominée par l'ancienne Prusse et l'Allemagne du Sud incarnée par la Bavière, sans compter les Rhénans, Rhénans-Palatins et Sarrois qui font aussi un peu bande à part.*

1. Franz-Josef STRAUSS, *Mémoires*, Criterion, Paris, 1991.

— Nombreux sont les Bavarois qui voudraient installer une frontière le long du Main, entre eux et l'Allemagne, le « Weiss-wurst-Äquator », « l'Équateur des Saucisses Blanches ». Mais ce n'est pas faisable et je crois que Strauss n'y a jamais pensé sérieusement, bien qu'il ait été très Bavarois au physique comme au moral et par sa tradition familiale. Sa femme, Marianne était une grande dame bavaroise. Monika, sa fille, qui se lance dans la carrière politique, me rappelle vraiment son père. Jusqu'à sa voix, quand vous l'écoutez parler aux réunions électorales. Ce qui d'ailleurs dérange pas mal de gens, mais contribue aussi à sa grande popularité. Les deux fils, eux, viennent plutôt du côté de Marianne.

— *Mais vos électeurs ne sont pas seulement des Bavarois de souche, assure-t-on. Une grande partie d'entre eux sont des Bava-rois d'adoption. Ne s'agit-ils pas d'Allemands des Sudètes, anciens sujets autrichiens, expulsés de Tchécoslovaquie sur l'ordre de Beneš ?*

— La Bavière est un pays de grand libéralisme, la « liberalitas bavarica ». C'est une des caractéristiques les plus sympathiques de ce séduisant État. Ils ont accepté les Allemands des Sudètes et ils les appellent aujourd'hui « la quatrième tribu bavaroise ». Moi-même, on m'a adopté en tant que représentant de cette « quatrième tribu ».

— *Les Sudètes savent-ils que vous avez fait l'impossible, jusqu'en 1945, pour leur permettre de rester dans leur pays d'origine ?*

— En général oui. Un certain nombre de publications ont paru à ce sujet, notamment des documents américains. Nous n'avons pas réussi à cause de l'influence de Beneš dont je vous ai parlé.

J'ai été très aidé par la féroce campagne que les socialistes, sous la direction de Willy Brandt et d'Helmut Schmidt, avaient dirigée contre ma personne lors des premières élections euro-péennes de 1979 et qui visait à me faire apparaître comme un « révisionniste » ou un « réactionnaire », selon le vocabulaire qui leur est cher. Elle a agi en boomerang contre ceux qui l'avaient déclenchée, en faisant connaître mes positions et ma fidélité aux anciens enfants abandonnés de la Double monarchie. Vous savez qu'entre temps le président tchèque Vaclav Havel a admis que l'expulsion des Allemands des Sudètes avait été une « injustice ».

Ma candidature au parlement européen suscita une levée de boucliers parmi les gens qui ne comprenaient pas que le représentant d'une ancienne dynastie puisse s'insérer dans la démocratie parlementaire. J'admets moi-même que ce n'était pas simple à expliquer. Un député belge déclara solennellement que, « lorsqu'un membre d'une dynastie déposée depuis soixante-dix ans retourne dans la politique, c'est un événement effrayant pour l'Europe ». Willy Brandt voyait en moi un mauvais représentant de l'Allemagne. Helmut Schmidt, le chancelier de l'époque, déclara que j'étais une mauvaise carte de visite pour l'Europe.

— *Ils tentaient de faire de vous un ogre qui effraie les petits enfants. Comme ils l'avaient fait également pour Strauss. Mais ces déclarations reflétaient aussi une propension très allemande à vouloir oblitérer l'histoire. Les Allemands d'après 1945 ont cru pouvoir vivre sans passé, ou plutôt vivre sur le reniement du nazisme qui était un « antipassé ». Et certains Autrichiens aussi sans doute. Mais, quand on la chasse, l'histoire, comme le naturel, revient au galop. Les Allemands en font l'expérience à leur dépens depuis leur réunification. Ils auraient mieux fait de s'y préparer quand il en était encore temps au lieu de « faire leur deuil » de leur histoire, comme le leur a conseillé un des plus sots de leurs intellectuels, le psychiatre Alexandre Mitscherlich. Car l'histoire allemande ne se résume pas aux « douze années brunes 1933-1945 », de même que celle de l'Autriche ne gravite pas autour de l'Anschluss avec les nazis. C'est un peu comme si l'on disait : Vichy, c'est la France.*

Je suis sûr, par ailleurs, que ni Brandt, ni Schmidt n'avaient fait aucun effort pour connaître vos activités de résistant pendant qu'Hitler était au pouvoir. Schmidt a servi le IIIe Reich davantage que vous. Quant à Brandt, il a subi un destin d'exilé sem-

blable au vôtre, mais son erreur a été de revenir en Allemagne sous un uniforme norvégien, alors que vous n'êtes pas revenu en Autriche sous un uniforme américain. Marlène Dietrich a eu le tort de céder à la tentation de le porter et les Allemands ne le lui ont pas pardonné.

— A cette époque, l'uniforme américain jouissait d'un prestige dont on ne peut se faire une idée aujourd'hui.

— *Vous venez de nous expliquer que vous avez toujours et sans cesse défendu les intérêts de l'Autriche-Hongrie, pas les intérêts de votre Maison, mais des intérêts nationaux. Jusqu'à une époque très récente, la coïncidence des intérêts nationaux et du projet européen n'était pas évidente.*

— Des « intérêts nationaux », dites-vous ? L'adjectif n'est peut-être pas approprié. L'écrivain autrichien Franz Grillparzer avait dit de façon prémonitoire qu'on pouvait aller « de l'humanité à la bestialité en passant par la nationalité ». La revue *Europäische Rundschau*, en Autriche, épingle depuis vingt ans cet avertissement sur sa page de garde.

Disons plutôt que j'ai défendu la liberté des peuples de l'ancienne Autriche-Hongrie. Pour moi non plus, ce combat et l'idéal européen n'étaient pas synonymes au départ. Mon engagement pour l'Europe date, certes, de 1936, année au cours de laquelle j'ai adhéré à l'Union paneuropéenne à la demande du comte Coudenhove-Kalergi. Mais je dois dire en toute honnêteté que je l'avais fait par amitié pour Coudenhove et non par conviction profonde.

Coudenhove vécut à partir de 1940 à New York et j'ai milité là-bas en faveur de ses idées. Après 1945, je me suis engagé de plus en plus au service de l'idée européenne tandis que Coudenhove se prononçait pour la création d'un parlement européen. Cette idée vient de lui. Elle prit corps en 1975 quand Giscard d'Estaing proposa l'élection du parlement européen.

Un jour, un ami allemand, membre de l'Union paneuropéenne, le Dr. Heinrich Aigner, vint me voir. Il était déjà membre du parlement européen « nommé » — et non élu — et me proposa de faire acte de candidature. C'est ici que prit place mon acquisition de la nationalité allemande parce que je répondis à Aigner que j'étais sujet autrichien et entendais le rester. Je lui dis que je ne ferais rien sans le placet du président de la CSU bavaroise. Il alla voir Strauss qui lui dit approuver entièrement ma candidature.

En Autriche, le gouverneur de Basse-Autriche, Hartmann, fit beaucoup pour aplanir les difficultés qui pouvaient surgir. J'étais citoyen de Basse-Autriche comme lui. Il y eut encore des· problèmes techniques de dernière heure et ma naturalisation fut prononcée un an et un jour avant la clôture des inscriptions, à la dernière limite possible. Dans ma patrie d'origine, on n'a pas toujours compris mon initiative pour le députat européen. Mais moi, je savais qu'au parlement européen, je pourrais agir pour la liberté de l'Europe tout entière, de la « Paneurope ». Qui connaît l'histoire sait que, par le passé de ma famille, je suis lié à de nombreuses régions de ce continent, que ce soit la Flandre ou le Brabant, l'Espagne, le Portugal, l'Allemagne, la Lorraine, la Lituanie et la Hongrie, la Suisse actuelle, l'Italie et la Bourgogne. N'étais-je pas, de ce fait, le légataire d'une vocation européenne avant la lettre ?

— *On a fait aussi de Willy Brandt un « grand Européen », par ses amitiés socialistes, notamment, avec Olof Palme, Bruno Kreisky, Felipe Gonzalez et d'autres. Par-delà les frontières entre familles politiques, vous auriez pu être sur la même longueur d'onde que lui ?*

— Brandt ne semblait pas comprendre mon langage. Sur la place de l'Hôtel de ville de Munich, il déclara publiquement qu'à Strasbourg, je devrais abandonner la langue des brasseries bavaroises qui était celle de ma campagne électorale, selon lui. Je lui répondis, au cours d'un autre meeting, que je parlerais au parlement de Strasbourg le même langage que dans les brasseries de Bavière — un langage vrai et franc dont je n'ai pas à rougir.

A Strasbourg, Brandt atterrit dans les mêmes commissions que moi et nous eûmes dès le début une confrontation très dure. Mais, comme il était paresseux comme un loir, il était absent à la plupart des réunions de ces commissions. En raison des critiques soulevées par ses absences permanentes, il dut bientôt abandonner son mandat de député européen. Mais il se permit de dire qu'il avait démissionné à cause de ma présence dans les commissions du parlement. Au moins, par mon zèle au travail et mon assiduité, j'étais arrivé à le faire démissionner...

J'étais chef du groupe démocrate-chrétien et membre, à l'époque, de la Commission politique du parlement qui est devenue entre temps la Commission de politique étrangère. Cela m'a permis d'agir en faveur de l'intégration de la CEE, ainsi que de la libération et de l'intégration des peuples qui étaient asservis par le communisme. J'ai pris parti d'emblée en faveur des Hongrois, des Croates, des Slovènes, des Tchèques, des Slovaques et des Polonais. Et à partir de 1982, date à laquelle j'ai publié mon rapport sur les États baltes, en faveur de l'Estonie, de la Lettonie et de la Lituanie. Cela ne plaisait pas à tout le monde parce qu'une majorité était d'avis que l'Europe s'arrête à la ligne de Yalta.

Dès le début de mes activités au parlement, je fis la proposition qu'on installe, lors des discussions sur les questions européennes, une chaise vide dans la salle des séances pour rappeler, par un symbole visible, le droit d'adhésion de peuples qui en étaient empêchés et qui devaient vivre séparés de nous. Cette chaise vide provoqua des luttes homériques. Les leaders de la gauche la refusaient avec véhémence, affirmant que l'Europe s'achevait aux limites tracées à Yalta. Le succès de cette « chaise vide » me rappelle celui du « pique-nique paneuropéen » de 1989 [1], dix ans plus tard.

— *Le président Thomas Klestil a précisé dans une interview que l'Autriche n'a jamais été aussi opposée à un Anschluss qu'aujourd'hui. Sur ce premier point, l'Autriche est redevenue telle que vous la souhaitiez. Il y a un deuxième point, la neutralité autrichienne, dont nous parlerons encore.*

— L'idée d'Anschluss est morte, sauf dans quelques têtes

1. Pour le rappel des faits, voir *infra*, p. 136.

isolées. Il faut bien admettre que l'assujettissement de l'Autriche à l'Allemagne — avec ou sans cet Anschluss — sans lequel deux guerres effroyables n'auraient pu avoir lieu, portait une tare historique.

La première république autrichienne, après 1919, était née d'une défaite totale, d'un atterrissage forcé où tout s'était brisé. Vous retrouvez ce genre de choc dans toutes les nations qui furent grandes et qui, d'un jour à l'autre, ont rapetissé. Un traumatisme très profond subsiste. Vous le constatez chez les Anglais qui se sont graduellement rétablis en entrant dans la Communauté européenne. La France a connu, elle aussi, ce même phénomène, à cela près que sa perte de superficie et d'influence est restée limitée à l'outre-mer.

Dans l'Autriche d'après la défaite, en 1919, personne n'a donc cru à la première république. Comme la *Arbeiterzeitung* l'a écrit, ce fut « une république sans républicains ». Donc sans aucune confiance dans l'État.

— *De même que sous la République de Weimar en Allemagne ?*

— Exactement. Un espèce de sabordage a mis fin à cette république, une sorte de suicide par désespoir. Il y eut, certes, des moments où ce sentiment s'effaça complètement. Et puis il revint. Mais c'est de l'histoire ancienne maintenant. La situation actuelle des Autrichiens n'est pas inconfortable. Ils sont mieux lotis que les Allemands, même après la réunification entre la République fédérale et l'ex-RDA.

— *L'Autriche a conservé davantage de sa substance tradition-nelle que l'Allemagne ?*

— Oui. Deux facteurs y ont contribué. D'une part, l'Autriche a été bombardée un an et demi après l'Allemagne. Et bien que l'Union soviétique ait fini, malgré notre résistance, par impo-ser cette politique de destruction au président Roosevelt, le pays a cependant été moins détruit que l'Allemagne et la population moins traumatisée. De l'autre, l'État fut rétabli dans son existence après la guerre, se restaurant en grande partie par ses propres moyens.

— *Je m'étonne de l'aisance avec laquelle l'Autriche a surmonté les séquelles du IIIe Reich. De la même manière que la France a cicatrisé le régime de Vichy. Et j'ai bien l'impression que les milieux qui ont déclenché la campagne contre Kurt Waldheim en voulaient en réalité à l'Autriche de s'en être tirée à si bon compte. Alors ils ont cherché à faire un exemple, en visant très haut.*

Comme la France, à la différence de l'Allemagne, l'Autriche n'a pas perdu son âme. A Vienne, tout le centre historique est intact, en effet, sans compter Schönbrunn. En revanche, si les châteaux de Sans-Souci, à Potsdam, et de Charlottenburg, à Berlin, ont été préservés, le château des rois de Prusse, dans le quartier historique du centre ville, avait été endommagé par la guerre et les communistes l'ont fait abattre en 1950. A la place, ils ont construit ensuite leur affreux « Palast der Republik », condamné après la réunification pour raisons d'hygiène [1].

Il manque donc aux Berlinois un symbole que les Viennois possèdent encore. Quand une opération artistique, en juillet 1993, a reconstitué en trompe-l'œil le château sur des décors en toile, on a crié à la « nostalgie monarchique ». Mais cette nostalgie existe vraiment, témoin le vieux refrain populaire berlinois : « Wir wollen unseren alten Kaiser Wilhelm wieder haben ». « Nous voulons avoir notre vieil empereur Guillaume ». Et quand le régime communiste, en mal de légitimité, réinstalla sur l'avenue « Unter den Linden » la statue équestre du « Vieux Fritz », Frédéric le Grand, les Berlinois lancèrent un couplet ironique : « Lieber Fritz, steig herunter, regiere Deine Berliner wieder, lass den Erich an Deiner Stelle reiten ». « Cher Frédéric, descend de là-haut, gouverne à nouveau tes Berlinois et laisse Erich monter à ta place à cheval ».

— N'appelait-on pas Richard von Weizsäcker, quand il était bourgmestre de Berlin en 1981-85, l'« Ersatz-Kaiser », l'empereur de remplacement ? Il a tenu ce rôle ensuite comme président de la République fédérale et son mandat présidentiel a été renouvelé.

---

1. Il était truffé d'amiante cancérigène.

— *Comment, et grâce à qui, au lendemain de la guerre, l'Autriche a-t-elle réussi à conserver sa personnalité ?*

— Grâce à ce qu'on a fait pour elle de l'étranger. Cela n'a pas été facile parce que le parti socialiste autrichien s'était déclaré en faveur de l'Anschluss. Son chef historique en exil, Bauer, déclara que l'Anschluss était un progrès historique. Ce n'est que vers la fin de la Deuxième Guerre mondiale qu'un changement profond s'est produit dans la pensée de nos socialistes. Bien entendu, il y avait aussi parmi eux des patriotes, tels l'ancien maire de Vienne, Seitz, le commandant des gardes socialistes, Eifler, et de nombreuses personnes à un niveau plus modeste. Mais malheureusement, les doctrinaires du parti croyaient toujours à une grande Allemagne socialiste.

— *Votre mère, l'impératrice Zita, a déployé beaucoup d'efforts durant la guerre en faveur de l'Autriche ?*

— Ma mère qui jouissait d'un grand prestige aux États-Unis, s'est consacrée intensément à l'aide matérielle à la population autrichienne. Elle a envoyé elle-même des masses de vivres et autres biens qui manquaient au pays.

— *Vous vouliez dire qu'après la Deuxième Gerre, un patriotisme autrichien qui n'existait pas après la Première Guerre, s'est cristallisé ?*

— J'ai revu récemment à Vienne un des grands hommes de l'Autriche d'après-guerre, un des plus méconnus aussi, M. Franz Olah. Président de la Fédération des syndicats en 1953, lors du soulèvement communiste fomenté par les Russes, il jeta toute son autorité dans la balance pour sauver l'Autriche. Après quoi il fut éjecté du parti socialiste et incarcéré une année durant pour malversation de fonds. L'accusation ne tenait pas debout. Il s'était servi des fonds des syndicats pour acheter un journal. Ce n'était pas une malversation mais un acte politique. Bref, cet homme qui avait rendu un immense service à son pays fut terriblement maltraité. Très âgé aujourd'hui, ce grand patriote vit en retraité près de Vienne. Il assistait l'année dernière à notre congrès de célébration des soixante-dix ans de l'Union paneuropéenne. Lors de cette manifestation qui se déroulait en présence de trois présidents de la République, MM. Kirschschläger, Waldheim et Klestil, celui-ci actuellement en fonction, j'ai essayé de lui rendre justice.

— Depuis 1990, l'Autriche est en train de changer. Un diplomate autrichien, l'ambassadeur Manfred Scheich, me disait, à Vienne, en juin 1991, que la neutralité autrichienne, n'a jamais été comparable à la neutralité suisse, teintée d'abstentionnisme, mais que c'était une neutralité engagée. Puis, en 1993, le ministre des Affaires étrangères, Aloïs Mock, a déclaré que la neutralité, c'était fini. Même son de cloche d'ailleurs à Stockholm, chez le Premier ministre suédois Carl Bildt.

Sur cette question aussi, celle de la neutralité, l'Autriche s'est donc ralliée à votre point de vue. Elle s'est rapprochée de l'Europe et pourrait désormais participer à une défense européenne, comme elle participe aux missions de paix de l'ONU, sauf en Somalie pour laquelle ses soldats, paraît-il, n'étaient pas équipés.

— Sauf en ex-Yougoslavie aussi, bien sûr. Cette neutralité n'est ni dans la nature ni dans la vocation autrichiennes. Elle est la conséquence d'une situation exceptionnelle. Sans cette déclaration de neutralité qu'on a dite « spontanée », notre pays n'aurait jamais obtenu l'évacuation des troupes d'occupation soviétiques.

— Dans un discours prononcé à Bonn, en juillet 1993, Manfred Scheich qui dirige à présent les négociations d'adhésion de l'Autriche, expliquait que son pays avait été depuis 1958 un « membre empêché » de la CEE. Il aurait fait partie des pays fondateurs si « on » — sous-entendu les Soviétiques — ne l'en avait empêché. Il a présenté la demande d'adhésion dès 1987 avant la chute du mur de Berlin et la libération des pays d'Europe centrale. Depuis le 1er janvier 1993, l'Autriche se prépare concrètement au statut de pays membre qui devrait entrer en vigueur, comme pour la Suède, la Finlande et la Norvège le 1er janvier 1995.

— Cette accélération qui concerne aussi la Suède, la Finlande et la Norvège est due au fait qu'on a enfin compris en Europe que face aux dangers, il fallait se serrer les coudes. Comme en Suède, le traité d'adhésion devra être approuvé en Autriche par referendum. Cette consultation populaire aura lieu au cours du deuxième semestre 1994 ou plus probablement en 1995. Or, ce qui s'est passé en France et au Danemark a montré que la réponse des citoyens dépendra de la façon dont on les informe. Il semble bien qu'en Autriche, on soit prêt à renouveler des fautes déjà commises, par exemple lors du refus de l'Exposition universelle à Vienne, une décision qui a gravement porté tort à l'économie autrichienne. Comme en France et au Danemark, les adversaires de l'Europe diffusent en grand nombre des demi-vérités ou des contre-vérités dont les conséquences pourraient être fatales. Et les propagandistes s'adressent de façon très habile à chaque groupe social dans le langage qu'il comprend. Je souhaiterais notamment que les milieux de l'économie autrichienne s'engagent davantage dans la campagne référendaire et qu'on explique aux agriculteurs qu'ils n'ont rien à craindre de l'Europe. Il faut que les gens informés se réveillent et se mettent activement en campagne.

— *Où en est, à votre avis, la question du Haut-Adige, cette province autrichienne octroyée aux Italiens par le traité de Saint-Germain-en-Laye en 1919 ?*

— Le Tyrol du Sud, comme nous appelons en Autriche le Haut-Adige, a beaucoup amélioré son statut. Il est, avec le Val d'Aoste et les Slovènes de Gorizia et de Trieste, l'une des trois régions reconnues en Italie comme entités linguistiques, ce que d'autres, Sardaigne, Sicile et Frioul-Vénétie peuvent lui envier. Les dirigeants de sa population ont fait preuve de modération et de sagesse dans les négociations avec l'Italie. On doit beaucoup à des hommes comme Silvius Magnago qui a réussi à convaincre une population exaspérée d'accepter une situation qui garantit sa survie en tant que peuple et culture. L'attitude du parti tyrolien dans les négociations avec l'Italie a été une leçon de haute politique. Mais certains hommes politiques italiens y ont mis du leur également, après avoir compris qu'on ne pouvait pas éliminer les minorités comme Mussolini avait tenté en vain de le faire, secondé d'ailleurs par Hitler. Tout est prêt aujourd'hui pour faire du Tyrol du Sud une de ces régions d'Europe qui serviront de pont entre les pays membres de notre communauté.

— Entre la France et l'Autriche, il n'y a plus de contestations territoriales depuis très longtemps déjà. Nous nous mesurons essentiellement sur les pistes de ski. Est-il possible d'oublier le malentendu historique entre la France et l'Autriche, cette vindicte ancienne qui avait amené Clemenceau à la fin de la Première Guerre mondiale à prendre sa revanche sur Charles Quint ?

— Oui. Seules, quelques personnes qui n'ont pas le sens de l'histoire continuent dans les deux pays à nourrir des ressentiments historiques.

— L'Autriche pardonnera-t-elle à la France d'avoir mis à mort Marie-Antoinette, la fille bien-aimée de Marie-Thérèse d'Autriche ?

— Durant la nuit précédant sa mort sur l'échafaud, la reine Marie-Antoinette n'avait-elle pas recommandé à son fils, dans sa dernière lettre adressée à sa belle-sœur, de faire sien le conseil de son père, Louis XVI, et de ne point chercher à venger ses parents ?

Chapitre IV

Pèlerin de l'Europe

Jean-Paul Picaper : Un jour à Bruxelles, le lendemain à Londres, le surlendemain à Budapest ou Athènes, quand ce n'est pas Berlin ou Vilnius, et ce depuis des décennies. Pour ne pas parler des années trente, quarante et cinquante au cours desquelles vous sillonniez le monde...

Otto de Habsbourg : J'ai parcouru plus de deux millions de kilomètres dans les airs. C'est presque la distance terre-lune ! Pourtant, je n'aime pas trop ce moyen de transport mais je m'en sers parce qu'il est rapide et me permet de travailler sans perdre de temps.

Je prends toujours une place de non-fumeur côté couloir pour écrire ou lire facilement. Et je mets en pratique la règle de vie transmise par mon oncle, le prince Sixte de Bourbon-Parme : « Les cinq minutes que d'autres gaspillent, je m'en sers, moi, pour écrire des livres. »

Lui qui nourrissait des ambitions politiques mais qui avait été aussi explorateur, chercheur et écrivain admiré pour l'éclat de son style, possédait l'art de trouver les minutes creuses de l'existence — ce ne sont parfois vraiment que quelques minutes — et de les occuper utilement — simple question de discipline personnelle. Cela revient à allonger de plusieurs années la partie créative de l'existence.

C'est pendant ces instants passés dans les avions, les aéroports, les gares et les salles d'attente que, des années durant, j'ai écrit mes chroniques régulières pour plusieurs journaux ainsi que divers livres.

— Y-a-t-il des passionnés d'aviation dans votre famille ?

— Deux de mes frères, Félix et Robert, ont passé leur brevet de pilote dans les années 30 en Belgique. Et un de mes fils est pilote de réserve dans l'armée autrichienne.

L'empire de Charles Quint « où le soleil ne se couchait jamais », se passait bien de ce moyen de transport. Ce qui a d'ailleurs rendu nécessaire une gestion décentralisée. L'avion n'est entré dans la vie des Habsbourg, comme vous le voyez, que dans les années trente et dans la vie quotidienne qu'après la Deuxième Guerre mondiale. Trop tard, heureusement, pour changer nos règles administratives... Quand mes parents régnaient encore, les transports aériens n'étaient pas d'actualité.

— *Comment en êtes-vous venu au journalisme ?*

— Après la guerre, j'étais criblé de dettes. La lutte pour la libération de l'Autriche nous avait coûté beaucoup d'argent. Je n'avais pas d'autre emploi que la remise en route de l'Union paneuropéenne qui en était à ses balbutiements. J'ai donc travaillé comme journaliste, prononçant de nombreuses conférences, aux États-Unis notamment, ce qui m'a permis « d'effacer mon ardoise ». J'ai séjourné en Chine pendant la guerre civile, au Viêt-nam et en Angola en guerre, partout où les choses bougeaient.

— *Vous avez connu l'exil avec vos parents, votre mère ensuite, et vos frères et sœurs. Pourquoi continuer volontairement une existence aussi nomade ? Alors que vous vous prétendez attaché au terroir...*

— Si nous voulons faire l'Europe, ce qui supposait, dans le passé, travailler à la libération des peuples d'Europe centrale asservis, et qui implique, de nos jours, la remise à flot de leurs pays, il faut se déplacer.

Notre Parlement européen n'ayant pas encore de siège définitif grâce à la profonde sagesse de nos gouvernements qui ne peuvent se mettre d'accord sur le lieu de travail tout en se réservant le droit de le désigner, nous sommes, en plus, des députés itinérants [1].

Certes, cela ne me dérange pas, mais je regrette de perdre du temps. En outre, cela nous prive d'un symbole de l'Europe. Pour ce qui me concerne, je suis un fervent partisan de Strasbourg comme capitale de la Communauté. Car il est toujours désavantageux de localiser la capitale d'une communauté d'États dans la capitale d'un État déterminé, fût-il membre de cette communauté.

— Avec votre connaissance des langues, vous devez vous sentir partout chez vous. Combien de langues parlez-vous ? Où et comment les avez-vous apprises ?

— Je parle couramment six langues, c'est-à-dire des langues dans lesquelles je prononce un discours sans en lire le texte.

Je les ai apprises par la pratique, sans suivre de cours. J'ai toujours parlé l'allemand et le hongrois. J'ai assimilé le français peu à peu en France. Je parle ces trois langues sans m'être initié à leur grammaire. Même chose pour l'espagnol et pour l'anglais que j'ai appris plus tard, ce qui fut un avantage, l'anglais étant une des langues les plus faciles à étudier.

L'homme étant paresseux par nature, une fois l'anglais appris, il ne fera plus d'efforts pour apprendre une autre langue. J'ai toujours veillé à ce que mes enfants apprennent les langues difficiles avant les faciles. Ma méthode a été couronnée de succès en ce sens que chacun de mes enfants parle au moins quatre langues. Avec ça, on peut se débrouiller partout.

— Vous parlez le français et le hongrois sans accent. Des Hongrois m'ont dit que vous maîtrisez leur langue à la perfection, en employant des termes choisis, chargés de culture. Le hongrois est pourtant une langue horriblement difficile.

1. Le Conseil européen extraordinaire du 29 octobre 1993 a opté définitivement pour Strasbourg comme siège du Parlement européen et pour Francfort comme siège de la future Banque centrale européenne, Bruxelles restant le siège de la Commission et diverses autres institutions étant réparties sur d'autres villes, notamment Europol à la Haye. Il semble que l'état-major des futures forces armées européennes — l'Eurocorps — puisse rester à Strasbourg (J.-P. P.).

— C'est vrai. Et très peu de gens l'apprennent. Je n'ai rencontré que deux étrangers le parlant sans fautes et sans accent, à tel point que je les prenais pour des Hongrois. L'un était turc, collaborateur de la Panamerican Airways à Istanbul. L'autre, américain. Tous deux n'étaient jamais allés en Hongrie, mais se passionnaient pour cette langue.

La langue hongroise est si complexe que beaucoup d'autochtones la perdent s'ils ne la pratiquent plus. Pour ma part, je l'ai apprise dans ma petite enfance — c'est ma langue maternelle au même titre que l'allemand — et je fais de sérieux efforts pour la conserver.

— *Vous m'avez dit que vous parlez six langues. L'allemand, le hongrois, le français, l'espagnol et l'anglais ne font que cinq. Quelle est la sixième ?*

— L'italien, mais pas à la perfection.

— *J'ai entendu dire que vous avez des connaissances de basque. Un souvenir de jeunesse ?*

— J'ai vécu au Pays Basque, à Lequeitio, un village de pêcheurs dans le golfe de Biscaye où nous nous étions réfugiés, ma mère, mes frères et sœurs et moi de 1922 à 1929. Le roi d'Espagne Alphonse XIII avait envoyé un navire, baptisé *Infanta Isabel*, nous chercher à Madère, en menaçant les représentants de l'Entente s'ils s'y opposaient. Nous fûmes d'abord logés au Pardo, près de Madrid, puis à Algorta et enfin à Lequeitio. Je connais donc quelques mots de basque, mais cela ne vaut pas la peine d'en parler. Je sais à peine compter dans cette langue.

— *Avez-vous aimé les Pyrénées ? Les gens des Alpes, Autrichiens, Suisses, Savoyards font mine de ne pas les connaître. Pourtant, elles sont plantées bien en vue dans l'histoire des Habsbourgs.*

— Je les ai parcourues de l'Atlantique à la Méditerranée. C'est un paysage magnifique. De surcroît, j'ai des rapports très amicaux avec l'Andorre, où on trouve une vieille tradition catalane, remontant à Charlemagne, que les Andorrans de souche maintiennent encore. Chez eux s'est conservée cette loyauté des Pyrénéens que l'on retrouve ailleurs dans cette région montagnarde.

— *L'empereur François-Joseph et son successeur Charles, votre père, avaient-ils dû apprendre ces langues de leurs sujets ? On dit que l'archiduc François-Ferdinand parlait dix-sept langues.*

— Je ne sais pas combien de langues l'empereur François-Joseph parlait. Mon père, Charles, parlait parfaitement le hongrois et le tchèque, outre l'allemand bien entendu et quelques autres langues, telles le serbo-croate, sans doute le français et l'anglais.

— *Vous avez aussi des notions de serbo-croate et de tchèque.*

— C'est vrai. J'ai parlé le croate assez couramment, mais il y a de cela plus de soixante-dix ans. Malheureusement, je l'ai perdu en route.

— *Est-il exact que vous obligiez vos enfants, à la maison, à changer de langue toutes les deux heures ?*

— C'est une légende. Pas toutes les deux heures, mais tous les jours, oui ? Ce qui d'ailleurs leur a été très profitable.

— *Seriez-vous partisan d'une langue véhiculaire unique pour l'Europe, latin, espéranto ou volapük ? Vous avez prononcé, un jour, un discours en latin au Parlement européen et seul un député communiste italien a été capable de vous répondre dans cette langue.*

— Le latin aurait été une langue pour l'Europe, mais comme l'Église elle-même l'abandonne peu à peu, je ne vois pas d'espoir de le remettre en valeur. C'est une perte pour l'Europe parce que le latin comme le français sont les langues les plus claires et les plus précises sur le plan juridique.

— *Alors, nous n'aurons jamais des États-Unis d'Europe comparables aux États-Unis d'Amérique ? Resterons-nous toujours une mosaïque de langues et donc de peuples ? C'est incontestablement un facteur de division. Dans un petit livre extrêmement précis, un professeur de l'université de Pau, Guy Héraud* [1]*, a pu définir une « Europe des ethnies » dont la différenciation n'est pas uniquement mais tout de même essentiellement linguistique.*

— Mais notre plurilinguisme est un atout. Quand on arrive à mon âge, on sait qu'il y a dans la vie deux capitaux précieux : la langue et le temps. Chaque langue que vous apprenez vous enrichit et vous facilite l'apprentissage de langues additionnelles. La multiplicité linguistique vous donne une flexibilité de l'esprit qui sera de plus en plus indispensable dans un commerce pratiqué à l'échelle mondiale. Nous autres, Européens, sommes souvent de bons commerçants parce que nous arrivons à penser comme les autres, ce qui n'est pas le cas dans les pays unilingues.

— Il est clair en tout cas que notre multilinguisme et notre multiculturalisme, en Europe, imposeront une structure très différente de celle des États-Unis d'Amérique. Espérons que nos peuples résisteront au « melting pot », au rouleau compresseur culturel à l'américaine. Car la diversité culturelle européenne est fragile. Nous sommes très proches les uns des autres. Rien à voir avec les abîmes qui nous séparent des Africains, des Arabes ou des Chinois.

Je parie que l'Europe des ethnies est largement responsable de vos nombreux voyages. Il faut aller à tous et à toutes. Vous prononcez beaucoup de conférences et participez à de nombreux meetings. Comment vos cordes vocales résistent-elles à un tel rythme ?

— Cela n'a pas toujours été facile. Dans les années 50, lorsque

1. Guy HÉRAUD, *L'Europe des ethnies*, Ed. Bruylant, Bruxelles ; L.G.D.G., Paris, 1993. Selon le professeur Héraud, l'Europe compterait 34 langues (URSS non comprise) et 43 jusqu'à l'Oural, mais, nous précise-t-il, il y a un flottement pour savoir si un idiome est une « Abstandsprache » (une vraie langue) ou une « Ausbausprache » (langue codifiée). « A coup sûr, le corse n'est qu'une "Ausbandsprache", mais "quid" de l'islandais-féroïen, du bulgare-macédonien, du tchèque-slovaque, du galicien-portugais, de l'erse-gaëlique d'Irlande, de l'allemand-luxembourgeois, de l'occitan-gascon, etc. ? »

je faisais de longues tournées de conférences aux États-Unis, j'étais devenu presque aphone. Un médecin, que je consultais à San Francisco, m'a dit : « Vous avez un cancer de la gorge. Vous devez être opéré immédiatement. » Cette idée ne me tentant guère, j'ai terminé ma tournée tant bien que mal.

De retour à Paris, je suis allé voir le professeur Perrier qui m'envoya chez Sylvie de Daragane, une actrice de théâtre russe. Cette vieille dame m'apprit à reposer mes cordes vocales par des exercices de gymnastique de la voix. Et depuis, tout va bien. Aujourd'hui, je peux prononcer sept ou huit longs discours électoraux au cours d'une journée sans m'interrompre pour boire.

— *Quel pays a les meilleurs médecins en Europe ?*

— Je ne suis pas bon juge car j'ai rarement besoin d'un médecin.

— *Quels sont les secrets de votre forme ?*

— Je l'ignore. L'hérédité peut-être ! Ma grand-mère est morte à quatre-vingt-dix-huit ans, ma mère à quatre-vingt-treize. Mais dans ma génération, ce sont les hommes surtout qui bénéficient de cette longévité et non plus les femmes comme dans la génération précédente. Trois de mes sœurs sont mortes, tandis que deux de mes frères sont encore en bonne santé. En dépit de terribles accidents d'automobile qui l'ont un peu handicapé, mon frère Rodolphe a une santé de fer. Et Charles-Louis, qui a eu un cancer il y a huit ans, s'est complètement rétabli.

— *En remontant très loin dans l'histoire de votre famille, ne détecte-t-on pas les prémisses de votre constitution chez Rodolphe de Habsbourg qui fut élevé le premier à la dignité du Saint Empire en 1273 ? Les futurs empereurs du Saint Empire romain germanique étaient censés être des hommes très solides pour conduire l'armée, nonobstant quelques impératifs d'ordre intellectuel.*

— Ce ne fut pas le cas de tous. Charles Quint, par exemple,

souffrait de la goutte et mourut à un âge relativement précoce. Il se retira d'ailleurs très tôt des affaires.

— *Vous avez dans votre lignage un empereur qui a régné cinquante-quatre ans.*
— Oui, Frédéric III qui régna de 1440 à 1493. C'est un de mes ancêtres que j'admire le plus malgré la mauvaise réputation qu'il a laissée dans l'histoire. Il n'a pas eu de succès personnel mais il a préparé celui des générations futures.

— *Faites-vous allusion à ses qualités d'homme de paix, de conciliateur ?*
— Absolument. Frédéric III n'était pas un combattant.

— *Alors vous, auquel ressemblez-vous ? Au combattant Rodolphe ou au pacificateur Frédéric III ?*
— Un mélange des deux.

— *On dit que quelque chose dans le visage des Habsbourg a traversé les générations.*
— Effectivement, les lèvres et la mâchoire. Pour ce qui me concerne, on m'assure que je ressemble aux ancêtres de ma grand-mère, c'est-à-dire à la Maison de Bragance. A tel point que dans la rue au Portugal, je passe pour un autochtone.

— *Vos ancêtres immédiats jouissaient d'une excellente santé.*
— Oui. François-Joseph en est le meilleur exemple. Il a vécu de 1830 à 1916. Son frère, Maximilien, aussi, mort fusillé, au Mexique en 1867, mais qui aurait vécu longtemps encore s'il n'avait commis l'erreur de ne pas écouter les conseils de François-Joseph. Maximilien s'était lancé à corps perdu dans l'aventure mexicaine.
Un autre frère de l'empereur François-Joseph, l'archiduc Louis-Victor, est mort après la révolution de 1918. Mon arrière-grand-père, l'archiduc Charles-Louis, a vécu lui aussi très longtemps.

— *Existe-t-il dans votre famille un mode de vie spécial qui explique cette vitalité ? Pratiquez-vous des sports ? Suivez-vous une hygiène mentale ?*

— Ni l'un, ni l'autre. L'hygiène de l'esprit, c'est le travail et l'occupation continuelle.

— *Vous avez aussi une ascendance lorraine et vous portez d'ailleurs le nom de Habsbourg-Lorraine. Cela remonte au mariage de Marie-Thérèse d'Autriche, qui régna jusqu'en 1780, avec François Stéphane, grand-duc de Lorraine qui n'était pas un Habsbourg, mais le descendant « officiel » de Charlemagne.*

— L'héritage lorrain a joué chez nous un rôle capital. Nous avons tous été très attachés à la Lorraine, comme les Lorrains d'ailleurs qui ont témoigné à la famille de leur duc une grande fidélité.

— *François avait dû renoncer au duché de Lorraine afin que les États de l'empire acceptent que son épouse, Marie-Thérèse, succède à son père, l'empereur Charles VI de Habsbourg. Lui-même fut sacré empereur sous le nom de François Ier. Pourtant, vous avez choisi Nancy pour vous marier, en 1951. Est-il vrai que 80 000 personnes étaient venues assister à cette cérémonie ?*

— Toute la ville de Nancy a assisté à mon mariage. Pour nous, ce fut une sorte de retour aux sources, aux sources de l'Europe aussi, car la Lorraine porte le nom de la Lotharingie, le royaume central issu de l'empire de Charlemagne, région charnière et épine dorsale de l'Europe occidentale.

— *Vous êtes allé plusieurs fois en Extrême-Orient. Vous y avez rencontré le Dalaï-Lama. Comme sa religion pour lui, la vôtre ne vous donne-t-elle pas un certain détachement par rapport aux choses de l'existence, cette sérénité que je perçois dans votre comportement et qui vous protège ?*

— En effet, le christianisme nous enseigne la relativité de tout ce qui se passe dans cette vie. Il n'y a pas de vrai triomphe possible, mais pas de réel désespoir non plus. J'ai vécu selon le principe : Dieu n'attend pas de nous le succès, il nous demande simplement de faire de notre mieux. Si nous pouvons Lui présenter un bilan prouvant que nous avons agi en règle générale selon notre conscience, c'est la meilleure assurance personnelle pour l'éternité.

— *Votre vie, comme celle de vos parents, a été exposée à ce qu'on appellerait de nos jours le « stress », événements familiaux dramatiques, engagement dans les tragédies mondiales, prise en charge du malheur d'autrui. Est-ce que cela ne vous a pas marqué négativement ?*

— Je date d'une époque où le « stress » était inconnu. Le mot et la notion sont très nouveaux. Comme la notion de « frustration ».

— *Le recul que vous avez, vous a-t-il été inculqué par vos parents ? Ou bien est-il venu avec l'âge ?*

— Inculqué par les parents, c'est certain, mais renforcé par l'âge.

— *Vous affirmez que votre principal trait de caractère est l'optimisme. Où le puisez-vous puisqu'en fin de compte vous ne croyez pas au succès plein et entier ?*

— Quand on a atteint mon âge et que l'on voit le long parcours qu'on a derrière soi, on ne peut qu'être optimiste. La vie m'a beaucoup donné. J'ai vu s'effondrer deux régimes totalitaires. J'ai assisté à des réconciliations dont on n'aurait pas cru que l'histoire les tolérerait.

Quand j'étais jeune, pour tout Français, l'Allemand était l'ennemi héréditaire et vice-versa. Nous savions tous que nous devrions participer à une guerre entre Européens. Les barbelés et les fortins le long du Rhin irritaient les meilleurs d'entre nous mais étaient jugés inévitables. Changer la mentalité de vieux peuples était quasi impossible. Et pourtant, c'est ce qu'on est parvenu à faire de notre vivant.

— *Quand on a beaucoup vu et vécu comme vous, on adopte*

certainement le point de vue de l'histoire. Par exemple l'idée de l'éternel recommencement ?

— L'histoire est un perpétuel recommencement. Mais on ne peut pas la considérer sur un plan linéaire. Elle progresse en dents de scie, sans retour intégral à ce qui fut.

— *Partant de l'idée que tout est relatif, ne faut-il pas éviter de prendre les choses et les gens à la lettre ?*

— Certes, il faut s'en garder. Notre passage sur terre est bref. Mais notre vie sera très longue puisque l'éternité existe. Alors, choses et gens surtout ont de l'importance quand même.

— *Et l'idée que les situations se retournent selon le principe « tel qui rit vendredi dimanche pleurera », y croyez-vous ?*

— Je crois plutôt à l'inverse. Celui qui sait attendre patiemment finit par triompher. C'est à propos de Frédéric III, précisément, que le grand historien Emil Franzel a écrit : « Il a vaincu tous ses ennemis en leur survivant. » Une belle leçon.

— *Votre religion, comment la pratiquez-vous ?*

— En bon catholique, j'essaye autant que possible de suivre tous les commandements et de donner l'exemple. C'est un devoir quand bon nombre de regards convergent vers vous. Et c'est beaucoup plus utile que de longs sermons.

— *Les Hohenzollern sont protestants, les Habsbourgs catholiques. Voyez-vous des différences déterminantes pour l'existence quotidienne et la formation du caractère entre ces deux religions ?*

— Certes, mais pas aussi profondes qu'on le croit. Les différences apparaissent à partir du moment où les idées religieuses créent des communautés politiques. Exemple, les États-Unis comparés à l'Europe. Durant plusieurs générations, dans les colonies anglaises le long de la côte Est de l'Amérique, il ne s'était rien passé. Il y avait de simples comptoirs commerciaux. L'Amérique est née avec l'arrivée des « Pilgrim Fathers », c'est-à-dire d'une communauté religieuse qui amenait des idées tirées pour l'essentiel de l'Ancien Testament. L'Europe quant à elle est beaucoup plus marquée par le Nouveau Testament. Cette divergence est restée très vivace jusqu'à nos jours, jusque dans le quotidien.

— *Pour quelles raisons êtes-vous venu vous installer à Pöcking en Bavière ?*

— Après mon mariage, je voulais que mes enfants vivent près de l'Autriche et surtout dans un environnement culturel qui lui ressemble. Ma femme aimait cette région et c'est elle qui a déniché cette maison dans laquelle nous vivons depuis 1954.

— *N'aimeriez-vous pas finir vos jours en Autriche ?*

— Je ne peux pas répondre à cette question car, premièrement, je n'envisage pas encore la fin de mes jours et, deuxièmement, je n'ai pas l'intention de prendre ma retraite. Je resterai actif aussi longtemps que Dieu me donnera force et vie.

— *Comment s'organisent vos journées ?*

— Sans grande organisation ! C'est la conséquence logique de mes différents lieux de travail, de mes obligations variées. Je me lève relativement tôt et je travaille beaucoup, de sept heures du matin à au moins vingt heures le soir. J'ai la chance de très bien dormir.

Je donne la priorité à mon travail de parlementaire européen, qu'il s'agisse des séances plénières ou du travail en commissions. Je tiens à une présence réelle. Je suis depuis treize ans et demi au Parlement européen et n'ai manqué que cinq jours de séance plénière, trois lors de l'enterrement de ma mère, deux lors de l'enterrement de ma belle-mère.

A côté de cela, je tiens des réunions dans ma circonscription électorale ou dans le cadre du Mouvement paneuropéen, ou encore, depuis la libération de l'Europe centrale et orientale, dans les pays qui en font partie, de la Hongrie aux Pays Baltes, sans oublier la Croatie et naturellement l'Autriche.

Quand on est parlementaire européen, on se doit de montrer aux peuples d'Europe centrale qu'on ne les oublie pas et qu'on se soucie de leurs intérêts. Dans la phase difficile qu'ils traversent, il faut leur apporter cet optimisme indispensable au redressement.

— *Parvenez-vous à éliminer les préoccupations ou surcharges inutiles ? Au Parlement européen, vous donnez l'impression d'être très décontracté, bavardant avec l'un, souriant à un autre, faisant les cent pas pour vous dégourdir les jambes entre deux interventions en séance. Et malgré ce dilettantisme de façade, votre production intellectuelle, écrite et rhétorique, est très supérieure à celle de beaucoup de vos collègues. De plus, vous êtes très bien informé, avec un certain culte du détail.*

— J'ai le pouvoir de me concentrer sur un sujet pour très peu de temps et de le reprendre ultérieurement. Cela me donne du temps additionnel. Je puis donc commencer un travail, l'abandonner après deux minutes, m'y remettre cinq minutes plus tard.

— *Derrière cette aisance apparente, vous devez donc avoir une discipline de fer, concernant notamment le carnet de rendez-vous, les horaires.*

— Oui, je suis très discipliné. Grâce à ma mère qui, outre cette aptitude, m'a aussi inculqué votre langue et l'esprit de clarté qui lui est inhérent.

— *Les Allemands reprochent aux Français d'être généralement en retard aux rendez-vous. Bien que n'étant pas allemand de souche, êtes-vous de ces obsédés de la ponctualité ?*

— Au risque de vous décevoir : oui. Je n'aime pas faire attendre les autres et je déteste attendre.

— *On dit que l'exactitude est la politesse des rois. Est-ce vrai ?*

— En principe. Ce n'est pas le cas chez tous, car le naturel l'emporte souvent. Certaines personnes sont incapables d'être ponctuelles et d'autres ont une horloge dans le cerveau. J'appartiens à cette deuxième catégorie.

— *Quand vos enfants étaient petits, aviez-vous du temps pour eux ?*

— C'est surtout ma femme qui s'en est occupée. De façon admirable d'ailleurs, et je ne lui en serai jamais assez reconnaissant car, sans elle, je n'aurais jamais pu réaliser ce que j'ai fait. Même aujourd'hui, elle me décharge de nombreuses tâches.

Néanmoins, j'ai toujours essayé d'être autant que possible avec les enfants, en tout cas pendant les vacances.

— *Comment se fait-il, selon vous, que certaines familles royales en Europe défrayent la chronique de façon négative ? Y a-t-il eu un défaut d'éducation ?*

— Je ne connais pas suffisamment ces familles pour pouvoir juger. Mais quand vous lisez la Chronique de la Cour, le « Court Circular », dans les journaux britanniques, et que vous voyez la tâche surhumaine qu'on leur impose, c'est impressionnant. Ils ont la vie très dure. Ils doivent être parfaits en permanence dans leur rôle, et taire en public ce qu'ils pensent.

C'est la raison pour laquelle j'ai dit que je remerciais Dieu de ne pas être roi. Réflexion qui a choqué certains. Si cette tâche m'était incombé, je l'aurais naturellement assumée parce que je respecte la fonction royale. Mais comme elle ne m'est pas échue, je suis heureux de mon travail de parlementaire qui me permet de dire le fond de ma pensée, de pratiquer ou de recommander la politique qui me paraît être la plus appropriée, sans avoir à requérir la permission d'un premier ministre.

— *Je pensais effectivement à la Maison d'Angleterre. Les derniers dénouements en date, le remariage de la princesse Anne et la séparation sans divorce de Charles et Diana vous paraissent-ils correspondre à un « aggiornamento » nécessaire du style de vie des souverains ? Ou bien est-ce que ce sont des inconséquences graves ?*

— En parlant d'une « crise » de la maison royale britannique, on risque de se tromper. Car il y a eu des crises pires dans l'histoire de cette dynastie, notamment l'affaire du duc de

Windsor dans les années trente. A ce moment-là, la monarchie était menacée, ce qui ne semble pas être le cas actuellement.

— *Que pensez-vous de l'engagement pour la défense de l'environnement du prince Charles d'Angleterre ?*
— Excellent.

— *Et la famille de Monaco ?*
— Je connais personnellement le prince Rainier et je le respecte. Il fait beaucoup pour son pays. Quant à la jeune génération dont on parle dans la presse, je la connais trop peu.

— *Votre famille, dans les générations précédant la vôtre, à votre époque et pour ce qui concerne vos enfants, se distingue par un engagement politique, social, moral et religieux irréprochable. Quelle est votre recette d'éducation qui ne vaut peut-être pas seulement pour les rois, mais que tout un chacun pourrait mettre à profit ?*
— Je remercie Dieu qu'il en soit ainsi. Les parents, face à leurs enfants, doivent donner l'exemple, en faisant toujours correspondre leurs actions à leurs paroles. Une mère qui fume ne peut détourner ses enfants de la cigarette. Un père ivrogne ne peut prêcher la sobriété.
Sur le plan religieux, élément le plus important dans la vie, là aussi, les parents doivent donner l'exemple à leurs enfants. Laisser l'éducation religieuse à des tiers est toujours une faute.

— *On dit que votre fils Charles a fait la connaissance de sa fiancée sous les bombes à Karlovac, en Croatie. Y voyez-vous un signe de la Providence ?*
— C'est vrai, ils se sont connus dans la « ville de Charles ». Et d'ailleurs dans le cadre d'une fondation des Habsbourg qui porte le nom de « l'archiduc Charles », comme mon fils. Il y a des coïncidences étranges dans la vie. Charles ne s'occupait pas des réfugiés mais d'aide directe aux Croates assiégés tandis que Francesca animait une fondation qui se consacrait à la tradition

artistique. Elle procédait au recensement des églises détruites par la guerre en ex-Yougoslavie pour permettre leur restauration. De plus, elle a fondé une école d'artisans et de restaurateurs de monuments en Croatie pour que l'on puisse exécuter les travaux sur place.

— *Et vos autres enfants ?*

— A part Georges, le plus jeune, ils sont tous mariés et disséminés de par le monde. J'ai déjà quinze petits-enfants...

— *Vous aviez fait la connaissance de votre épouse, vous aussi, dans un camp de réfugiés, n'est-ce pas ?*

— La guerre de Corée venait d'éclater. Les camps de réfugiés hongrois en Allemagne étaient secoués par une vague de panique. Ces camps se trouvaient à la frontière interallemande et de l'autre côté on pouvait voir les chars russes. Quand a éclaté la guerre de Corée, nous fûmes très inquiets. Les réfugiés hongrois craignaient d'être les premières victimes de ceux auxquels ils venaient d'échapper. La personnalité qui était en charge de ces camps, du côté hongrois, le général Hennyey, ancien ministre des Affaires étrangères avec lequel j'avais été en contact quand je m'occupais des intérêts hongrois à Washington, m'avait demandé de venir rassurer les gens. Hennyey était un homme très avisé qui se consacrait avec dévouement aux dizaines de milliers de réfugiés hongrois d'Allemagne.

J'ai donc répondu à son appel, en allant leur parler dans les camps. C'est ainsi que j'ai rencontré ma future épouse. Elle coopérait à l'association « Caritas » qui prenait en charge ces Hongrois. Elle avait connu leur sort. Son père avait été emmené par les Russes et était mort dans un camp d'extermination soviétique. Un de ses frères avait été tué à la guerre, un autre était parti chez les chartreux. Leurs biens qui se trouvaient en zone d'occupation soviétique, appelée plus tard la République démocratique allemande, avaient été confisqués intégralement.

Cette jeune femme courageuse, exilée comme je l'avais été et issue d'une famille éprouvée par le sort, m'a tout de suite attiré.

— *Alors, vous vous êtes mariés et, comme dans les contes de fées...*

— Et le conte de fées n'a jamais cessé. J'avais grandi avec sept frères et sœurs, nous étions donc huit enfants dans ma famille, et avec mon épouse, nous avons eu sept enfants, cinq filles et deux fils. Je pense que les familles nombreuses sont une bonne chose pour les enfants comme pour les pays.

— *Vous pensez sans doute à la pyramide des âges en Europe ?*

— Bien sûr. Les actifs en diminution constante vont faire face à une armée de retraités dont les effectifs seront de plus en plus nombreux. Ou bien les actifs accepteront de consacrer une part de plus en plus importante de leurs revenus au paiement des retraites ou bien tout le système s'effondrera. Cette vision d'épouvante est plus réelle qu'on ne le croit généralement. S'il en est ainsi, c'est aussi que la famille n'est plus appréciée à sa juste valeur. On parle beaucoup du principe de subsidiarité en faveur des communes, mais nul ne pense à aider aussi les familles qui sont la cellule de base de la société. Pourquoi par exemple ne donne-t-on pas aux familles nombreuses un droit de vote plus important qu'aux célibataires ou aux couples sans enfants ? Les scrutins sont plus importants pour les enfants qui en supporteront plus longtemps les conséquences que pour les adultes. Il faudrait donc leur donner un droit de vote que leurs parents exerceraient pour eux jusqu'à leur majorité. Alors, vous verriez que les hommes politiques feraient davantage pour les familles et que la natalité remonterait, empêchant ainsi le déclin de l'Europe.

— *Au lieu de cela, le ministre allemand des Finances a eu la riche idée de réduire les allocations familiales dans son dernier train d'économies. Cela revient à sacrifier l'avenir au présent.*

Vous êtes ce qu'on appelle un « homme public ». Par tradition familiale, représenter est votre mission. Est-ce que ce n'est pas fatigant d'être toujours sous le regard des autres ? N'aimeriez-vous pas, de temps à autre, « fuir dans un désert l'approche des humains » ?

— Je n'ai jamais ressenti la tentation de fuir dans le désert. De temps en temps, je me dis que ce serait beau de passer une journée à la pêche sur les bords d'une rivière tranquille. On a bien le droit de rêver ! La dernière fois que je suis allé à la pêche, c'était heureusement il y a quarante ans. Je dis bien « heureusement » car j'aime mon travail.

— Vous avez élevé des enfants, vous vous donnez entièrement à votre engagement politique, malgré votre grand âge. Et vous n'attendez pour cela aucun salaire particulier. Pourquoi tant se dévouer ? Après tout ce que vous avez vu, comment pouvez-vous avoir confiance en l'homme ?

— En fin de compte, l'espèce humaine mérite bien qu'on lui prête attention. On rencontre des gens de toutes sortes et les pires d'entre eux peuvent devenir les meilleurs. Les expériences réunies au cours d'une vie comportent des déceptions mais tellement de surprises agréables...

Chapitre V

L'héritage des Habsbourg

Jean-Paul Picaper : L'héroïne d'un roman [1] qui vient de paraître sous la plume d'un auteur français d'origine hongroise, Georges Walter, craint que « l'aigle bicéphale de l'Autriche-Hongrie n'ait perdu ses plumes ». Est-ce pour restaurer le lustre de ce noble oiseau que votre quatre-vingtième anniversaire, le 20 novembre 1992 à Innsbruck, ressemblait à une grande fête populaire ? Le coup d'envoi fut donné le 14 novembre au soir, à la Hofburg, le palais impérial d'Innsbruck, avec un repas de cinq cents convives, avec au menu : consommé, un seul plat principal puis un soufflé de marrons au coulis de cerise, arrosé d'un riesling « Réserve Habsbourg ». Pour finir un café servi avec un « Vogelberg ».

Une certaine presse, sans doute bien informée, a écrit que vous aviez vous-même simplifié ce repas, jugé par elle assez « frugal » ?

Otto de Habsbourg : Ce menu était le cadet de mes soucis. Car jusqu'au jour même de mon voyage à Innsbruck, je me trouvais au Parlement européen où j'avais bien autre chose en tête que de fêter mon quatre-vingtième anniversaire. A telle enseigne que je ne le connaissais même pas avant de me mettre à table. Mes enfants avaient tout arrangé, à ma convenance d'ailleurs.

— Cela prouverait, une fois de plus, que la presse populaire emprunte davantage à la fiction qu'à la réalité. Tous vos enfants étaient là — excepté l'archiduchesse Michaela, retenue aux États-Unis —, votre épouse Régina, et les quatre-vingts membres de la nombreuse famille Habsbourg. On dit que vous ne les connaissez pas tous ?

1. Georges WALTER, *les pleurs de Babel*, Éd. Phébus, Paris, 1992.

— C'est exact. Nous avons tellement été secoués par l'histoire que notre famille s'est dispersée. J'ai beaucoup voyagé, mais pas assez quand même pour faire la connaissance de tous ses membres. Cette rencontre d'Innsbruck m'a permis d'en connaître d'autres.

— *Il y avait là des représentants des Maisons régnantes d'Europe apparentés aux Habsbourg : don Felipe de Bourbon, prince héritier d'Espagne, accompagné de sa tante doña Pilar, le grand-duc héritier de Luxembourg et la grande-duchesse Maria-Theresa, ainsi que le prince Vincent de Liechtenstein et ses deux filles. Est-ce que je me trompe en disant que vous êtes aussi apparenté à dom Duarte de Bragance, chef de la Maison royale de Portugal, au prince Victor-Emmanuel de Savoie et à la princesse Marina, ainsi qu'au duc de Bavière, également présents ?*

— Ce sont tous des parents, en effet, bien que plus ou moins éloignés. Cette « internationalité » n'est pas mauvaise.

— *Il paraît qu'on avait rarement eu l'occasion de voir rassemblés autant d'altesses royales et de membres des plus illustres Maisons : le roi Siméon de Bulgarie et la reine Margarita ainsi que le prince Kubrat, le prince Louis-Ferdinand de Prusse, Karl, duc de Wurtemberg, et sa fille Mathilde, princesse de Waldbourg-Zeil, le margrave Max de Bade et la margravine, mais aussi d'éminents représentants des Maisons de Saxe, de Hesse, de Hanovre et de Mecklembourg. Le roi Hassan II du Maroc devait se faire représenter par le prince Moulay Rachid qui fut empêché au dernier moment par un bulletin météo inquiétant.*
Votre fils Charles connaîtrait très bien la difficile piste d'atterrissage d'Innsbruck. A quelle occasion y a-t-il posé un avion ?

— Mon fils est aviateur. Il a servi dans l'armée de l'air autrichienne, notamment lors des combats de Slovénie. Il patrouillait en avion le long de la frontière. Il a beaucoup volé et connaît tous les aérodromes d'Europe centrale. Il m'a toujours dit que celui d'Innsbruck était l'un des plus difficiles et des plus dangereux.

— *Que pensez-vous de l'avenir de cette monarchie marocaine qui a aussi un caractère sacré, comme chez les Habsbourg ? Son chef est le prince des croyants.*

— J'apprécie beaucoup le roi Hassan II. C'est un des hommes les plus intelligents de la politique mondiale. Il fait beaucoup pour son peuple, et c'est un vrai croyant, pas un cynique. Ce qui le distingue du shah d'Iran qui lui n'avait pas le sens religieux.

— *Était présent aussi Fra Andrew Bertie, grand maître de l'Ordre souverain de Malte. Pourquoi ?*

— Je suis membre de l'Ordre de Malte.

— *Vous travaillez énormément, conférences, articles, livres, vos enfants ont achevé leurs études, je crois, mais vous faites vivre aussi vos collaborateurs et collaboratrices, vous avez des frais comme député, qui ne sont pas tous remboursés, et après la guerre, on avait confisqué les biens de votre famille en Autriche. Je vous vois mener une existence austère, presqu'ascétique. Comment payez-vous de telles fêtes ? La ville d'Innsbruck vous avait-elle prêté la Hofburg ?*

— Oui, mais là encore je ne me suis pas occupé des détails matériels. Ce sont mes enfants qui l'ont fait et qui se sont occupés du financement.

— *Les Autrichiens auraient-ils besoin de vous pour restaurer un certain symbolisme national ? On ne peut pas dire que la campagne contre Kurt Waldheim, justifiée ou non, ait contribué à redorer le blason de votre pays.*

— C'est hélas vrai, la campagne contre Kurt Waldheim n'a pas rendu service à l'Autriche. L'actuel président, M. Klestil, peut faire beaucoup de bien. C'est un homme connu dans les milieux diplomatiques internationaux et son habileté est grande.

— *Je relève que votre quatre-vingtième anniversaire n'a pas été une cérémonie exclusive, entre parents et amis, mais qu'il a eu un côté populaire. Des compagnies de chasseurs tyroliens vous ont fait la haie d'honneur. Vous avez participé à leurs rites en acceptant une cible en bois sur laquelle vous devrez tirer une balle. L'avez-vous tirée entre temps ?*

— Non, je n'ai pas encore tiré cette balle, mais c'est peut-être mieux ainsi. Je ne suis plus un bon tireur et n'ai jamais été un tireur d'élite. J'ai été chasseur jadis, mais depuis mon entrée dans la politique active, je n'en ai plus le temps.

— Des milliers de gens sont venus dans l'après-midi assister au défilé des compagnies tyroliennes, très chamarrées, qui maintiennent les traditions des milices bourgeoises et paysannes de jadis. Vous avez passé en revue une de ces compagnies. Était-ce la première fois que vous passiez des « troupes » autrichiennes en revue ?

— Ce n'était pas la première fois que je passais en revue de ces compagnies civiles autrichiennes. Cela a dû m'arriver au moins une cinquantaine de fois, y compris au Tyrol oriental, en Styrie et ailleurs. C'est une tradition autrichienne très ancienne. D'ailleurs, la plupart de ces unités ont des liens directs avec ma famille puisque, dans le passé, lors de la monarchie, la famille s'occupait beaucoup de ces organisations.

— La presse a relaté l'absence de vos frères, les archiducs Robert d'Autriche-Este, Félix et Charles-Louis de Habsbourg, la qualifiant parfois de « défection » bien qu'on ait allégué des raisons juridiques ou de santé. Alors les mauvaises langues ont dit que c'était en raison d'un désaccord sur le mariage de votre fils. Vrai ou faux ?

— Les média ont oublié que la loi de bannissement contre les Habsbourg n'est pas abolie. Et que ni mon frère Charles, ni mon frère Félix ne peuvent entrer en Autriche.

— Les cérémonies de la famille de Habsbourg, aujourd'hui, reviennent-elles aux splendeurs du passé ? Le mariage de votre fils Karl, a été célébré le 31 janvier 1993 par l'archevêque de Vienne, Mgr Hans Hermann Groer, en présence de quelque 800 invités.

Le Deutschland-Magazin, *proche de la CSU, soulignait le contraste de la célébration de votre anniversaire avec celle du quatre-vingt-cinquième anniversaire du prince Louis-Ferdinand de Prusse, dans la plus stricte intimité de sa famille. Depuis Frédéric le Grand, il y a un contraste entre la parcimonie et l'austérité des Hohenzollern et la splendeur des Habsbourgs ? A quoi cela tient-il ?*

— Différence de style et différence régionale. L'Autriche, comme la Bavière, c'est le baroque, et le baroque aime les festivités. Et, surtout, il fait participer la population à ces festivités.

— *Les vicissitudes de l'histoire vous ont créé une double personnalité. D'une part, vous êtes l'Altesse impériale et royale qui était revenue en Autriche quelques mois après la guerre, juste le temps de fêter votre quarante-troisième anniversaire, à Innsbruck d'ailleurs, avant d'en être chassée par les Soviétiques. De l'autre, il y a l'homme politique que vous êtes devenu. Je cite le roman de Georges Walter* Les pleurs de Babel *: « Il suffit de prendre un billet pour Strasbourg et de se rendre au Parlement où le prince est un député européen des plus assidus. Ses veines ont beau charrier le sang de Charles Quint, ce ne sont ni la chasse équestre, ni la pêche à la ligne qui occupent ses journées ; en 1989, il prend aussi l'autobus ; l'archiduc n'a plus de chambellan, mais une attachée de presse* [1]*. »*
Lequel des deux Habsbourg êtes-vous ?

— Ces deux « moi » ne sont pas très différents. Mais je suis avant tout un homme politique. C'est l'obligation à laquelle on est soumis aujourd'hui quand on croit, d'une part, à la tradition, et qu'on pense, de l'autre, devoir faire quelque chose pour les peuples auxquels on est intimement lié.

— *Est-ce que votre tradition familiale et le métier royal auquel on vous avait préparé ont contribué à faire de vous un « homme sans préjugés et sans ambitions personnelles » ? C'est l'impression*

1. Éd. Phébus, Paris, p. 17.

dominante que vous donnez. Vous semblez n'éprouver ni animosité ni rancœur envers des personnes.

— C'est vrai. J'ai reçu cet héritage de mes parents.

— *Que pensez-vous de* l'homme sans qualités [1], *ce personnage de Robert Musil qui incarnait l'empire finissant qu'il a appelé aussi la « Kakanie », par allusion à la « K. und K.-Monarchie » ?*

— Musil est certainement un grand écrivain, mais il a un peu trop centré son observation sur des aspects négatifs, tout en aimant dans le fond de son cœur cette Double monarchie. Comme il a écrit son œuvre après la chute de la Double monarchie, il avait beau jeu de montrer l'engrenage de la fatalité. On dit que nul n'est prophète en son pays, mais il est facile de prophétiser un événement après qu'il ait eu lieu.

— *Musil a formulé le plus bel éloge funèbre de l'Autriche-Hongrie que je connaisse : elle « est morte, écrit-il, parce qu'elle avait trop de génies ». Paradoxalement, ses aspects positifs condamnaient, selon lui, la Double monarchie. Peut-être est-ce un trait inhérent à la décadence ou à la fatalité, en effet. Il faut avoir, sans doute, la flexibilité intellectuelle viennoise de cette époque pour entrer dans ce genre de logique.*

Cette « prophétie a posteriori » est aussi le fait d'un autre roman célèbre sur la fin de l'empire, moins intellectuel et davantage chargé d'émotion, La Marche de Radetzky [2] *de Joseph Roth. De jeunes officiers d'origines diverses, tous attachés à l'empereur François-Joseph, vivent les dernières années, les derniers mois avant la Première Guerre mondiale. Cela se passe dans des villes de garnison conventionnelles et ennuyeuses, avec quelques aventures, un univers qui paraît encore très solide et structuré où le sens de l'honneur prime tout, où la vie a encore une valeur, par-dessus tout la fidélité aux traditions. Le portrait de l'empereur veille sur tout cela tel un père tutélaire. Et tous ces gens, fatalement, inexorablement, sont fauchés par la mort en pleine jeunesse. Ce livre est plein d'un désespoir pareil au parfum de fleurs fanées, le parfum d'une Europe défunte ?*

1. Éd. du Seuil, Points. Roman, 1982.
2. Éd. du Seuil, Points. Roman, 1983.

— Cependant, l'Autriche a survécu et la Hongrie aussi.

— *J'apprécie votre sérénité. Peut-on faire de la politique et ne pas nourrir de préventions ?*
— C'est très difficile, mais on peut y arriver. Il le faut d'ailleurs puisqu'un préjugé fausse toujours la perception des réalités.

— *Je vois bien que vous vous imposez de la réserve, que vous étouffez bien des cris que vous auriez envie de pousser. Par discipline chrétienne ou par sens de la dignité ? Comment en êtes-vous arrivé à avoir une vision aussi neutre et détachée du monde ?*
— Je suis obligé de m'occuper des grandes questions mondiales par suite des chroniques que j'écris pour la presse chaque semaine. Même si je ne le faisais pas par plaisir, comme c'est le cas, je le ferais parce que cela m'oblige à me tourner vers toutes les questions, même les plus éloignées de mes intérêts directs. Cette vue globale des problèmes me facilite le détachement.

— *Pourtant, vous n'avez rien d'un neutraliste. Comment concilier ces deux attitudes ?*
— L'homme a naturellement tendance à s'engager. Mais l'observateur politique doit faire la différence entre les gens et leurs gouvernants. La faute commise par les Alliés pendant et après la Deuxième Guerre avait été de trop assimiler les Allemands à Hitler. Je m'efforce donc de ne pas identifier les Russes à Staline, les Serbes à Milosevic.

— *Dans le vivier parlementaire européen, vous me paraissez être au-dessus de la mêlée.*
— J'ai un siège au Parlement européen comme député du parti chrétien-social bavarois CSU. Mais, loin de rester dans ma chapelle comme bon nombre de politiciens, je me déplace beaucoup pour parler à d'autres milieux. Vous me trouverez

aussi bien sur le plancher communiste que sur celui des lepénistes, l'important étant de s'enrichir en parlant à des gens de divers horizons.

Au Parlement européen, deux personnes m'en veulent. Ce n'est pas moi qui refuse de leur parler, ce sont eux qui ne m'adressent pas la parole. Le premier n'est pas très intelligent. Ce n'est pas un mauvais bougre, certes, mais c'est un extrémiste, ou mieux, un fondamentaliste. Quant au deuxième, le pasteur Paisley, j'éprouve de la compréhension et de la sympathie à son égard car je fus un de ceux qui l'ont mis physiquement à la porte du Parlement quand il s'est mal conduit lors de la visite du pape. Qu'il soit fâché contre moi et qu'il ne veuille plus me parler, je le comprends.

— *Chacun de nous a bien un ennemi ou deux. C'est tonifiant d'avoir des ennemis, comme d'avoir des amis. Mais pour un homme comme vous, investi d'une mission souveraine, n'est-il pas important de se faire aimer de tous ?*

— Il faut toujours être prêt à pardonner et à se repentir. Il faut se battre durement si c'est nécessaire, mais en n'oubliant jamais que l'ennemi d'aujourd'hui est peut-être un ami de demain.

— *La preuve qu'on vous apprécie, c'est que les Hongrois vous ont offert en 1991 le poste de président de la République hongroise. Pourquoi l'avez-vous refusé ? Le prince Schwartzenberg avait bien accepté, lui, le poste de chef de cabinet de Vaclav Havel.*

— A l'époque où trois partis politiques hongrois, le Parti chrétien-démocrate, le Parti paysan et le Parti tzigane, m'ont demandé d'être candidat à l'élection présidentielle, j'étais le seul homme politique en Europe centrale [1] à être membre du Parlement européen. Avoir l'appui de parlementaires de la Communauté est une chose vitale pour ces pays. Je savais que je pourrais leur faciliter la tâche par ma connaissance du terrain, par mes amitiés et peut-être aussi par mon dévouement à la cause de la libération de tous ces peuples, tout autant que

---

1. Otto de Habsbourg fait ici allusion à sa nationalité hongroise.

par les attaches traditionnelles que j'ai avec eux. D'ailleurs, cela s'est concrétisé quand j'ai été nommé président de la délégation du Parlement européen pour les rapports avec le Parlement hongrois. J'avais donc le sentiment que je pouvais rendre plus de services au Parlement européen que si j'acceptais une fonction dans la politique intérieure hongroise.

De plus, les partis de la majorité ont décidé que l'élection du président hongrois se ferait non pas au suffrage universel mais qu'il serait élu par le Parlement. Or, je suis opposé à pareille idée. Je partage l'opinion du général de Gaulle en ce qui concerne la fonction présidentielle. Un président élu par le parlement ne peut pas être un défenseur efficace des minorités. Il ne peut pas jouer un rôle de contrepoids. Il revêt donc une fonction qu'il ne pourra guère remplir et qui l'obligera à jouer avant tout un rôle représentatif. J'ai dit à mes amis que si jamais la situation changeait, mon refus ne serait pas définitif.

Pour ce qui est du prince Schwartzenberg que j'apprécie beaucoup, aux côtés de Vaclav Havel — je les connais bien tous deux —, son rôle est différent. Car avant d'être nommé en Bohême, il n'avait pas assumé comme moi un mandat politique. Il n'avait donc pas les moyens d'action qui sont à ma disposition. D'ailleurs, nous coopérons, dans l'intérêt même des Tchèques.

— *Revenons à la question des préjugés. J'aimerais préciser vos vues sur trois puissances dont le destin est mêlé à celui de l'Europe, successivement depuis les XVIᵉ et XVIIᵉ, depuis le XIXᵉ et depuis le XXᵉ siècle : les Turcs, les Russes et les Américains. Laissons de côté pour plus tard les Chinois et les Japonais.*

Au XVIᵉ et au XVIIᵉ siècle, l'Europe a été attaquée par les Turcs et les Habsbourg l'ont sauvée. En 1526, Suleyman le Magnifique battait Louis II de Hongrie à Mohacs et en 1687 Charles V de Lorraine prenait la revanche de la chrétienté, dans cette même ville de Hongrie méridionale. Auparavant, ils avaient été repoussés au Kahlenberg, lors du deuxième siège de Vienne, en 1683. Aujourd'hui, vous dites pourtant tout le bien possible des Turcs. Leur déniez-vous l'intention de redevenir une grande puissance ?

— Naturellement, les Turcs rêvent de jouer à nouveau un rôle dans le monde. Et c'est parfaitement légitime. D'ailleurs, nous aurons besoin d'eux. Ils sont la seule puissance susceptible de contrebalancer l'expansion de l'Iran en Asie centrale. De plus, cette nation qui essaye réellement de collaborer avec nous et dont la conception de l'islam me paraît très raisonnable, a — il faut aussi le reconnaître — de grandes qualités politiques.

— *Dans une interview à un journal français, vous parliez du danger russe. Indépendamment de l'instabilité de la nouvelle République de Russie, il me semble que vous n'aimez pas beaucoup les Russes. Souvenirs de la Première Guerre mondiale chez les Habsbourg ?*

— Je crains effectivement un retour du nationalisme russe avec des vues sur des territoires qui n'appartiennent pas à la Russie. Il ne faut pas oublier que la Russie est la plus grande puissance coloniale qui reste au monde à l'époque de la décolonisation. C'est dangereux pour tous ceux qui l'entourent.

Je n'accepterais l'idée de l'admission de la Russie à la Communauté européenne qu'après qu'elle ait décolonisé. C'est géographiquement et culturellement un pays européen, mais avec ses immenses possessions de l'Oural à l'Océan Pacifique, ce que l'on appelle la Sibérie, elle ne sait même pas elle-même si elle est européenne ou non.

— *Vous ne parlez pas le russe. Tradition des Habsbourg : vous avez protégé pendant des siècles les Tchèques et Hongrois catholiques contre l'impérialisme grand-russe.*

— Bien que ne parlant pas le russe, je le comprends un peu. Au XIXᵉ siècle, le « panslavisme » fut une menace continuelle pour l'Autriche-Hongrie. Suivirent, la grave responsabilité de la Russie dans la préparation de la Première Guerre mondiale, et enfin l'expansion stalinienne d'après 1945 qui a ruiné l'Europe de l'Est et l'Europe centrale. Une Russie qui cherche à s'étendre au-delà de ses frontières légitimes ne pourrait être qu'un facteur de désordre.

— *Vous semblez éprouver une solide inimitié envers Gorbatchev.*

Pourtant, tout le monde lui est reconnaissant d'avoir été le fos-
soyeur du régime soviétique, et les Allemands voient en lui le père
de leur réunification.

— Penchons-nous d'abord sur son sombre passé. Il fut agent
du KGB, passant plus de la moitié de sa vie politique dans le
cadre de ce service secret qui n'était tout de même pas une
société de charité chrétienne. Quant à sa politique, en homme
intelligent qu'il est, il a vu ce qu'il ne pouvait empêcher, tout
en essayant de ralentir le processus. Aujourd'hui, il est resté
communiste. Les propos qu'il a tenu lors d'une visite en
Finlande, notamment en ce qui concerne les États baltes,
prouvent qu'il n'a jamais cessé d'être un impérialiste. J'entends
par ce terme quelqu'un qui veut reconquérir ce qu'il a perdu
sans que ce bien lui appartienne.

— *Ernst Jünger a écrit, dans son journal non publié encore, à*
propos de Gorbatchev : « Au cours de la nuit, je me suis souvenu
que Gorbatchev partage la première syllabe de son nom avec le
nœud gordien. Mais son entreprise est plus difficile que celle
d'Alexandre parce qu'il n'opère pas de l'Ouest vers l'Est, mais de
l'Est vers l'Ouest. Et à l'époque d'Alexandre, c'étaient des demi-
dieux [1]. »
Croyez-vous que Gorbatchev et ses successeurs échoueront dans
leur entreprise de ramener la Russie à la culture européenne, vers
l'Ouest ? Et Eltsine ?

— Je respecte Eltsine qui a, lui aussi, un passé communiste,
mais qui est plus proche du peuple, et moins apparatchik que
Gorbatchev. Mais c'est surtout quelqu'un qui veut faire le
bien. De plus, il a montré un grand courage à un moment
décisif alors que le rôle de Gorbatchev dans toute cette affaire
du 19 août 1991 a été plus qu'ambivalent.

— *Vous ne m'avez pas convaincu de votre objectivité totale*

1. « In der Nacht fiel mir ein, dass Gorbatchow mit dem gordischen Knoten die
Vorsilbe teilt. Sein Unterfangen ist schwieriger als das Alexanders, weil er nicht
vom Westen nach Osten, sondern vom Osten nach Westen operiert. Und damals
kamen Halbgötter ». Unveröffentlichte Tagebücher (Journal non publié), 2.1.90.

envers la Russie bien que l'œuvre des tsars, anciens alliés de la France, à la fin du XIXe siècle, contre la Prusse et l'Autriche-Hongrie, ait été souvent néfaste, quand elle ne péchait pas par maladresse, et bien que je partage avec vous l'horreur de ce qu'a fait l'Union soviétique.

La Russie fut, à ses débuts, un schisme d'Orient sécularisé par Lénine et perverti par Staline. Mais on rencontre dans les villes russes une conscience démocratique populaire. Ces gens parfois si chaotiques sont des Européens qui nous ressemblent davantage que les Américains, ne fût-ce que par leur intérêt pour les choses de l'esprit. Nous ne comprenons les Américains, en Europe occidentale, que parce que nous avons copié l'« American Way of Life » après la guerre.

— Les Russes ont beaucoup de caractéristiques européennes, mais à condition qu'ils soient russes. Même Eltsine, pour lequel j'éprouve beaucoup de respect, a déclaré qu'il ne savait pas s'il était russo-européen ou euro-asiate. Pour faire partie de l'Europe, il faut être européen à part entière. C'est d'ailleurs ce qui avait justifié la politique du général de Gaulle vis-à-vis de la Grande-Bretagne. Wilson voulait entrer dans la Communauté comme instrument de l'Amérique. De Gaulle l'a repoussé. Puis vint Edward Heath qui était un Européen à part entière. La France lui a ouvert immédiatement les portes sur la lancée de la politique du général de Gaulle.

Pour ce qui est de savoir si les Russes sont plus proches de nous que les Américains, je dirai que les Américains ont une mentalité fort différente de la nôtre. Les Russes sont peut-être plus près de nous. Mais les Américains sont « les enfants de l'Europe », ne l'oublions pas. C'est ce qu'une certaine gauche a du mal à avaler.

— Une chose est certaine : en France, l'antiaméricanisme primaire que pratique la gauche allemande est inconnu, sauf peut-être dans l'extrême-gauche et l'extrême-droite qui, heureusement, n'ont pas voix au chapitre. Par deux fois, en 1917 et en 1944, des milliers d'Américains sont morts pour sauver la France. Ce sont des choses qu'on n'oublie pas. Militairement, Français et Améri-

cains sont toujours côte à côte. Incontestablement, les Russes ont été nos adversaires depuis leur révolution et surtout depuis 1947, tandis que les Américains nous ont protégés de la servitude imposée par les Soviétiques à l'Europe centrale et en quelque sorte libérés. Nous n'aurons jamais de problèmes avec les Américains en tant que grande puissance. D'ailleurs, un océan nous sépare.

Il faudra seulement que la France s'impose sur le plan économique pour s'assurer un respect équivalent de ces deux grands.

Chapitre VI

Les hommes et l'histoire

Jean-Paul Picaper : Votre nom vous a ouvert de nombreuses portes. Vous avez rencontré la plupart des grands hommes de notre siècle, les artisans de l'histoire. A quoi les distingue-t-on du commun des mortels ?

Otto de Habsbourg : Attention, il y a beaucoup de pseudo-grands hommes. L'inflation des titres amène de nos jours les publicistes à donner de l'homme d'État à n'importe quel politicien qui a survécu pendant dix ans aux risques électoraux. En réalité, on ne devient homme d'État qu'une fois mort. Ce n'est qu'alors que l'on peut juger votre œuvre. Parmi les hommes politiques, quelques-uns pensent aux prochaines générations tandis que les autres ne pensent qu'à leur prochaine élection.

Quant à les distinguer du commun des mortels, je ne crois pas qu'il existe un moyen de le faire. Il existe des gens qui n'ont ni un nom ni une position en vue, mais dont la vision est remarquable et qui font beaucoup pour l'avenir par leur caractère et leur droiture.

— Quels grands hommes admirez-vous le plus dans l'histoire récente ?

— Les politiciens qui ont le sens du passé et de l'avenir, comme le général de Gaulle, qui fut l'homme « d'avant-hier et d'après-demain », ou Franz Josef Strauss, celui « d'hier et de demain ». La vision du général allait un peu plus loin en arrière et un peu plus loin en avant que celle du leader bavarois, plus proche, lui, des réalités quotidiennes. Néanmoins, Strauss avait ce regard vers la postérité et cette connaissance profonde de l'histoire qu'il mettait au service de ses idées politiques. Mais il n'a pas eu la chance historique du général de Gaulle.

— *A quels moments ces deux grands hommes se sont-ils servis du passé pour préparer l'avenir ?*

— Le 18 juin 1940, la France était à terre, épuisée et à l'abandon. Des gens aussi intelligents que Pierre Laval s'y sont trompés. Je lui ai parlé le jour de la capitulation. C'était, à mon avis, un patriote français, mais il a cru que, pour sauver la France, l'avenir était dans la collaboration. Il s'est laissé prendre à son propre engrenage et il est passé insensiblement de ce qu'il croyait être un service public à la trahison. Avec son intelligence, il aurait dû réaliser dès 1942, ou même dès 1941, que, pour Hitler, la partie était perdue. De plus, il aurait dû réaliser aussi que, dans tous les cas de figure, Hitler n'était pas un avenir souhaitable.

De Gaulle, lui, avec sa perception innée de l'Histoire, a vu plus loin. Il a été protégé également par ses principes qui lui interdisaient d'entrer dans la collaboration.

Son attitude vis-à-vis de l'Angleterre, par exemple, que l'on a toujours mal comprise, est probante. Le général était partisan de l'entrée des Britanniques dans l'Europe, mais seulement pour le jour où ils abandonneraient ce rêve qu'entretenait encore Wilson, d'entrer sur notre continent comme l'avant-garde des États-Unis. Ce qui revenait à installer une espèce de tête de pont américain. De Gaulle y mit son veto, attendant le moment où un Européen, un vrai, prendrait la direction des affaires en Angleterre. Quelle prodigieuse intuition ! Imaginez ce qui serait arrivé si Wilson était entré dans la communauté comme agent en mission des États-Unis. Cette politique aurait fait des imitateurs et le tournant vers l'Europe n'aurait jamais été pris.

Pourquoi le général de Gaulle est-il devenu un personnage historique ? Parce qu'une situation exceptionnelle lui a donné des chances uniques.

Charles de Gaulle avait en plus tous les talents nécessaires pour y parvenir. Il suffit d'ailleurs de lire ses premiers écrits pour en être convaincu. Mais c'est tout de même Adolf Hitler qui, involontairement bien sûr, lui a tendu la perche de la réussite. Replaçons-nous dans l'esprit de l'époque et imaginons qu'Hitler, disons en juillet 1940, ait fait une offre au gouvernement Pétain du style : « Je n'ai pas d'ambitions territoriales vis-à-vis de la France. Soyons amis en toute sincérité... » La France aurait été à lui sur un plateau d'argent. Avec quelques résistances, certes, mais minimes et sans espoir de succès. Après Mers-el-Kébir, Hitler a laissé passer sa chance, et son erreur reste inexplicable à moins de tenir compte de la complexité du personnage. D'un côté, l'homme politique génial, de l'autre, sa médiocrité criante.

Par deux fois, Hitler fit de l'ombre à sa bonne étoile : en France et en Russie. Deux occasions manquées pour lui de gagner la guerre. Quand les troupes allemandes arrivèrent en Russie, elles furent accueillies en libératrices. Si Hitler, au lieu d'occuper le terrain en conquérant, avec la Gestapo, les SS, et tous ses sbires, avait compris qu'il devait jouer l'atout du général Andrej Vlassov en lui confiant la formation d'un gouvernement russe, il aurait balayé Staline. La Russie aurait pris une tout autre direction.

— *Cet homme était prisonnier de ses ressentiments et de ses idées fausses. En fait, il ne pouvait agir autrement, comme tous les idéologues.*

— Il était surtout possédé par une médiocrité intellectuelle. Quand il signa l'armistice avec la France par exemple, il dansa autour de la table. Est-ce l'attitude normale d'un homme d'État ? Imaginez Metternich dansant... Ses premières visions, jusqu'au tournant de Stalingrad, dénotent une inspiration supérieure à celle de ses militaires. Les généraux cherchaient à lui démontrer leur impuissance devant ce qu'il demandait. Or, il parvenait toujours à ses fins. Le plan Schlieffen a été mis en œuvre contre l'avis des généraux.

— *Peut-être avait-il l'audace des inconscients.*

— C'est possible, mais il devait avoir aussi une perception aiguë de ce qui était stratégiquement faisable, disons à la limite entre la tactique et la stratégie. Tout au moins jusqu'à Stalingrad.

— *Revenons à Strauss qui fut votre ami.*

— C'est l'exemple type de l'homme qui n'a jamais eu l'occasion de déployer les ailes de son génie. Et c'est dommage, car en politique surtout, elles auraient eu au moins l'envergure de celles du général. Mais la nature est très dépensière en génies.

— *En politique aussi ? De la même manière qu'on parle de Mozart assassinés ?*

— Oui, exactement. Ce fut le cas de Strauss. Par une journée torride de l'été 1974, j'assistais à un de ses meetings en Basse Bavière. Trois mille personnes étaient venues l'écouter. Il parla deux heures durant, captivant totalement son public. A la sortie, une vieille femme le prit par le bras et lui dit : « Monsieur Strauss, je prie chaque jour pour que vous deveniez notre chancelier. » Et Strauss de lui répondre : « Madame, ne priez pas pour cela, mais pour que le jour ne vienne jamais où l'on soit obligé de m'appeler à ce poste. » Strauss se considérait, avant de prendre le portefeuille de la Défense, comme une sorte de réserviste, une dernière planche de salut en cas de catastrophe. D'ailleurs, il vécut toujours dans l'attente de cette éventualité. Excellent ministre du Nucléaire sous Adenauer, puis ministre des Finances sous Kiesinger et enfin Premier ministre de Bavière, cet homme resta toujours sur le palier d'une intervention au cas où les Soviétiques bougeraient. Mais l'histoire ne lui a pas permis de pousser la porte, contrairement au général de Gaulle.

— *Aurait-il eu le courage d'agir ? Certains de ses amis, à force de le voir attendre, l'avaient appelé « Strauss le temporisateur », « Strauss Cunctator ».*

— Oui, il l'aurait eu. L'accusation était injuste. En outre, il avait le courage de ses opinions, disant ouvertement ce qu'il pensait. Chose rare chez les politiciens. Il a prouvé par sa réussite politique, tout au moins, que le jeu en valait la chandelle. Je veux dire qu'au fond les gens sont beaucoup plus intelligents que ne l'imaginent les politiciens, compréhensifs aussi si on ose leur dire la vérité. J'ai connu des hommes qui ont réussi en tenant des propos impopulaires.

— *L'hypocrisie n'est donc pas l'essence même de la politique ?*
— Non, pas du tout. Et je vous donne un exemple : le sénateur Robert A. Taft, aux États-Unis, leader des Républicains pendant la deuxième moitié de la Deuxième Guerre mondiale. J'ai toujours eu beaucoup d'estime pour lui parce que c'était un homme d'une grande honnêteté intellectuelle et personnelle. Nous avons travaillé ensemble avec le sénateur Vandenbergh.

Vint la campagne électorale qui amena l'élection de Truman en 1948. En tournée de conférences aux États-Unis, je parlais un soir à Columbus (Ohio), la seule ville des États-Unis, du moins en ce temps-là, à avoir une majorité de catholiques. Or Taft, conservateur pourtant, était résolument hostile à l'école confessionnelle, école qui, chez les catholiques américains, est presque une question de vie et de mort. En tant que candidat sénateur de l'Ohio, Taft était en mauvaise posture. Il avait gagné l'élection antérieure avec une majorité dérisoire, l'Ohio étant plutôt démocrate. Il avait donc peu de chances d'être élu.

Nous avons dîné avec Taft chez le recteur de l'université catholique de Columbus qui voulait la victoire de Taft. Il pensait comme moi que, s'il était élu, ses idées sur la question scolaire seraient de toute manière sans incidence sur les réalités. Il essaya donc de le convaincre : « Pour l'amour du ciel ! Quand vous prendrez la parole, surtout pas un mot sur la question scolaire, sinon vous perdrez vos électeurs. » Taft lui répondit sans ciller : « Mais non, j'aborderai ce sujet parce que je trouve que mes électeurs ont le droit de savoir ce que je pense. » Bref, le recteur ne réussit pas à le faire changer d'avis.

Effectivement, Taft parla presque exclusivement de la question scolaire, donnant son avis sans mettre de gants.

Le scrutin porta Truman comme un raz-de-marée à la Maison Blanche. Taft fut élu avec une confortable majorité sénateur républicain de l'Ohio. C'était la première fois qu'un républicain obtenait la majorité à Columbus. Les électeurs pensèrent qu'un homme qui se suicidait politiquement en disant la vérité resterait honnête une fois sénateur. Aussi votèrent-ils pour lui.

— *Vous pensez donc que mieux vaut parler franc ?*
— Oui, les gens le souhaitent. Ils veulent avoir confiance dans les candidats. Mais user de franchise exige une certaine préparation. Une renommée préalablement acquise est indispensable pour qu'on soit crédible. Ce qui va de pair en général avec des coups très durs qu'il faut pouvoir encaisser. Strauss en avait attrapé de sévères.

— *La renommée aussi ça se paye ?*
— On la crée graduellement en donnant des preuves d'honnêteté. Après on peut continuer à aller de l'avant.

— *A condition que les coups ne vous tuent pas chemin faisant.*
— Il faut avoir la robustesse d'un Strauss pour y survivre...

— *En mai 1993, après le suicide de Pierre Bérégovoy, certains en France voyaient en lui la victime des calomnies répandues à son sujet par la presse et des poursuites de la justice. Mais une autre explication n'est pas moins tentante.*
Le déficit budgétaire de 370 milliards de francs en 1993, sans l'excuse de la réunification qu'a l'Allemagne, un déficit qu'on a essayé de cacher aux électeurs comme mainte autre insuffisance, devait suffire à déprimer un homme comme lui, qu'on disait honnête, d'autant plus que ces camouflages n'ont pu empêcher le cuisant échec électoral qui a suivi. Bérégovoy a dû sans doute regretter de n'avoir pas dit la vérité. Peut-être la discipline de parti l'en avait-elle empêché. Ou bien on le lui a interdit.
— Je ne sais pas plus que les autres quels ont été les motifs du

suicide de Pierre Bérégovoy. Mais certains hommes politiques sont soumis à de très fortes pressions, notamment dans le secteur des Finances. Il leur faut songer au crédit de leur pays. S'ils admettent certaines facilités, ce crédit peut être détruit. Aussi est-il difficile de porter un jugement si l'on n'est pas passé soi-même par des difficultés similaires.

— *Si cette explication était la bonne, confirmerait-elle votre point de vue, à savoir que l'occultation de la vérité ne paye pas ?*

— Occulter la vérité ne sert vraiment à rien. Souvent même, en disant toute la vérité, on désarme l'ennemi.

— *En 1962, durant l'affaire dite du* Spiegel, *Strauss a été accusé d'avoir menti au Bundestag, ce qui a entraîné sa démission. En 1993, le candidat chancelier socialiste Björn Engholm a dû renoncer à sa carrière politique pour un mensonge minime devant une commission parlementaire. Est-ce à dire que si on ment, il ne faut pas se faire prendre ?*

— Votre observation recèle une part de vérité. Mais il y a une différence entre les deux cas que vous citez. Strauss avait dû s'exprimer comme il l'a fait devant le Bundestag parce qu'il lui fallait tenir compte d'intérêts stratégiques primordiaux dans une des phases les plus critiques de la guerre froide. Engholm s'est fait prendre pour avoir entrepris une basse manœuvre politicienne sans incidence sur la vie de la nation.

— *N'est-ce pas mentir quand on se fait élire sur la promesse d'une baisse des impôts pour les relever une fois qu'on est élu ? Les exemples sont nombreux...*

— Notons cependant qu'une élection bâtie sur un mensonge donne généralement un mandat de courte durée. Ce n'est pas de la bonne politique.

— *Les élus ne sont-ils plus liés par la parole donnée aux électeurs ?*

— A mon avis, les élus doivent s'abstenir de mentir à leurs

électeurs, mais il est indéniable que la politique impose à ceux qui sont aux responsabilités des changements profonds. Il leur faut servir l'intérêt national supérieur. Aussi peuvent-ils être amenés à changer leurs dispositions, quitte à renier certaines promesses électorales.

— *De Gaulle n'avait-il pas trompé les « Pieds-Noirs » avant le lâcher l'Algérie ?*

— Naturellement, je ne puis deviner quelles étaient les pensées du général. Mais il faut reconnaître que sa politique était justifiée. Tout en étant attaché, pour ma part, à cette Algérie française que je connaissais bien, il me fallait bien admettre qu'une poursuite de la guerre d'Algérie aurait ruiné la France.

— *Helmut Kohl et Franz Josef Strauss se détestaient cordiale-ment. Strauss n'a jamais considéré Kohl comme un grand homme. Se serait-il trompé ?*

— La rivalité entre Strauss et Kohl tenait à plusieurs raisons. La plupart d'entre elles plongeaient leurs racines dans un lointain passé, comme c'est souvent le cas entre hommes poli-tiques, même s'ils ont, par ailleurs, de l'envergure. Ajoutez à cela leurs caractères différents et leurs tempéraments incompa-tibles. Je les ai respectés et appréciés tous les deux, à l'époque de leurs disputes. Strauss était plutôt le baroudeur, alors que Kohl incarnait la tranquillité. Tous deux s'intéressaient, s'inté-ressent dans le cas de Kohl, à l'histoire.

— *Helmut Kohl entrera dans l'histoire, comme unificateur de l'Allemagne, ce qui était certainement l'ambition de Strauss. Mais cela ne suffit pas au chancelier. Il voudrait aussi être, pour la postérité, le créateur de l'Union européenne. Et s'il y a quelqu'un, en Europe, qui aimerait le devenir avec lui, c'est François Mitter-rand.*

Que pensez-vous de lui ? C'est un homme qui a mis du temps pour arriver à la consécration, qui a subi de nombreux revers, changeant plusieurs fois de position, voire de camp. Ne corres-pond-il pas à l'image du « Prince » florentin de Machiavel plutôt qu'à votre politicien franc et honnête ?

— Le président Mitterrand est un politicien rusé, voire manœuvrier. Néanmoins, il faut admettre qu'il a toujours été opposé au communisme et favorable aux puissances atlantiques, et qu'il a toujours été européen.

Ce n'est qu'en 1992, à mon avis, qu'il a commis une erreur majeure, en imposant le référendum sur Maastricht alors que le parlement avait déjà accepté le traité. C'était une manœuvre de politique intérieure, mais elle a mis en danger toute la construction européenne. Le général de Gaulle m'avait dit un jour qu'un référendum pouvait servir à façonner l'avenir, mais à condition que la question soit posée par le pouvoir légitime. Or, en l'occurrence, la manœuvre politique était trop éclatante et c'est ce qui aboutit, d'ailleurs, à un résultat qui ne reflète pas le sentiment profond des Français.

On a du reste constaté que quelque 20 % des électeurs qui ont voté « non », au référendum du 21 septembre 1992, l'ont fait pour censurer le président et non le traité de Maastricht.

— *C'est peut-être quand on est affaibli qu'on a tendance à commettre ses plus graves erreurs. Le général de Gaulle échappait à cette règle, sauf à la fin peut-être.*

La guerre l'a révélé, comme vous l'avez rappelé. Strauss, aussi, avez-vous dit, savait qu'il ne pourrait donner sa mesure que face à une catastrophe. Cette chance — qui aurait été une malchance pour son pays — ne lui a pas été donnée.

— C'est vrai qu'il n'a pas eu sa chance à lui. Mais la présence d'une réserve nationale, Strauss en l'occurrence, conférait une grande force à la politique allemande, y compris au chancelier Kohl. C'est une chose qu'on ne comprend guère.

— *Guerres et catastrophes servent de révélateur à de grandes personnalités. Mais elles servent aussi de tremplin à des escrocs politiques... Que penser de Lénine qui recommandait la conquête du pouvoir par la duperie, de Goebbels, selon lequel il suffisait de répéter un mensonge pour qu'il devienne une vérité. Pour ne pas parler des Saddam, Kadhafi et autres Milosevic.*

Est-ce que ce n'est pas avec ces méthodes-là qu'on devient puissant ?

— Naturellement, on peut arriver au pouvoir par la fourberie. Mais comparez la « réussite » d'un Goebbels, d'un Lénine, d'un Kadhafi, avec ce qu'un de Gaulle, un Strauss, un Kohl ont fait pour leur pays et pour l'Europe. Il faut dresser le bilan de toute une vie. Alors, vous verrez que ceux qui ont opté pour l'honnêteté, ont servi réellement leur peuple. Et puis, faire de la politique, ce n'est pas en premier lieu être au pouvoir, mais c'est servir le Bien public.

— *Que pensez-vous de Staline ?*
— Pendant la Deuxième Guerre mondiale, Staline mena sa politique de main de maître. Sans excuser ses crimes, il faut lui rendre cette justice. C'était un homme ingénieux, en politique surtout.

— *Bien qu'il se soit totalement trompé au départ sur les intentions d'Hitler.*
— Il s'est mépris parce qu'il croyait qu'Hitler ne voulait pas envahir l'URSS. Mais ensuite, il a conduit la guerre d'une manière éblouissante. Ce que j'admire en Staline notamment, c'est son esprit de décision au moment où l'Armée Rouge s'effondrait sous les coups de la Wehrmacht. Il réunit le Politbüro et ne parla pas de la situation militaire mais des buts de guerre que la Russie devait s'assigner dans la victoire.

J'ai vu les Américains faire exactement le contraire, refusant d'arrêter des objectifs de guerre et lançant le slogan de la reddition sans conditions de l'Allemagne, ce qui revenait à éliminer à priori toute cible dans la victoire. Ils s'enfermèrent dans une impasse, par peur de Staline, parce que le leader soviétique se refusait à singer leur bêtise. Les Anglais, eux, n'avaient pas le choix. Churchill réalisait très clairement que mener une guerre sans objectifs était une grossière erreur politique mais il était trop faible pour imposer ses vues.

Staline, lui, s'est tenu à l'écart des autres. Dans leur attitude vis-à-vis de l'Allemagne, les Américains étaient hantés par la peur que Staline ne passe un accord séparé avec Hitler. Ce qui n'était pas incompatible avec l'attitude adoptée par le dictateur soviétique. Et Staline a joué de cette éventualité.

La situation n'a commencé à se détériorer pour lui que lorsque sa santé a décliné. Sur ce facteur santé, il est intéressant de relever le parallélisme entre Roosevelt et Staline, tous deux épuisés par la guerre. A bout de forces donc, Staline n'a pas pu résister aux personnages médiocres de son entourage. Lui qui s'était assigné de ne jamais montrer ni les Russes aux Occidentaux, ni l'Occident aux Russes, ne voulait pas avancer au-delà d'une certaine limite occidentale sur le continent européen. Je dois au général Sikorski de connaître le premier plan de Staline pour l'après-guerre. Staline voulait s'approprier seulement la partie Est de la Pologne, territoire qu'il avait déjà obtenu lors du traité Ribbentrop-Molotov, Carpato-Ukraine incluse qui lui assurait une tête de pont à l'intérieur du bassin danubien, plus une partie de la Roumanie pour contrôler le Danube. Mais il ne voulait pas aller au-delà. La Prusse orientale, la Silésie, l'Allemagne de l'Est ne l'intéressaient pas. Bien entendu, il souhaitait récupérer les États Baltes.

Imaginez que ce plan ait été mis en œuvre. Que se serait-il passé ? Les Américains auraient quitté l'Europe en moins d'un an et, reconnaissante envers les Russes d'avoir été libérée du joug hitlérien, l'Europe qui, à l'époque, dérivait vers la gauche, serait tombé dans le giron de Staline. Trois ans après la guerre, les Soviétiques se seraient retrouvés sur les rivages de l'Atlantique.

Mais c'était compter sans les Molotov et autres Timoshenko, des êtres médiocres, incapables de saisir le vaste projet de Staline derrière cette modération de façade qui en était la précondition. Ils l'ont donc entraîné jusqu'à l'Elbe. Staline n'avait plus la force de leur résister. Ils ont poussé l'armée soviétique jusqu'à Berlin, avides qu'ils étaient d'investir tous ces pays européens, ce qui, finalement, aura été fatal à leur propre pays.

— *Comment savez-vous tout cela ?*

— Pendant la guerre, j'étais en contact avec les Polonais, notamment avec le général Wladyslav Sikorski qui dirigeait véritablement son pays. Ce n'est qu'après sa mort que la dégringolade a commencé. Sikorski m'envoyait de précieuses informations. Contrairement aux autres, les Polonais avaient de très bonnes antennes à Moscou.

— *Aviez-vous aussi des contacts avec les Tchèques, anciens sujets des Habsbourg ?*

— Certes, j'étais également informé par un journaliste israélite qui s'appelait Tyrnauer. Reporter dans le groupe du magnat de la presse William R. Hearst, Tyrnauer avait des accointances dans le camp Beneš et me tenait au courant de ce qui se tramait dans ce milieu. C'est de lui que j'appris que Beneš, dès 1942, imaginait l'expulsion des Allemands des Sudètes. Il se heurta d'abord à Roosevelt, puis à Staline. Roosevelt qui était viscéralement hostile à l'expulsion de gens non coupables, Staline parce que cela n'entrait pas dans son grand projet. Cette tension dura environ un an et demi.

Jan Masaryk, le fils du président Masaryk, n'était pas d'accord avec cette décision. Je me souviens de lui avec une profonde sympathie. C'était un être intelligent, un brin irresponsable, bourré de talent et très bon pianiste. Je le rencontrai pour la première fois à New York chez les Britanniques. « Sachez que je ne suis pas un traître, me dit-il. Le 4 novembre 1918, je me suis battu pour conserver l'Autriche-Hongrie. » Il disait vrai. Jan Masaryk comptait parmi les officiers les plus décorés de la Première Guerre mondiale. Physiquement, il était très courageux, mais intellectuellement beaucoup moins...

— *Entre les grands visionnaires qui sont malheureusement fort rares et les sataniques heureusement peu nombreux, il existe donc une troisième catégorie de grands hommes, les artistes, les hommes de cœur, les natures sensibles égarées dans la politique.*

— On reconnaît ces derniers à leur première réaction toujours honnête devant un problème. La deuxième l'est un peu moins. Cette double pensée leur permet de préserver leur réputation. Au fond d'eux mêmes, ils sont honnêtes, mais ils sont souvent entrés en politique par opportunisme.

— *Et Jan Masaryk serait un représentant typique de cette troi-sième catégorie ?*

— Il aurait aujourd'hui cent ans. Son malheur fut d'être le fils de son père, Tomas Masaryk, président de la République tchécoslovaque jusqu'en 1935. Masaryk père avait un certain sens de la sobriété et de l'État. Il n'aimait pas que son joyeux luron de fils s'amuse. Aussi l'expédia-t-il à Londres comme ambassadeur. Et c'est là, par accident, que Jan Masaryk devint ministre des Affaires étrangères de son pays pendant et après l'émigration.

Léon Degrelle, le chef des rexistes, eut un destin similaire. C'était un poète égaré dans la politique, un merveilleux écri-vain. Je l'ai connu sur les bancs de l'université. Étudiant appli-qué, j'aidais cet aimable paresseux à préparer ses examens. Et puis il créa le mouvement rexiste qui, au départ, n'était pas encore fasciste mais plutôt d'inspiration catholique. A la faveur de divers scandales concernant le parti catholique, le rexisme récupéra des mécontents et obtint une vingtaine de mandats parlementaires, une performance en Belgique. Degrelle se maintint à ce niveau pendant un certain temps avant de devoir affronter un choix crucial en 1936. Son parti n'avait plus de fonds. Fallait-il accepter de l'argent des Allemands pour conti-nuer dans la politique ? Il fit le mauvais choix, vendit son âme et ce fut la chute.

— *Les mouvements fascistes de notre siècle n'ont-ils pas ouvert la mauvaise porte à un certain nombre de personnages genre Degrelle. Je pense à Brasillach ou Drieu la Rochelle en France.*

— En effet. Des intellectuels de droite ont cédé, eux aussi, à la tentation totalitaire.

— *Que pensez-vous de l'attitude des intellectuels allemands face au communisme après la guerre et au nazisme avant ? Les étu-diants gauchistes qui m'entouraient, dans les années 60 à l'univer-sité de Berlin-Ouest, justifiaient leur engouement pour la dicta-ture communiste, qu'elle fût stalinienne, maoïste ou castriste, en affirmant qu'ils voulaient éviter l'erreur de leurs pères séduits par*

Hitler. Ils ne faisaient que singer leurs parents. Il y avait parmi les leaders gauchistes beaucoup d'enfants d'anciens nazis. On comptait aussi parmi eux beaucoup d'enfants de bourgeois qui avaient grandi dans un milieu protégé, sans contacts avec les réalités.

— La dérive de ces intellectuels allemands qui ont glissé au totalitarisme aux couleurs de l'ex-RDA, était aussi le fruit de la « rééducation » des Allemands tentée par les Alliés après la guerre. Vous remarquerez d'ailleurs que ce genre de personnage sortait beaucoup moins fréquemment de la zone française que de la zone américaine et anglaise. En France, on était plus réaliste et on pratiquait moins la soi-disant « rééducation ». En Amérique notamment, la « rééducation » avait été confiée à des hommes de gauche et d'extrême-gauche qui tombèrent d'un extrême à l'autre. Ce sont eux qui ont formé, dans la plupart des cas, les révolutionnaires de 1968. Ils ont fortement contribué à fausser l'esprit des Allemands.

— *Un politologue allemand et conseiller du chancelier Kohl, Wolfgang Bergsdorf, a écrit que depuis deux siècles les écrivains et philosophes allemands, à quelques exceptions près, vivent en dehors de la réalité politique de leur pays, d'où leur incapacité à en décrypter correctement les dangers réels, mais aussi les aspects positifs*[1].

Et puis il y a le péché mignon des intellectuels allemands : le goût de la théorie et des théories. Beaucoup ont ignoré délibérément la réalité de la RDA, avec son mur et ses prisons, n'y voyant qu'une « déformation de la théorie ».

— C'est vrai pour ce qui concerne l'Allemagne, mais ce n'est pas le seul pays où l'on ait édifié des théories. Le marxisme essayait d'édifier le paradis sur terre. Les conservateurs, quant à eux, prennent l'homme tel qu'il est, avec ses faiblesses, avec la tare du péché originel. Ils sont donc plus proches des réalités. Le marxisme au contraire s'envole dans la théorie, perd le contact avec les réalités et peut alors devenir dangereux s'il est à la tête de l'État.

1. Wolfgang BERGSDORF, *Littérature et politique en Allemagne. Tradition et actualité d'un conflit permanent*, Éd. Bouvier, Bonn, 1992.

— *Certains dirigeants du parti socialiste allemand SPD ont été ce qu'on appelle en France des « soixante-huitards ». Croyez-vous au dicton, formulé par G.B. Shaw, je crois, selon lequel il faut avoir été socialiste dans sa jeunesse pour devenir conservateur en vieillissant ?*

— C'est un dicton très spirituel et qui recèle un grain de vérité. Tant qu'on est très jeune, on veut s'adonner à des théories qui vous semblent magnifiques. Quand on a l'intelligence et qu'on se heurte à la pratique, on prend conscience de l'inexactitude des théories. Mais il y a des gens qui ne le reconnaîtront jamais.

— *Parmi ceux qui ont milité dans les Comités Vietnam, parmi les adeptes de l'ex-RDA, les amis de l'URSS et de la Chine populaire, très peu se sont excusés pour leurs erreurs. Elles ont été pourtant très dommageables. Ceux qui ont souffert dans les camps, les prisons et tout simplement ceux qui ont lutté comme nous contre le communisme en essuyant quolibets et menaces, doivent-ils passer l'éponge ?*

— Bien entendu, on a tendu la perche à ces gens-là qui avaient d'anciens amis dans les rouages du pouvoir. Il n'y a qu'en Chine qu'on a éliminé radicalement tous les « soixante-huitards », en les privant de toute chance de jouer un rôle dans l'État. J'en ai beaucoup parlé avec les dirigeants chinois lors de ma dernière visite dans leur pays. Leur idée était simple : la « révolution culturelle » est une maladie incurable de l'esprit. Ceux qui ont attrapé cette maladie doivent, par conséquent, être mis en quarantaine. On l'a fait, là-bas, d'une manière que nous ne pourrions approuver en Europe.

— *Les pires furent ceux qui en 1989, 1990 et 1991 encore, ne voulaient rien comprendre ni admettre. Je me souviens d'un de mes confrères français qui assurait, fin 1989, que les manifestations en RDA étaient fomentées par le BND*[1]. *Et d'un autre qui essayait de prouver que la Stasi n'avait pas aidé la bande à Baader*

1. Services de renseignement de la République fédérale.

119

et que l'affirmer était une médisance. Ils y mettaient une certaine arrogance, un entêtement pénible. Aussi bornés qu'Erich Honecker...

— Figurez-vous que pendant la guerre du Vietnam, cela avait été la même chose. La plupart des journalistes ne circulaient que dans certains milieux de Saïgon et ne voyaient jamais la population. Ils prenaient ce que ces milieux leur disaient, ce qui donnait une image complètement faussée des réalités.

Cette façon de faire a été le fait de beaucoup de journalistes au contact des autres pays communistes. Dieu soit loué, cette phase est derrière nous. Mais on peut craindre le retour de dangers similaires par la porte arrière.

— *Vous avez été attaqué par Willy Brandt. Pourtant, cet homme avait été un exilé, condamné comme vous par les nazis. Alors pourquoi vous en voulait-il autant ?*

— Franchement, je ne comprends pas bien pourquoi Brandt a adopté cette attitude à mon égard. Il m'a attaqué en 1979. J'avais certes une ligne politique qui n'était pas la sienne, mais je ne m'en étais jamais pris à lui. Je dois dire, il est vrai, que j'ai riposté très vigoureusement à un moment où, selon moi, il avait exagéré. Cela n'a pas facilité sa tâche au Parlement européen ensuite. Je ne manquais jamais une occasion de riposter.

— *Willy Brandt en voulait-il particulièrement à la noblesse ? D'aucuns ont affirmé qu'il était l'enfant naturel d'un comte von Plessen et d'une employée de maison de cette famille.*

— Cela, je n'en sais rien. On prétend tellement de choses de ce genre au sujet de tant de gens, que je préfère m'abstenir de toute spéculation.

— *Brandt était, malgré ses écarts et ses ambiguïtés, un homme auquel on ne pouvait dénier une certaine majesté. En quoi se différenciait-il de son successeur Helmut Schmidt ?*

— Je n'ai rencontré Helmut Schmidt qu'une seule fois dans ma vie. J'avais eu une bonne impression et je me souviens que

Strauss m'avait reproché assez vivement certaines marques de déférence envers Schmidt que j'avais exprimées dans un discours électoral en Hesse. Par la suite, les choses se sont envenimées. Au cours de la campagne électorale de 1979, il m'a attaqué lui aussi très durement. Là aussi, j'ai riposté et, depuis, nous ne nous sommes plus vus. Strauss m'a soutenu énergiquement dans ces situations.

— *Brandt était-il de connivence avec l'Est ? Et les gens qui l'entouraient ?*

— Je ne crois pas que Brandt ait été un traître. Il avait des contacts avec l'Est et parlait peut-être un peu trop librement avec ses représentants. En revanche, il y avait d'autres hommes autour de lui dont j'étais moins sûr. Le président Pompidou, avec lequel j'avais parlé de la situation en Allemagne, m'avait fait part de ses suspicions personnelles au sujet de l'entourage de Brandt. J'avais informé Strauss de cette conversation avec Georges Pompidou.

— *Le vieux Brandt, de 1989 à sa mort, en 1992, avait changé. Il fut peut-être le seul dans son parti socialiste à approuver du fond du cœur la réunification.*

— Pas d'accord. Il a fait des déclarations assez idiotes au sujet de la réunification. Ce n'est qu'à la fin, quand la réunification a été obtenue grâce aux efforts du chancelier Kohl, qu'il s'est rallié au fait accompli. N'avait-il pas lancé la formule selon laquelle « la réunification était le mensonge existentiel de la République fédérale » ?

— *Avez-vous été surpris d'apprendre après l'ouverture des dossiers de la Stasi que tant d'hommes et de femmes avaient été des agents de l'Est ? Et que la Stasi et le KGB avaient pénétré si profondément les institutions occidentales ?*

— Non, je ne me doutais pas que la Stasi eût infiltré si profondément l'Ouest ni qu'elle se fût intéressée à tant de détails. C'était une entreprise vraiment monstrueuse et j'ai parfois l'impression que la Gestapo était loin d'avoir été aussi efficace que la Stasi.

— *Pensez-vous qu'en 1940-45, un homme comme le secrétaire d'État américain Cordell Hull était influencé par l'agent soviétique Alger Hiss, conseiller du président Roosevelt ? Les Soviétiques ont-ils pu agir par leur biais pour s'assurer le contrôle de la Mitteleuropa ?*

— Malheureusement, l'infiltration allait très loin. Beaucoup plus loin qu'on ne le pensait à l'époque. C'est moins Cordell Hull qui a pu être influencé, parce qu'il avait perdu de son pouvoir au moment de la Deuxième Guerre mondiale, que Mme Roosevelt et son entourage, en particulier Harry Hopkins. Il y avait d'autres agents encore, tel Harry Dexter White.

— *Que pensez-vous du leader socialiste allemand Herbert Wehner ? On découvre d'étranges choses à son sujet actuellement.*

— Je n'ai pas beaucoup connu Wehner. C'était un homme étrange, un grand technicien de la politique, à coup sûr. Strauss avait pour lui une certaine admiration. Il le considérait comme l'homme le plus dangereux du parti socialiste. D'ailleurs, Wehner était effectivement le maître du jeu.

— *Avez-vous été étonné d'apprendre, depuis 1989, que les objectifs des régimes communistes, masqués par le rideau de fumée de la détente, étaient bien pires que tout ce qu'auraient osé imaginer les prétendus « anticommunistes viscéraux » ?*

— Alors là, je n'ai pas été surpris. Il suffisait de suivre l'action des communistes et de prendre au sérieux ce qu'ils disaient pour savoir. Je me rappelle que le leader communiste italien Enrico Berlinguer nous avait adjuré, dans son dernier discours au Parlement européen, de prendre à la lettre ce que nous disaient les Russes.

— *Faut-il en tirer une leçon pour l'avenir ?*

— Une leçon à tirer, incontestablement, quand nous ferons face à nouveau à des régimes totalitaires. Prenez Milosevic qui a certainement à sa solde un service de renseignement et d'influence singulièrement étoffé. Quand on voit, notamment aux États-Unis, l'action de la maffia de Belgrade, il faut bien admettre que cette technique politique n'a pas encore disparu.

— Quels ont été les hommes qui, à votre avis, ont le plus contribué à mettre fin à la guerre froide et à l'effondrement de l'empire soviétique ?

— D'abord Ronald Reagan qui a le premier compris d'emblée la faiblesse économique du régime soviétique et qui l'a poussé délibérément à la banqueroute, d'où l'implosion qui a suivi. Strauss savait où allait Reagan et il m'en avait parlé. Puis le chancelier Kohl qui a eu le courage d'imposer le déploiement des missiles américains à Mutlangen en Allemagne. C'est au lendemain de Mutlangen que Brejnev s'est montré pour la première fois disposé à aller à Genève parler du désarmement. Enfin, le peuple hongrois qui, par sa révolution de 1956, a brisé l'essor du communisme et qui a permis la fuite des Allemands de l'Est en 1989, lors du pique-nique paneuropéen de Sopron [1]. La nation hongroise était unie dans la poursuite de ses objectifs. N'oubliez pas que le Forum démocratique avait organisé cette excursion à la frontière, mais que le responsable en a été le ministre d'État Poszgaï qui, à l'époque, était encore un des dirigeants du parti communiste. C'est un autre communiste, Giulia Horn, alors ministre des Affaires étrangères, qui a fait une déclaration très courageuse en disant, lors de la fuite des Allemands de l'Est, que son pays appliquerait la charte des droits de l'homme qu'il avait signée, n'en déplaise à Erich Honecker. Pourtant, à ce moment-là, les communistes étaient encore puissants.

— Et la réunification allemande. Qui y a contribué le plus ? Helmut Kohl ou Hans-Dietrich Genscher ?

— A mon avis, la contribution de Kohl a été décisive. C'est lui qui a tenu tête au monde. A propos de cette réunification, il faut reprendre les citations de tous les dirigeants politiques de l'époque et relire ce qu'ils conseillaient à l'Allemagne. Qu'il

1. Voir *infra*, p. 136.

s'agisse de Margaret Thatcher, du président Mitterrand, de Felipe Gonzalez ou de Julio Andreotti, si l'on avait suivi leurs avis, la réunification allemande ne se serait pas faite de sitôt.

J'ai beaucoup de respect pour le chancelier Kohl. Il a une formation historique approfondie. Quand il est persuadé qu'une chose est justifiée, il est inébranlable. C'est ce qui s'est passé pour la réunification. Tous ceux qui disent aujourd'hui y avoir contribué surestiment leur contribution.

— *Actuellement, quel est l'homme ou la femme politique que vous admirez le plus en Europe ? Pour quelles raisons ?*

— Malheureusement, Helmut Kohl excepté, je n'admire pas grand monde actuellement. S'il fallait vraiment se décider en faveur de quelqu'un, alors ce serait le président tchèque Vaclav Havel et le Premier ministre portuguais Gavaco Silva. Deux autres me paraissent pleins de promesses, mais je n'oserai dire quelque chose à leur sujet que dans quelques années si Dieu me prête vie.

— *La classe politique a dilapidé son prestige dans la plupart des pays libres. Quelle est l'origine de cette perte d'autorité ?*

— La raison principale de la perte d'autorité de la classe politique est d'abord la faiblesse de nos institutions. Nous avons eu des avances spectaculaires dans les sciences et la technologie, mais les idées politiques sont toujours celles du xixᵉ siècle. Elles souffrent de ce décalage temporel.

De plus, les élites politiques de la plupart des pays européens ont une tendance constante à s'orienter à gauche. La population glisse vers la droite. C'est le deuxième décalage, source de tensions entre le monde politique et le monde réel.

Quant à la démocratie, elle doit reprendre un visage humain. C'est en partie un problème électoral. Le scrutin de liste éloigne l'élu de l'électeur. Il est en partie responsable de cet espèce de hiatus entre la population et la classe politique.

— *Selon les sondages, beaucoup de citoyens semblent estimer qu'« il y a quelque chose de pourri au royaume de Danemark », je veux dire en Europe. Ont-ils raison ?*

— Naturellement, certaines choses sont pourries chez nous en Europe. Mais ce n'est pas pire qu'autrefois. On a tendance à exagérer et à instaurer des critères dénués de tout sens des réalités. Le lynchage médiatique et politique du Premier ministre bavarois Max Streibl en a été une des meilleures illustrations.

— *Dans les années 60, les jeunes intellectuels qui ont lancé le « Free Speech Movement » de Berkeley, dressé les barricades de mai 68 en France et participé à la « Studentenbewegung » en Allemagne voulaient abattre la démocratie libérale et parlementaire qu'ils jugeaient pourrie. Leurs idoles étaient Che Guevara, Castro et Mao. Pourquoi ces modèles exotiques et totalitaires ? Ces jeunes étaient-il en état d'hypnose ?*

— Je ne vois pas quelle a pu être l'origine de cet authentique dérangement cérébral. Les Chinois pensent que, les grandes épidémies, telle la peste, ayant été bannies, il y a désormais des épidémies intellectuelles qui disparaissent aussi vite que la peste disparaissait après avoir sévi. Ils soulignent aussi la simultanéité de ces phénomènes qui se sont produits au même moment à Paris, à Chicago, à Pékin. C'est tout ce même quelque chose de curieux.

— *J'ai toujours eu du mal à m'expliquer qu'on puisse manifester pour des gens qui veulent détruire la société qui vous protège et à laquelle vous devez tout. C'est un peu comme si on se haïssait soi-même pour préférer le tout-autre. Cela arrive pourtant fréquemment surtout chez les jeunes. Est-ce morbide ?*

— Cela relève effectivement de la tendance suicidogène dont parle la psychologie. C'est un phénomène apparemment pathologique.

— *Aujourd'hui, la jeunesse allemande est divisée, une minorité dont on parle beaucoup dans les mass-media revient au « Führer-Kult » d'extrême-droite, un autre minorité nettement plus importante, mais dont un parle moins, est d'extrême-gauche, et la majorité silencieuse est indifférente et hédoniste. En France, c'est un peu la même chose avec des engagements idéologiques moins accentués et moins d'indifférence dans la majorité. Est-ce préoccupant ?*

— C'est préoccupant, certes, mais il ne faut pas s'exagérer pour le moment l'importance de ces mouvements. Chaque société recèle toujours un petit pourcentage de fous et de criminels. Parfois, ils apparaissent en public, parfois ils disparaissent. Nous sommes aujourd'hui dans une phase où ils se manifestent, du moins en Allemagne où ils bénéficient, de surcroît, de la propension au masochisme qui caractérise trop d'intellectuels et de journalistes allemands.

— *Puis-je vous citer quand même une proposition du* Prince *de* Machiavel : « *Tout le monde voit combien il est louable qu'un souverain tienne sa parole (...). Cependant, l'expérience de notre époque nous dit que les souverains qui ont fait de grandes choses sont ceux qui font peu de cas de la fidélité et qui ont su tourner la tête des gens par leur rouerie* » ? *N'y a-t-il pas là une clé de l'histoire ?*

— Désolé, c'est un avis que je ne partage pas. Il ne peut être le fait que de personnes qui confondent le succès politique et le succès personnel, alors que le succès politique consiste à bien servir le Bien public.

— *On peut aller plus loin, affirmer, avec la politologue Hannah Arendt que l'aptitude à mentir conditionne l'aptitude à changer le monde, donc l'aptitude à la politique. Si vous ne voulez pas ou ne savez pas mentir, ne faites pas de politique...*

— Je ne suis pas de l'avis de Hannah Arendt non plus. Si le mensonge avait été un des grands facteurs de promotion politique, Hitler serait devenu l'un des hommes politiques les plus considérables de tous les temps. En réalité, son affaire a fait faillite en douze ans alors qu'il nous avait annoncé un millénaire.

— *La politique est un métier exténuant dans lequel on doit rechercher la notoriété. Aussi le politicien moyen, qui travaille à l'économie, doit-il suivre les commandements suivants : Tu te trouveras toujours à proximité des caméras de télévision ; tu ne refuseras aucune interview pour un journal important tant que tu n'es pas encore ministre ; tu seras cordial et souriant envers tout le monde mais en leur faisant sentir que tu es très pressé et que ce sera pour la prochaine fois ; tu ne répondras ni par « oui » ni par « non » à aucune question d'électeur ou de journaliste ; tu n'admettras jamais en public que ton adversaire a raison ; tu hurleras avec les loups en attendant qu'il aient changé d'avis, etc. Comment pourrait-il en être autrement ?*

— C'est très amusant ce que vous dites là, mais je ne crois pas que des grands hommes, comme le général de Gaulle, auraient suivi de tels conseils. Certes, tout homme politique a besoin de la publicité que donne la presse et surtout la télévision. Mais c'est dans la logique des choses. Les missionnaires, eux aussi, adressaient leurs prêches aux païens. Quand on donne certaines interviews on a l'impression de sermonner les païens.

— *Une des causes de l'impasse pourrait être aussi que les hommes politiques, à peu d'exceptions près, n'ont plus la carrure nécessaire pour maîtriser les problèmes de notre époque. Où sont les émules de Roosevelt, Churchill, de Gaulle ?*

— Comme je l'ai déjà dit, les situations exceptionnelles créent les hommes exceptionnels. Nous sommes, Dieu merci, dans une période de « normalité ». Lisez l'histoire et vous verrez que les personnalités d'exception sont toujours sorties du rang à des époques qui n'étaient pas normales. C'est pour cela qu'il ne faut pas mesurer les hommes politiques à l'aune des personnages hors du commun.

— *Peut-être avons-nous à faire à des problèmes inédits qui ne s'étaient jamais posés auparavant ?*

— Notre temps comporte en effet des éléments spécifiques qui n'existaient pas auparavant. Il y a d'abord l'influence des mass-media. Ensuite, l'espace a disparu en tant que facteur politique. Ce qui a totalement modifié les dimensions de notre politique et de notre économie. Il y a beaucoup plus d'interaction entre les différents pays. L'impact des événements est beaucoup plus grand qu'à n'importe quelle autre époque de l'histoire de l'humanité. La télévision diffuse partout au même moment un même événement, ce qui ne va pas sans créer des problèmes considérables.

— *En effet, la « télécratie », c'est-à-dire le pouvoir informateur mais trompeur aussi de la télévision n'élimine pas seulement la civilisation de l'écrit. Il concurrence l'éducation familiale et diffuse des réflexes nocifs, de la violence. Le rétrécissement croissant de la planète par les transports aériens facilite la diffusion des virus et de la drogue, la criminalité transnationale, le terrorisme international et les interventions armées.*

La sélection médiatique ne favorise-t-elle que les médiocres ou les opportunistes, à condition qu'ils sachent bien parler ?

— C'est surtout notre système électoral qui est responsable de la médiocrité. Les candidats étant élus à la proportionnelle, sur des listes établies par les partis, ils sont choisis en fonction de leur obéissance à la direction du parti. Ils n'ont même plus besoin de bien parler. Mais, en fin de compte, quand viendra l'heure de la décision, on trouvera un autre système.

— *L'abaissement actuel des politiciens est-il dû aux mass-media ? Faut-il préserver par des lois les hommes politiques de l'indiscrétion des journalistes ?*

— Mais non, voyons, il ne faut pas leur accorder une protection spéciale. Ils n'ont qu'à bien se tenir. La pression des journalistes sert à contraindre des hommes politiques à un peu plus de tenue, ce qu'ils ne respecteraient pas s'ils n'avaient pas peur d'une publicité négative.

— *Depuis l'attentat qui a failli lui coûter la vie, Wolfgang Schäuble se déplace dans un fauteuil roulant. Il est considéré comme le « dauphin » d'Helmut Kohl. Sera-t-il un jour chancelier ?*

L'ex-chancelier Helmut Schmidt rappelait la dureté de la télévision. Franklin Roosevelt, a-t-il dit, a pu gouverner les États-

Unis dans un fauteuil roulant parce qu'à son époque le petit écran n'existait pas encore. Les Allemands n'aiment pas voir la souffrance en direct. Ni la vérité sans doute ?

— Schmidt n'a pas raison à mon avis. Schäuble ne souffrira pas de ce qu'on le voit dans une chaise roulante. Sans doute, l'inquiétude relative à son état de santé peut jouer à son détriment. Mais ce n'est pas un élément majeur.

— Quel est le personnage le plus « vrai », le plus « authentique » que vous ayez jamais rencontré ?

— J'ai rencontré plusieurs personnages véridiques. Le général de Gaulle était vrai. Georges Mandel, ce ministre de l'Intérieur qui fut l'un des combattants les plus courageux contre Hitler, l'était aussi. Nous avons connu dans la lutte contre le communisme plusieurs hommes et femmes de cette trempe. Je ne citerai que le président tchèque Havel. Mais il y a aussi des hommes authentiques en dehors de la politique.

— Je vous ai vu en photo avec Vaclav Havel et son ministre des Affaires étrangères Jiri Dienstbier, des anciens dissidents que vous aviez défendus quand ils étaient persécutés par les communistes. Dans son livre Moc Bezmocnych, *traduit* Vivre avec la vérité, *Havel écrit que la société qui oblige ses citoyens à « vivre dans le mensonge » leur enlève leur identité et les démoralise. La tentative de « vivre dans la vérité » serait donc selon lui un acte moral.*

Le président Reagan avait dit que l'URSS était « l'empire du mal ». N'aurait-il pas dû préciser que c'était « l'empire du mensonge » ?

— Il a employé cette formule, « l'empire du mal », parce qu'elle était tirée de la Bible et frappait l'opinion publique. Mais votre définition n'était pas moins exacte et il aurait pu l'utiliser aussi pour identifier l'empire soviétique. Seulement, elle n'aurait pas autant frappé le public.

— Quand nous sommes enfants, nos parents nous apprennent que les mensonges finissent par être découverts. Comme dit le proverbe, « le mensonge ne court pas loin », « Lügen haben kurze

Beine ». Pourtant, dans la vie, ce sont les gens sincères et ceux qui font confiance qui échouent en politique, dans les affaires. Doit-on apprendre aux enfants à se méfier ? Leur enlever leur naïveté ?

— Il faut enlever une certaine naïveté aux enfants, mais il ne faut pas leur enlever la volonté de faire face pour défendre la vérité et, plus tard, l'honnêteté intellectuelle.

— J'insiste. L'homme politique qui ne ment pas passe-t-il pour un sot ? La véracité, qui suppose qu'on soit sincère envers soi-même, n'est-elle qu'une satisfaction personnelle ?

— C'est bien vrai, c'est surtout une satisfaction personnelle, hélas !

— En étant sincère, on peut devenir un grand écrivain mais pas un grand politicien. Vos écrivains favoris sont-ils sincères ? Pourquoi ?

— Oui, les écrivains que j'admire sont des gens sincères. Mais j'apprécie particulièrement Peter Cheyney, dont je ne sais rien du point de vue biographique. J'apprécie ses romans à cause de son style et de ses trouvailles. Il faisait de la peinture avec les mots. Il a publié un tout petit livre de poésies qui n'est pas connu bien qu'il soit admirable. Malheureusement, il n'a pas vécu longtemps et on l'a oublié. Un écrivain que j'ai connu dans son intimité fut Felix Somary. C'était un banquier suisse d'origine autrichienne qui avait été pendant la guerre chef de la délégation commerciale suisse aux États-Unis où je le voyais fréquemment. C'était un vrai honnête homme, d'une sincérité parfaite intellectuellement parlant.

— Et votre poète favori ?

— Petöfi Sandor, un des grands maîtres du lyrisme. La langue hongroise est à mon avis la plus propre à exprimer la poésie lyrique. S'il avait vécu plus longtemps, il aurait produit une œuvre immense, mais déjà, avec le peu d'années qu'il a vécues, il a apporté beaucoup à la littérature de son pays. On est parfois étonné que je l'aime puisqu'il a lutté contre les Habsbourg. C'est pourtant mon père qui m'a appris à l'aimer. Il connaissait de nombreux poèmes de Petöfi par cœur.

— *Quel est votre musicien favori ?*

— Je n'ai malheureusement jamais appris d'instrument de musique. C'est une chose que je regrette, une lacune dans mon éducation. Je ne pourrais donc pas expliquer exactement pourquoi j'aime telle musique plus que telle autre. Je n'ai d'ailleurs jamais fait de théorie musicale. J'aime écouter Gershwin, y compris en écrivant des articles. Il ne me donne pas l'inspiration, mais m'incite à bien écrire.

— *Quel genre d'hommes, à votre avis, ont le plus apporté à l'humanité ? Ce n'étaient peut-être pas des politiciens ?*

— Non, certainement pas. Rien d'étonnant à cela d'ailleurs. Saint Martin avait déjà dit que la vie politique est le travail d'un homme qui laboure la mer.

— *L'eau se reforme telle qu'elle était ? Un vieux commissaire de police m'a dit un jour : « La société est comme du pudding. On appuie dessus, elle cède, puis reprend sa forme antérieure, comme toute matière gélatineuse. » Mais ne reste-t-il vraiment rien ensuite ?*

— Il reste les œuvres. Ce sont les grands artistes qui ont le plus apporté à l'humanité. Certains grands musiciens, naturellement les grands médecins, plus l'inventeur de la roue qu'on ne connaît même pas.

— *Vous êtes, Monseigneur, le représentant d'une monarchie investie d'un pouvoir sacré. Comment concilier cela avec la « politique-métier », selon la formule de Max Weber. Je dirais même avec la « politique-technique ». Pour vous, Monsieur le député, la politique n'est-elle pas devenue un métier ?*

— Mais bien sûr, la politique est pour moi un métier si astreignant que je ne puis concevoir faire autre chose. Pourtant j'ai exercé d'autres métiers, notamment comme journaliste et écrivain. Mais la politique était aussi un métier pour mes ancêtres. Être empereur était leur métier. La politique exige trop de temps pour qu'on ne la pratique pas à plein temps.

— *Ne faudrait-il pas rationaliser la politique ? Et garder la foi pour Dieu ?*

— La foi pour Dieu, évidemment, et en politique, le sens du devoir. Ainsi, on n'entre pas en politique pour arriver à un objectif, atteindre une position ; de sorte que si l'on n'y parvient pas, ce n'est pas une catastrophe, et que si l'on y parvient, c'est tant mieux. Car la vie n'a de sens que dans la perspective de son dernier jour au cours duquel il faudra rendre compte à Dieu.

Il existe cependant dans la politique un élément de mysticisme. C'est la Hongrie qui a le mieux réussi dans ce sens. Son chef d'État n'est ni un roi ni un président mais la couronne. Par suite de l'action de saint Etienne, elle représente depuis plus de mille ans une orientation politique claire et forge en même temps l'unité nationale puisque chaque membre de la nation fait partie de la couronne. C'est une doctrine spéciale que seuls les Hongrois possèdent et qui leur donne de la force.

— *Les grands hommes sont-ils ceux qui voient au-delà des erreurs et des conflits de leur époque ?*

— Oui, ce sont ceux qui pensent aux prochaines générations.

— *L'histoire dépend de courants socio-économiques, de forces collectives, certes, mais elle n'est pas entièrement prédéterminée par elles. Ce sont les hommes qui écrivent l'histoire, n'est-ce pas ?*

— Surtout dans les moments critiques, quand l'histoire prend un tournant, des hommes de valeur peuvent faire pencher la balance dans un sens ou dans l'autre. On parle beaucoup de l'action du général de Gaulle pendant la Deuxième Guerre mondiale. On dit moins qu'il a rendu à son pays un régime politique efficace avant de l'arracher à un conflit algérien dans lequel il s'enlisait. On ne semble pas avoir compris qu'en rendant la voix au peuple après les événements de mai 1968, le général nous a sauvés d'une révolution mondiale qui aurait changé l'histoire et fait couler beaucoup de sang une fois la plaisanterie terminée. La contagion était telle que des foyers se seraient allumés dans les autres capitales. Or la population française ne voulait pas d'une société anarchique et il l'a compris.

Chapitre VII

Mitteleuropa : les règlements de compte

Jean-Paul Picaper : En 1984, vous répondiez à un questionnaire du journal Die Zeit *que le plus grand malheur pour vous était la colonisation de la « Mitteleuropa » par les Soviétiques. Pouvez-vous récapituler quelques étapes de votre contribution à la libération de ces régions qui vous sont chères ?*

Otto de Habsbourg : Quand je suis arrivé au Parlement européen, une écrasante majorité avait dit « oui » à la frontière de Yalta. Nous étions quatre à dire « non », tous de nationalité et de partis différents : mon ami Adam Ferguson, député conservateur britannique, un libéral danois, Niels Hagerup, un garçon très doué, mort trop jeune, le gaulliste français Gérard Israel, et moi-même. Au terme d'une bataille qui dura deux ans contre la résistance acharnée de socialistes, nous réussîmes enfin à faire accepter par le Parlement que les pays situés au-delà de la ligne de Yalta soient au moins aussi européens que nous, en Occident.

Depuis 1981, je m'occupe au Parlement des problèmes des pays baltes. Ayant vécu la suppression de la souveraineté et de la liberté de mon peuple, je sais qu'il faut tout faire pour assurer à des populations dans le même cas leur indépendance et leur autodétermination. J'ai lutté pour cela dans le cadre de l'Union paneuropéenne qui a toujours eu pour devise que la « Paneurope », c'était toute l'Europe. Aussi avions-nous formé dès le début des sections représentant les différents pays d'Europe centrale et orientale.

Le tournant décisif, pour nous, fut le 19 août 1989, quand nous réussîmes à ouvrir la frontière séparant la Hongrie de l'Autriche, près de la ville de Sopron, ce qui permit à des Allemands de la République dite « démocratique » de fuir la Hongrie vers la liberté qu'ils retrouvèrent en République Fédérale. Ce jour-là, plus de 600 personnes franchirent la frontière.

Cette idée, qui avait germé lors d'une de nos réunions, à Debrecen, à l'époque où les communistes, du moins sur le papier, gouvernaient le pays, prit rapidement de l'ampleur. Nous avions décidé d'organiser un pique-nique international non loin du rideau de fer en territoire hongrois sous une double présidence : côté hongrois, le ministre d'État Pozsgai ; côté de la Paneurope, moi-même. Ne voulant pas que notre présence attire d'emblée les foudres des communistes, nous déléguâmes, lui, le secrétaire d'État Vass, moi, ma fille Walburga. Ce sont eux qui ouvrirent la frontière et eurent la joie de vivre cette heure de la liberté qui fit dire à l'infâme Honecker que ce fut là le coup mortel porté à son régime.

— *On dit que vous avez refusé le trône d'Espagne pour pouvoir continuer votre combat pour les peuples de l'Est, à une époque, pourtant, dans les années soixante-dix, où il n'y avait aucun espoir de liberté pour eux.*

— J'ai refusé ce trône avant tout parce que je suis légitimiste. En Espagne, ma loyauté envers la dynastie espagnole m'interdisait d'accepter une entreprise qui n'était rien d'autre qu'une usurpation.

— *En tant que Habsbourg, n'avez-vous pas une sensibilité particulière du côté de ces peuples de la « Mitteleuropa » et des Balkans que nous, Européens de l'Ouest, avions perdue ?*

— Oui, je le crois. Mais certains Européens de l'Ouest se sont beaucoup engagés en faveur de ces peuples. Permettez-moi d'en citer trois, parmi bien d'autres, qui appartiennent comme moi au Parlement européen. D'abord le Français Alain Lamassoure, aujourd'hui ministre des Affaires européennes. Puis, Mme Doris Gisela Pack, député allemand de la Sarre. Enfin, le Hollandais Arie M. Oostlander.

MITTELEUROPA : LES RÈGLEMENTS DE COMPTE

— *Avez-vous ressenti comme un malheur la partition de la Tché-coslovaquie ?*

— Du point de vue économique, elle avantagera la Bohême-Moravie et défavorisera la Slovaquie. Mais les Slovaques avaient un compte à régler avec l'histoire. Soumis d'abord aux Hongrois, puis aux Tchèques, ils n'eurent jamais la chance de posséder leur propre État, sauf dans les quelques années durant lesquelles ils furent gouvernés par Monseigneur Josef Tiso, pendu à la demande du Tchèque Edouard Beneš. Je comprends qu'ils aient voulu à tout prix l'édifier.

La devise des armoiries tchécoslovaques, choisie jadis par le président Masaryk, était : « La vérité vaincra ». Cette idée s'est confirmée en juillet 1992, lors de la décision de séparer en deux cette république. Beaucoup de promesses avaient été faites mais peu avaient été tenues. En particulier la protection des minorités dont Masaryk et son ministre des Affaires étrangères Beneš disaient qu'elles seraient traitées aussi bien qu'en Suisse.

On s'était inspiré de « l'accord de Pittsburgh », ramené des États-Unis avant la guerre par des émigrants slovaques. En 1945, les Américains reprirent l'idée pour recréer la Tchécoslo-vaquie. Comme tous les États artificiels nés après les deux guerres mondiales sous prétexte d'autodétermination, il s'est effondré dès que la liberté lui a été rendue. Il est dangereux de prendre comme base des édifices politiques construits dans l'émigration. Car les émigrants peuvent se faire les avocats de leurs peuples, mais ils ne peuvent ni ne doivent décider à leur place. Ce sont d'ailleurs les Tchèques qui ont le plus souffert de cette falsification des réalités. A Prague, on a fini par le comprendre.

Bref, on a recréé deux États qui ont l'intention de coopérer. C'est une bonne chose que Tchèques et Slovaques se soient séparés à l'amiable. Une confédération respectant les droits des nationalités et minorités serait le retour aux principes de départ. Mais dans l'une des deux moitiés comme dans l'autre, il y a des minorités. Par exemple des Allemands des Sudètes en Bohême-Moravie. Le président Havel a admis que leur expulsion avait été un crime. Prise de position très louable, mais qui devrait être suivie d'actes. Les Tchèques devraient se faire des amis des Allemands des Sudètes réfugiés en Allemagne. Certains pourraient les aider économiquement.

En Slovaquie, il y a notamment des Hongrois. Or les premières décisions du président Meciar dans le domaine linguistique n'annonçaient pas un traitement loyal des minorités. Mais il faut espérer que cela s'arrangera.

— La Hongrie défend énergiquement ses compatriotes résidant hors de ses frontières. Vis-à-vis de la Roumanie, pour ceux de Transylvanie, vis-à-vis de la Serbie pour ceux qui vivent en Voïvodine. Le président ukrainien, Léonid Kravtchuk, et le Premier ministre hongrois, Jozsef Antall, ont signé le 30 avril 1993 à Uchgorod, en Ukraine orientale, un accord garantissant les droits des 163 000 Hongrois vivant en Ukraine et ceux des Ukrainiens vivant en Hongrie.

Mais vous avez fait allusion à la pendaison de Mgr Josef Tiso. Que vient faire cet épisode historique dans la sécession de la Bohême-Moravie et de la Slovaquie ?

— On a beaucoup parlé de la Slovaquie, lors de la séparation de la Tchécoslovaquie en deux États, mais on n'a guère évoqué le prélat Josef Tiso. Avant la Deuxième Guerre mondiale, il y avait trois dirigeants slovaques, deux prêtres catholiques, Hlinka et Tiso, et le leader protestant, Razus. Tous trois luttaient contre les Tchèques pour l'indépendance du pays. Ils avaient la majorité des Slovaques dans leur camp.

Hlinka étant mort, son assistant Tiso devint chef, en 1938, du Parti populaire slovaque, puis Premier ministre, à partir d'octobre 1938, quand la Slovaquie se sépara de la Bohême-Moravie par suite du traité de Munich. Il gouverna jusqu'en 1945 la Slovaquie autonome en faisant son possible pour tenir ses compatriotes hors de la guerre. Étant entouré d'Allemands, il devait faire des concessions aux puissances de l'Axe, raison pour laquelle, de notre côté, dans le camp des Alliés, nous l'avons beaucoup critiqué.

Grâce à sa politique, en tout cas, les Slovaques furent de tous les peuples de cette région, ceux qui souffrirent le moins de la guerre. Leurs malheurs commencèrent seulement à l'arrivée des troupes soviétiques. Mgr Tiso parvint à s'enfuir et se réfugia dans un cloître à Altötting en Bavière. Les Américains qui, à l'époque, s'empressaient de livrer tout le monde aux bourreaux, retrouvèrent sa trace, et le remirent à la Tchécoslovaquie où, subissant le même sort que le Norvégien Quisling et le Français Laval, il fut exécuté le 18 avril 1947.

Tout le monde conseillait à Beneš pourtant de ne pas le faire pendre, car Tiso était très populaire auprès de ses compatriotes slovaques. Cette condamnation à mort fut une faute politique grave de la part du Tchèque Beneš, né en Bohême, parce que, comme je l'ai dit aux dirigeants tchécoslovaques lors du débat sur la partition de la Tchécoslovaquie, un mort ne peut pas pardonner.

— Par bonheur, l'histoire est une grande amnésique. Sinon l'Ukraine pourrait-elle pardonner aux Américains d'avoir livré aux Soviétiques, en 1945, l'armée de Vlassov et son chef ? Et que de disparus dans les caves de la Loubianka, dans la prison de Lefortovo et l'archipel du Goulag ! Pour ne citer que deux noms, l'ambassadeur autrichien Ferdinand Marek, requis à son domicile à Prague, en mai 1945, par des Soviétiques et jamais revu par sa famille, ou encore le diplomate suédois Raoul Wallenberg, kidnappé à Budapest en janvier 1947 par les Soviétiques et officiellement mort... Deux hommes qu'on ne pouvait pourtant pas accuser, à la différence de Tiso ou de Vlassov, d'avoir collaboré avec les Allemands, bien au contraire.

Que pensez-vous, à l'inverse, des nombreux hommes politiques allemands et autrichiens qui avaient appartenu au parti nazi NSDAP, sans toutefois commettre de crimes, et qui se sont réhabilités ensuite par leur attitude après la guerre ? Dans son dernier livre, Mein Deutschland, *Alfred Grosser cite les cas [1] du journaliste Werner Höfer et du chancelier Kurt Georg Kiesinger, des hommes qui ont ensuite puissamment contribué à ouvrir l'Allemagne à la démocratie et à l'amitié internationale. Il aurait pu aussi mentionner dans ce contexte le président Karl Carstens.*

1. Éd. Hoffmann und Cape, Hambourg, p. 182-183.

— Tout à fait d'accord. Ce sont des gens auxquels on ne pouvait plus tenir grief de leur passé.

— *En revanche, Grosser est impitoyable envers le ministre-président souabe Hans Filbinger.*
— Filbinger, qui était juge à la cour militaire, fut la cible d'une féroce campagne dans les années 80. Mais il ne s'est pas suffisamment défendu. Aujourd'hui, des documents prouvent que les accusations portées contre lui furent très exagérées.

— *Que pensez-vous des néo-nationalistes ? Ils sont la bête noire de Hans-Dietrich Genscher. L'ancien ministre des Affaires étrangères d'Allemagne considère cette hydre qui redresse partout ses têtes en Europe comme le pire des dangers pour la paix. Venant d'un libéral allemand comme lui, en réaction contre le passé de son pays, son attitude est compréhensible. Mais un minimum de fierté nationale et de culte des morts est indispensable à la vie d'une communauté, à condition bien sûr qu'on trouve des exutoires pacifiques. C'est aussi sur le sang de martyrs que renaît le nationalisme qui se manifeste à peu près partout en Europe de l'Est et dans les Balkans. On ne peut condamner ce besoin de rattrapage, comme si c'était un crime de reprendre conscience de sa propre existence.*
— En dehors de l'Allemagne de l'Ouest, ce sursaut national est aussi une réaction contre la période totalitaire d'hier. Les peuples veulent non seulement s'exprimer mais aussi venger leurs morts et leurs années d'emprisonnement. La leçon à retenir, celle que tout homme politique au pouvoir en période agitée devrait méditer, est qu'il ne faut jamais tuer l'adversaire. Pour ce qui est de l'Allemagne, je suis d'avis qu'on exagère beaucoup. Il y a, évidemment, des incidents nationalistes comme c'est souvent le cas dans les périodes critiques, telles celles qu'on a connues, au dernier siècle, en 1848 ou, durant le nôtre, après les deux guerres mondiales. Ce sont des choses qui arrivent un peu partout en Europe et dans le monde. Seulement, quand cela se passe en Allemagne, on en parle. Quand c'est ailleurs, on ferme les yeux. Naturellement, les excès

nationalistes ou xénophobes des deux dernières années en Allemagne sont regrettables. Mais n'avons-nous pas dans toutes les nations des franges d'extrémistes avec lesquels il faut bien vivre ?

— *Les dictatures ferment les portes de l'avenir dans l'espoir qu'après elles plus rien ne pourra exister. Néanmoins, n'est-il pas étonnant qu'après tant de sang versé par les régimes totalitaires est-européens, il y ait eu, dans les pays de l'ancienne Double monarchie et dans les États baltes qui ont tant souffert, si peu de vengeances et de haines, excepté en Yougoslavie ?*

— Oui, mais l'inconscient des peuples influe sur leurs actes. Les conséquences politiques sont à long terme. Même s'il n'y a pas eu de massacres, un seul cadavre peut obstruer l'avenir.

— *L'histoire, avec le recul qu'elle nous donne, enseigne en outre que les victimes peuvent devenir des bourreaux et les adversaires d'aujourd'hui les alliés de demain. D'autant que la propension au crime est contagieuse.*

— C'est ce qui va se passer dans l'ex-Yougoslavie. Les Serbes seront les victimes de leur propre agression parce qu'ils seront cernés d'ennemis qu'ils auront eux-mêmes créés.

— *La condamnation anticipée des meneurs serbes par un tribunal international vous avait-elle parue légitime ?*

— Non. Quelle hypocrisie ce fut de la part des dirigeants occidentaux que d'annoncer un tribunal de Nuremberg pour l'après-guerre ! C'est l'alibi classique auquel l'Ouest a recours pour faire croire qu'il fait quelque chose, un subterfuge pour éluder la seule tâche qui lui incombait : mettre fin au conflit.

Seulement, après que la politique des Russes eût tourné franchement en faveur des Serbes et que l'offensive de ces derniers brisât peu à peu toute résistance des musulmans, les gouvernements occidentaux et les organisations internationales étaient en mauvaise posture. Ceux de ces gouvernements qui devaient se soumettre au verdict des urnes se rendaient compte que leur population et leurs journalistes étaient de plus en plus mécontents de ce qui se passait en ex-Yougoslavie.

Comme il fallait bien offrir quelque chose de concret, après les terribles révélations de journalistes courageux et de quelques politiciens sur les massacres, les tortures et les viols perpétrés pour l'essentiel par les Serbes, on a lancé l'idée d'un tribunal des criminels de guerre. Notez que ceux-ci seront absents du banc des accusés. La menace qui pèse sur eux n'aurait pris effet qu'après la guerre, si la Serbie avait été vaincue. Alors, on aurait pu arrêter les Milosevic, Karadzic et Seselj.

Comme personne ne misait sur la capitulation de Belgrade et qu'on continuait à traiter les intéressés avec le plus grand respect, conformément aux usages diplomatiques, il était évident que ce tribunal serait resté purement platonique.

Peut-on intimider des criminels de guerre en les jugeant par contumace ? Au contraire, cela ne peut qu'accroître leur brutalité. Une fois condamnés par un tribunal international, ils savent qu'ils n'ont plus rien à perdre. D'ailleurs, on ne peut pas juger des responsables de génocides. On peut les punir pour leur premier assassinat qui mérite la prison à vie. Mais comme la détention perpétuelle n'est imposable qu'une fois à un individu, tous les autres crimes sont pour ainsi dire gratuits. D'où la tentation de continuer à massacrer une fois qu'on se sait condamné.

— *Mais après la guerre ? En cas de changement de régime en Serbie ? Quinze mois de guerre se sont soldés par 2,5 millions de réfugiés et 140 000 morts bosniaques et croates, parmi ceux-ci 16 000 enfants tués. Les Serbes eux aussi ont eu des tués, quoique beaucoup moins nombreux, et ils ont souffert matériellement du blocus.*

— Sévirait-on vraiment, si jamais ces criminels étaient destitués de leur pouvoir ? J'en doute fort. Nuremberg, ce fut la justice des vainqueurs punissant les vaincus. Mais les crimes de Staline et de Béria resteront impunis. La manière dont les Allemands ont poursuivi les dirigeants de l'ex-RDA est significative. Les Allemands de l'Ouest avaient enregistré dans des archives spéciales, à Salzgitter en Basse-Saxe, les crimes contre l'humanité perpétrés par le régime de Berlin-Est. Et entre temps, les archives de la Stasi, de l'Académie militaire de Potsdam et du Parti communiste SED ont révélé que les forfaits et exactions du régime est-allemand étaient pires que tout ce que nous avions appris et imaginé durant la guerre froide.

A-t-on sanctionné les dignitaires de ce régime et leurs compagnons de route ? Eh bien, non. Les procès contre les anciens de la Stasi et les Grepos qui ont abattu des fuyards le long du mur se terminent sur des non-lieux ou des peines dérisoires. On défère à la justice les simples soldats plutôt que les officiers et les dirigeants. On n'a pas condamné les geoliers ni les bourreaux de l'archipel du Goulag est-allemand, à Bautzen, Hoheneck et autres prisons où des dizaines de milliers de détenus ont souffert et sont morts. Et après la remise en liberté du principal responsable, Erich Honecker, en janvier 1993, comment voulez-vous juger ses subordonnés et exécutants à l'aide des dossiers de Salzgitter ?

— *Quel est votre sentiment sur l'épilogue de l'affaire Honecker ? Bien que les responsables ouest-allemands l'aient démenti, pensez-vous que Bonn ait pu promettre à Gorbatchev de le laisser filer ? Peut-être une condition parmi d'autres de la réunification allemande ? La manière dont un juge chrétien-démocrate de Berlin-Ouest a organisé son évasion légale, fut un prodige d'acrobatie judiciaire.*

— Malheureusement, j'ai bien l'impression qu'il y a eu un marchandage assez inavouable. Étant ce qu'il est, Gorbatchev a soutenu partout ses anciens camarades communistes. Bien entendu, je n'ai pas de preuves, mais mon impression va dans le même sens que la vôtre.

— *Il semblait en tout cas que nombre de représentants de la classe politique et des milieux d'affaires ouest-allemands ne tenaient pas à être confrontés à certains épisodes de leur passé par des révélations de Honecker. Markus Wolf est bien silencieux lui aussi devant ses juges à propos des Occidentaux qu'il aurait pu contac-*

ter et influencer. Pourtant, la Stasi assurait toujours aux gens qu'elle menaçait, qu'elle avait « le bras long ».

— Tout à fait d'accord. Mais cela ne concerne pas seulement les hommes d'affaires et les hommes politiques. Dans toutes les couches de la société allemande, il y a des gens qui n'aimeraient pas qu'on remue ces choses-là.

— Il y a tant de secrets partis dans la tombe ! Ainsi quel fut le rôle de Herbert Wehner à Moscou sous Staline ? Livra-t-il des membres du parti allemand au bourreau pour sauver sa vie ? Comme Ulbricht, lui aussi ? Des archives ouvertes récemment en Russie donnent des indications qui ne lui sont pas favorables. Et Honecker, dans sa prison, avait-il collaboré avec les nazis ? Les Soviétiques ne mettaient en place que des gens sur lesquels ils avaient un dossier. L'historienne autrichienne Elisabeth Heresch est persuadée — elle n'est pas la seule — que le chef du gouvernement communiste hongrois Imre Nagy, exécuté en 1956 par les Soviétiques, avait fait partie des onze hommes du régiment Kachmilov qui assassinèrent le tsar Nicolas II et sa famille dans la cave de la maison Ipatiev à Ekaterinenbourg, le 17 juillet 1918. Son nom apparaît dans la liste des meurtriers.

L'extrême-droite, qui s'affirmait jadis anticommuniste, a plaidé auprès de la CDU et de la CSU en faveur du grand pardon. De ce côté-là, les détenteurs du pouvoir politique n'avait donc pas de surenchère à craindre. Restaient les anciens dissidents de gauche est-allemands, soutenus par les Verts et le parti socialiste SPD. Eux réclamaient justice. Mais quand on a découvert que l'un des ministres-présidents socialistes, Manfred Stolpe, s'était montré très coopératif envers la Stasi, le SPD a pris goût à la mansuétude, lui aussi. Il avait pu se défaire du fondateur du SPD est-allemand en 1989, Ibrahim Böhme, accusé par les archives de la Stasi. Mais Stolpe était intouchable, trop de gens, dans l'église protestante, auraient été entraînés par sa chute.

— Quant à Stolpe, je pensais au début qu'il aurait mieux valu laisser tomber les accusations. La vengeance n'est jamais payante. Entre temps, j'ai changé d'avis en lisant les documents relatifs à l'affaire du pasteur Brüsewitz. On les trouve dans le livre remarquable, intitulé *Das Fanal*, qui vient de sortir sur l'affaire de ce pasteur qui s'était brûlé en autodafé, en 1977, pour protester contre l'oppression des chrétiens par le régime. Or, on s'est aperçu que la police politique du régime est-allemand avait des complicités nombreuses dans l'église protestante où Stolpe jouait un rôle décisif. Aussi sait-on maintenant que cela allait beaucoup plus loin que tout ce qu'on pouvait imaginer du dehors.

A propos de l'appartenance de Stolpe au parti socialiste SPD, on peut dire que chez nous, en Occident, le système « deux poids, deux mesures », est pratiqué en permanence. Quand le criminel appartient à un parti politique de gauche, il est couvert par une sorte de grâce sanctifiante. Quand il est membre d'un parti de droite, son crime est impardonnable [1].

— *On a été plus sévère envers les anciens criminels nazis qu'envers les ex-malfaiteurs communistes. Cela aussi donne à réfléchir sur la nature de notre démocratie. Et je me suis même demandé si les tribunaux allemands auraient continué à poursuivre jusqu'à nos jours les anciens criminels nazis si les juifs n'avaient pas été là pour insister.*

Naturellement, je ne veux pas jeter la pierre aux Allemands. La punition infligée aux « collaborateurs » après la guerre en France a été dure et souvent expéditive. Elle a frappé aussi des innocents. Et, dans un premier temps, la répression de l'OAS, dans les années 60, l'a été aussi. Ensuite, le président Pompidou, qui était un homme d'une grande sagesse, a exercé son droit de grâce.

Beaucoup d'Allemands et de juifs avaient été choqués de voir l'homme de la Gestapo, Klaus Barbie, condamné à la prison à vie par un tribunal de Lyon tandis que le collaborateur français Paul Touvier était gracié par un tribunal de Paris. D'où la réouverture de son dossier. Pour ne pas parler ici du non-lieu accordé, le 1er avril 1993, à Georges Boudarel, l'ex « kapo » passé au Vietminh en 1952 et devenu commissaire politique dans un camp où 80 % des internés, des militaires français, sont morts.

— Bien entendu, les crimes contre les Juifs ont effacé tout ce

---

1. Voir, sur les dénis de justice dans la CE, *infra*, p. 275-276.

que l'on peut imaginer en horreur. Mais il y a eu d'autres crimes que ceux-là et il faudrait finir par s'entendre sur un minimum de critères neutres si l'on veut juger les responsables de crimes contre l'humanité.

— *Ce qui est inquiétant, c'est que le tribunal ait relaxé Boudarel au bénéfice de l'affirmation selon laquelle il n'y avait jamais eu de crimes contre l'humanité que par le fait du nazisme. Alors, oubliés tous les Goulags, tous les Castro, Khomeiny, Saddam ou Assad. A moins que l'ONU n'accuse à nouveau les Serbes de crimes contre l'humanité.*

— Je le redis, ceux qui parlent de tribunaux pour les criminels de guerre en Serbie sont des hypocrites. C'est de la propagande pour masquer leur propre passivité. Mieux aurait valu, dès le début de cette guerre, opter pour : 1. une zone d'exclusion aérienne totale dans le ciel de ce pays ; 2. la restitution du droit d'acheter des armes aux Croates et aux Bosniaques ; 3. des sanctions réellement appliquées contre la Serbie. Mais les Russes ont tout fait pour qu'elles ne soient pas mises en œuvre et l'Ouest a laissé faire. Mao Tsé-Tung disait que l'Occident était un « tigre de papier ». Ce vieux Chinois avait raison.

— *Alors pas de règlement de comptes, même après une victoire ?*
— Peut-être pendra-t-on quelqu'un. Mais la vengeance après la victoire est bête.

— *D'ailleurs, ce sont les lampistes qui paient. A Nuremberg, il y avait bien quelques gros bonnets nazis sur le banc des accusés, mais pas tous et pas les tortionnaires. Et au banc des accusateurs était assis un représentant de l'Union soviétique, c'est-à-dire l'émissaire d'un État criminel.*
— Très juste. L'histoire est une arme à double tranchant. Elle peut être autant destructrice que constructive. Parlons d'abord de ses bienfaits. Entre la France et l'Allemagne, l'histoire a joué un rôle très positif depuis la Deuxième Guerre mondiale. Elle a été un facteur de réconciliation. On a fini par réaliser

qu'il n'existait pas que des bons et des méchants, mais qu'il y avait des deux côtés des zones grises. On s'est aperçu qu'il était très difficile de faire endosser à quelqu'un « tous les crimes d'Israël ».

Mais on voit, à propos de la Serbie, qui a une image tronquée de son passé, le côté destructeur de l'histoire. C'est particulièrement clair dans la façon dont Belgrade traite le Kosovo. Une bataille s'est déroulée jadis dans cette province qui fut, il y a des siècles, le siège des princes serbes. C'est à cela que se réfèrent les Serbes pour en chasser aujourd'hui les Albanais ou pour les massacrer.

En revanche, j'estime très prometteuse l'initiative germano-polonaise de réconciliation par la réécriture de livres d'histoire en conformité avec la vérité. Car il faut parvenir à une vision commune de l'histoire, et admettre que l'on a, les uns et les autres, commis des erreurs.

— *C'est donc ce qui s'est passé entre la France et l'Allemagne.*

— Oui, c'est la référence.

— *Entre Allemands et Polonais, le temps n'est pas toujours au beau fixe. Les Allemands de Silésie cherchent actuellement à ériger des monuments commémoratifs en l'honneur de leurs héros et martyrs. Les Polonais ne voient pas cela d'un très bon œil. Lech Walesa lui-même en a pris ombrage. Alors, des députés allemands ont proposé de couper l'aide à la Pologne.*

— Les Polonais sont trop nationalistes sur ces questions, mais on les comprend. Entre deux grands voisins, leur situation reste très inconfortable. S'ils ont acquis des territoires à l'Ouest que le gouvernement allemand a reconnus comme intangibles en septembre 1990, ils en ont aussi perdu à l'Est et acceptent de ne pas remettre cette frontière en question.

— *Depuis deux ans, un axe Paris-Bonn/Berlin-Varsovie se dessine. Hans-Dietrich Genscher avait rencontré ses collègues Skubiszewski et Dumas à Weimar, en 1991, puis à nouveau à Bergerac, en 1992, et, à cette heure, fin 1993, une nouvelle rencontre de son successeur Kinkel avec Juppé et le successeur de Skubiszewski est prévue à Varsovie. De nouvelles structures apparaissent là, à côté de la ligne allant de Vienne à Budapest, Prague et Bratislava, qui seront des pôles de stabilité.*

— La réconciliation franco-allemande a ouvert la voie. Nous devons cet exemple de pardon historique au général de Gaulle et au chancelier Adenauer. Quand il était encore en Grande-Bretagne, de Gaulle avait déjà parlé de la révision du traité de Versailles. Un de ses collaborateurs m'a dit qu'il avait conclu, un jour, un conseil des ministres en disant : « Charlemagne a encore de l'avenir. »

— Le parti d'extrême-droite, « Les Républicains », n'en a que davantage tort d'affirmer que le traité de Maastricht est « un Versailles sans la guerre », alors que Maastricht efface Versailles et Yalta, en les dépassant.

Lors des obsèques de votre mère, à Vienne, le 4 mars 1989, un journaliste français vous avait déclaré : « C'est l'enterrement de la vieille Europe ! » Vous lui aviez répondu : « Non, je crois que c'est plutôt son avenir. » Votre mère avait été la dernière impératrice du continent, mais également l'héritière directe du Saint Empire romain germanique fondé par Othon Ier le Grand, en 962. Peut-être verra-t-on d'ici quelques décennies une symbiose réussie de l'empire de Charlemagne et de celui d'Othon ? Ce serait un grand pas en avant dans l'histoire de l'Europe, mille ans après. N'avez-vous pas été, sur les traces de Coudenhove-Kalergi, l'un des précurseurs d'une Europe confédérale ? Vous êtes, à mes yeux, un garant de cette Europe unie qui est notre unique chance de survie dans le monde du XXIe siècle.

Chapitre VIII

Guerres interethniques ou de religion ?

Jean-Paul Picaper : L'écrivain et journaliste français d'origine hongroise, François Fejtö [1], estime que les guerres qui ont secoué l'Europe au XXe siècle découlaient du déclin puis de l'effondrement de la Double monarchie austro-hongroise. Que pensez-vous de sa thèse ?

Otto de Habsbourg : François Fejtö, en homme intelligent qu'il est, a très bien jugé de la situation. Les structures austro-hongroises étaient faites pour rapprocher les nations et l'empire austro-hongrois était un élément de stabilité. En 1918 est apparu en Europe centrale un espace vide dont l'empereur Charles avait prédit qu'il serait rempli brutalement, d'abord par l'Allemagne, ensuite par la Russie. Je me souviens à quel point mon père souffrit, dans les derniers mois de sa vie passés à Madère, d'être condamné à l'inaction et de ne pouvoir détourner de la région danubienne la catastrophe qui la menaçait. Son appréhension s'est révélée prophétique et les peuples en ont souffert jusqu'au début des années 90.

Car une triste expérience nous apprend que souvent les hommes ne retiennent rien de l'histoire. Et après la Deuxième Guerre mondiale, l'Armée rouge, avec l'assentiment des Occidentaux, a fait à nouveau violence aux données de l'histoire et de la géographie. Aujourd'hui encore, une fois libérée, assez désemparée et ruinée, l'Europe centrale cherche un cadre dans lequel elle retrouverait sa tranquillité. Seules la Communauté

---

1. François FEJTÖ, *Requiem pour une Europe défunte. Histoire de la destruction de l'Autriche-Hongrie*, Éd. Lieu commun, Paris, 1988.

politique et économique et une Défense européennes ou encore euroaméricaines peuvent le lui fournir.

— *Connaissez-vous le livre d'Henry Bogdan,* Histoire de l'Europe de l'Est, *paru chez Perrin en 1990 ? Cet auteur s'est penché spécialement sur le cas hongrois et a écrit en 1979 une étude sur « La question royale en Hongrie au lendemain de la Première Guerre mondiale ». Et le livre de Jean Bérenger,* Histoire de l'Empire des Habsbourg, *paru chez Fayard en 1990 ? Ces historiens et d'autres partagent le point de vue de Fejtö.*

— C'est normal parce que la thèse que vous venez d'évoquer et qui est au cœur de l'œuvre de Fejtö, est l'évidence même, reconnue par tous les historiens sérieux. Je connais, bien sûr, ces livres, mais, franchement, je vous avoue que, faute de temps, je n'ai pas pu lire beaucoup des ouvrages que nous avons inspirés. Depuis que je suis au parlement européen, membre de trois commissions, ce qui est déjà trop, et, en outre, président d'une délégation, je n'ai guère le temps de lire. Je lis des journaux, des revues politiques et, de temps à autre, quand je suis libre, ce qui est extrêmement rare, je parcours quelques livres importants. Mais comme les ouvrages qui me sont consacrés ou qui tournent autour des thèmes qui ont dominé mon existence, ne m'apprennent rien, je préfère vouer mon temps à des études sur des sujets que je connais mal.

Néanmoins, voici ce que j'ai retenu d'une histoire dont on devrait se souvenir pour ne pas réitérer les erreurs fatales de notre siècle. Après la Première Guerre mondiale, certains historiens on dit que, de toute manière, sous la pression des nationalités, l'empire des Habsbourg se serait effondré de l'intérieur, même sans intervention extérieure. L'historien Seton Watson, l'un des pères spirituels de la République tchèque, a dit que la domination des deux grandes nations, l'autrichienne et la hongroise, brimait les petites nationalités de l'empire. De telles thèses sont de plus en plus réfutées. Le nombre des déserteurs tchèques resta insignifiant durant la Première Guerre mondiale jusqu'à ce que la dégradation de la situation militaire vînt en aide à la propagande alliée qui

promettait aux Tchèques le statut de vainqueur dans l'hypo-
thèse de leur sécession de Vienne.

— *L'armée française aussi a connu en 1917 une révolte pacifiste
dans certaines unités qui a été réprimée très durement. Et, la
même année, l'armée russe aussi, ce qui a profité aux bolcheviks.*

— Les dirigeants politiques tchèques, Masaryk et Beneš eux-
mêmes, ne croyaient pas, jusqu'en 1918, à la fin de la monarchie danubienne. Le *Times* rapporta à l'époque que c'était la
Croatie « qui donnait à l'Autriche ces troupes qui avaient tenu
le plus longtemps dans les batailles de l'Isonzo et du Karst ».
Les musulmans de Bosnie, qui viennent d'être massacrés par
les Serbes, s'étaient intégrés eux aussi avec une harmonie éton-
nante dans les cadres généraux de la monarchie et de son
armée, malgré leur religion, malgré leur rattachement récent à
l'empire. Et je pourrais multiplier les exemples.

Car l'empire supranational assurait à ces petits peuples sa
protection et une vision claire et stable de leur avenir dictée par
des principes soustraits aux vicissitudes locales. Cet ancrage
pénétrait jusque dans les couches profondes de la population,
paysans mais aussi ouvriers, sans quoi il n'aurait pas tenu,
comme l'ont démontré des intellectuels est-européens par leurs
travaux. De plus l'empire, je le répète, interdisait la persécution
des groupes jadis opprimés et qui le furent à nouveau par la
suite.

Après 1945, lorsque la majeure partie du bassin danubien
situé à l'intérieur de l'arc carpathique tomba sous la coupe de
la tyrannie communiste, il fut définitivement acquis que
l'absence d'entente supranationale avait été fatale aux peuples
danubiens.

— *Le démembrement de l'empire des Habsbourg a coïncidé avec
le début des crises dont a pâti le xxᵉ siècle. Pour éviter que cela se
renouvelle, il faudrait se remémorer les solutions qu'il avait trou-
vées, puisque les produits de remplacement qu'on lui avait substi-
tués se sont volatilisés : Yougoslavie, Tchécoslovaquie, domination
nazie, domination soviétique, après avoir abondamment prouvé
leur non-valeur. Il faut aussi pallier l'imitation des erreurs.*

Je pars de l'idée que la Double monarchie accordait un modus vivendi aux peuples, en arbitrant leurs différences, autorisées à s'exprimer. Puis, les nazis, pendant quelques années, l'empire soviétique, pendant quelques décennies, ont étouffé les conflits et les peuples. Maintenant, nous assistons à une résurgence anarchique des nationalismes. L'Europe de l'Est et l'Europe centrale, les Balkans notamment, se déchirent. Que l'empire qui s'effondre soit libéral, comme en 1918, ou totalitaire, comme en 1991, une fois levé ce couvercle, la marmite balkanique entre à nouveau en ébullition, en attendant le chaudron caucasien et le bassin danubien peut-être. Quelqu'un a dit que le XXIᵉ siècle connaîtrait le réveil des nations oubliées.

— Partant de l'idée qui est mienne, à savoir que la coexistence des cultures reste possible, il faut effectivement pour parer ce grave danger, retrouver un modus vivendi qui ne peut, de nos jours, se réaliser que dans le cadre européen.

— *Seulement, les différences culturelles héritées de l'histoire sont sources de tensions permanentes. Les rivalités entre Croates et Serbes ne sont-elles pas la preuve qu'il ne faut pas chercher à mêler des cultures différentes ? En voulant brasser ces nationalités dans une grande Yougoslavie, Tito avait créé un mélange explosif. La dynastie des Obrenovitch, déjà, bien avant lui, avait voulu tout intégrer dans une Grande Serbie, tentative qu'elle a payée de sa propre extermination.*

— Je n'ai pas dit « mélange », mais « coexistence ».
Pour ce qui est de la dynastie des Obrenovitch, je m'abstiendrai de les critiquer car ils n'étaient pas panslavistes. Ils ont même essayé d'occidentaliser la Serbie. L'idée de la Grande Serbie est apparue avec la dynastie des Karageorgevitch, après l'extermination des Obrenovitch.

— *Sous les Obrenovitch, la Serbie s'était rapprochée de l'Autriche-Hongrie, notamment sur le plan économique. Après eux, les Karageorgevitch se tournèrent vers les Russes et subsidiairement vers la France. Vienne avait commis quelques erreurs en ne saisissant pas la perche que lui tendaient les Obrenovitch.*

— J'admets que l'Autriche-Hongrie a commis des fautes politiques dans ses relations avec la Serbie de l'époque. L'intégration de la Bosnie-Herzégovine en 1878 par l'Autriche-Hongrie fut interprétée par les Serbes et leurs amis russes comme un défi. Certes, elle était contraire aux traditions de l'empire qui ne pratiquait pas la conquête militaire, mais l'adhésion volontaire ou l'alliance par mariage. Mais cette occupation avait été décidée par les grandes puissances. Par ailleurs, Vienne avait acheté aux Turcs les terres de leurs grands domaines pour l'équivalent de 60 millions de marks-or. Néanmoins, sous le protectorat austro-hongrois, les Serbes répandaient dans cette région une agitation endémique.

— *Les Obrenovitch aussi portent une part de responsabilité dans la montée des problèmes. Le roi de Serbie, Milan Obrenovitch, et son fils Alexandre, en faveur duquel il abdiqua en 1889, avaient ruiné leur État et ne survivaient que grâce à l'aide des banques autrichiennes. Puis, Alexandre épousa en 1900 une veuve de mauvaise réputation, beaucoup plus âgée que lui, Draga. On lança la fausse nouvelle qu'elle allait mettre au monde un héritier qui, finalement, ne vint pas. La progression des Karageorgevitch vers le pouvoir, qui avait commencé en 1804 et avait à nouveau échoué en 1869, malgré le meurtre du roi Michel Obrenovitch en 1868, finit donc par réussir grâce à la conjuration militaire de 1903 au cours de laquelle le roi, la reine et tous les membres de la famille royale ainsi qu'un certain nombre de ministres et de dignitaires furent assassinés.*

— Peut-être ne les a-t-on pas assez soutenus, mais cela aurait été bien difficile. L'Autriche-Hongrie ne pouvait s'immiscer dans ces luttes intestines. Les Karageorgevitch sont ainsi arrivés sur le trône après avoir assassiné leur prédécesseur, Obrenovitch, et sa famille. Un massacre épouvantable. N'oublions pas que, jusqu'en 1914, la Grande-Bretagne n'avait pas reconnu la Serbie et que c'est uniquement la guerre qui avait poussé Londres à franchir ce pas. La légitimité des Karageorgevitch est très douteuse. Ils ne seraient reconnus aujourd'hui que par la Serbie. Entendre un Karageorgevitch parler aussi au nom des Croates et des Slovènes tient de la fiction. Il n'y aura pas un Croate ni un Slovène pour demander son retour.

C'est à partir du moment où les Karageorgevitch montèrent sur le trône de Serbie que tout commença à dériver vers la Grande Guerre. Selon certains historiens, l'instigateur des assassinats de 1903, devenu chef de la police secrète de Belgrade, aurait été également à l'origine de l'assassinat de l'archiduc François-Ferdinand en 1914. La preuve n'en a pas été établie sur documents, mais Belgrade a refusé l'enquête que Vienne réclamait à ce sujet.

— *Pierre Karageorgevitch, qui prit alors le pouvoir après l'élimination sanglante des Obrenovitch, était saint-cyrien, il avait combattu dans l'armée française sous les ordres de Bourbaki. Le soutien que lui accorda la France ne fut-il pas un des facteurs qui menèrent à la Première Guerre mondiale ?*

— Je ne suis pas d'accord à propos de la responsabilité de la France. Elle ne fut pas décisive dans le déclenchement de la guerre. Je crois plutôt que la politique des Russes a mené à la Première Guerre mondiale. Elle a permis à la Serbie de devenir un facteur de danger.

— *L'hostilité de Pierre Ier à l'Autriche n'était pas platonique. Bien que son État fût ruiné, il achetait des canons...*

— Les encouragements que les Russes dispensaient à la Serbie ont envenimé la situation.

Voyez comme les mauvaises habitudes se perpétuent ! La Serbie d'aujourd'hui, que l'ONU et les Occidentaux ont cru pouvoir détourner de la guerre par un blocus, possédait des stocks d'armes importants et, de plus, elle en fabriquait en série. Dès le début de cette nouvelle guerre, les Occidentaux ont sous-estimé l'armement serbe.

Radovan Karadczic, en Bosnie, a proposé de substituer un plan de paix de Gorbatchev au plan Vance-Owen. Il est certain qu'un plan défini par un Russe, comme Gorbatchev, signifierait la victoire de la Grande Serbie sur toutes les autres nations de la région.

— *Revenons aux années précédant la Première Guerre mondiale. On s'est posé beaucoup de questions sur son déclenchement, alors que celui de la Deuxième Guerre fut incontestablement l'œuvre de Hitler.*

En 1914, François-Joseph qui n'était pas belliqueux, semble-t-il, a sous-estimé les conséquences de sa déclaration de guerre à la Serbie après l'assassinat de l'archiduc François-Ferdinand et de l'archiduchesse Sophie à Sarajevo, le 28 juin 1914. Le jeu des alliances provoqua une réaction en chaîne à laquelle contribua l'association qu'il avait passée avec la Prusse, après Königgrätz ou Sadowa. Et à la fin de 1914, quand on eut mobilisé les réservistes, ce fut la guerre totale, une guerre idéologique embrasant tout le continent. François-Joseph voulait une « petite » guerre, l'état-major allemand en fit une « grande ». Êtes-vous d'accord avec cette interprétation ?

— Sur le mécanisme, oui, mais je nuancerai l'idée que l'on se fait généralement de la politique de Vienne à l'époque. Cette région avait connu, les années précédentes, de nombreux conflits limités, dont certains durèrent une ou deux semaines. Vous savez qu'on dit que les militaires préparent toujours la dernière guerre. Comment pouvait-on prévoir que celle-ci serait différente ? On avait sous-estimé et le progrès des armements et la réaction en chaîne par le jeu des alliances.

Au tournant du siècle, le gouvernement de Vienne s'était trouvé dans une situation fort difficile. D'autant que la France avait été vaincue par la Prusse quelques années plus tôt, lors de la guerre de 1870. Il n'y avait donc pas d'alternative possible face à la politique russe qui était nettement offensive et panslaviste. Le grand tort qu'on a eu, après la bataille de Königgrätz, a consisté à fonder la Double monarchie sur deux États seulement, l'Autriche et la Hongrie, alors qu'il aurait fallu passer un accord avec les peuples slaves, notamment avec les Croates, qui avaient une tradition d'indépendance nationale. Cela aurait renforcé l'équilibre dans les Balkans et la prise des décisions à Vienne en aurait été facilitée, au lieu de cette paralysie qui nous rendit incapables de freiner le processus.

Dans une lettre au comte Berchtold, ministre des Affaires

étrangères, l'archiduc François-Ferdinand avait écrit peu avant sa mort : « Je voudrais souligner, une fois encore, après mûres réflexions, que je me trouve renforcé dans mon goût pour la paix. Sans nous laisser offenser, nous devrions tout mettre en œuvre pour nous maintenir en paix. Si nous engageons la guerre contre la Russie, ce sera un malheur. Si nous menons une guerre particulière contre la Serbie, nous aurons vite fait de l'écraser. Mais après ? Qu'aurons-nous gagné ? Nous commencerons par nous mettre toute l'Europe à dos et nous serons considérés comme des fauteurs de troubles. Et que Dieu nous garde d'annexer la Serbie, un pays de régicides et de voyous, qui croule sous les dettes. Déjà, nous ne venons pas à bout de la Bosnie qui nous a coûté un argent fou et est un foyer de problèmes juridiques. Qu'est-ce que ce serait alors avec la Serbie ! Nous pourrions y engloutir des milliards et nous y aurions toujours un épouvantable "irrédentisme" ».

Ceci reflétait, je crois, l'opinion dominante à Vienne. Mais l'offense vint, terrible, l'assassinat de François-Ferdinand par un homme armé probablement par les services secrets serbes. Aurait-il fallu la subir sans réagir ? D'une façon ou d'une autre, je crois que la Première Guerre mondiale était, tôt ou tard, malheureusement inévitable. Un grand enthousiasme populaire régnait de tous côtés, précédant même les déclarations de guerre des gouvernements. Même des gens comme l'écrivain Stefan Zweig, qui passait pour être un grand pacifiste, ne purent se soustraire à cette psychose. Zweig se porta volontaire dans les services de presse de l'armée. D'après Rauchensteiner, les intellectuels, en quête d'un sens à donner à la vie, crurent le trouver dans cette guerre.

Rappelons-nous aussi le rôle néfaste joué par la Russie et certains hommes d'État, dont le tsar Nicolas ne faisait pas partie. Je vous renvoie à l'étude très lucide d'Alfred Fabre-Luce sur les origines de la Première Guerre mondiale.

— *Quelle a été à votre avis la responsabilité des puissances de l'Entente, dont la France, dans l'abolition de la Double monarchie austro-hongroise, après ce monstrueux conflit armé ?*

— Une immense responsabilité, de par la façon notamment dont on abusa les peuples. Le plan en plusieurs points du président Wilson qui promettait l'autodétermination des nationalités, était un modèle de contradictions. Parce qu'en réalité, sans demander leur avis aux peuples, on créa deux États artificiels, d'un côté la Tchécoslovaquie, de l'autre la Yougoslavie ou ce qu'on appelait en ce temps le royaume des Serbes, Croates et Slovènes.

La Serbie, qui avait été la cause première de la guerre par son refus de laisser un fonctionnaire austro-hongrois enquêter sur les commanditaires de l'assassinat de François-Ferdinand et de son épouse, emportait les plus gros morceaux. Elle s'accroissait d'un conglomérat de populations sous le chapeau yougoslave.

Les socialistes autrichiens demandaient l'Anschluss de l'Autriche à l'Allemagne. Heureusement, notre patrie put conserver sa souveraineté, notamment grâce aux efforts de mon père, Charles, dans son exil en Suisse. En 1917 déjà, mon père avait proposé une loi d'amnistie en faveur des socialistes, qui avait provoqué un tollé dans les milieux nationalistes et ultraconservateurs. Mais les dirigeants socialistes ne semblaient pas avoir compris ses intentions.

Et puis on a vu la suite : Hongrois de Transylvanie rattachés de force à la Roumanie, Allemands des Sudètes incorporés dans la Tchécoslovaquie, Tyroliens annexés contre leur gré à l'Italie, etc. Malheureusement, certains hommes d'État français ont assumé une lourde responsabilité dans ces créations qui revenaient à abolir le droit de plusieurs peuples à s'autodéterminer.

Faute d'autant plus grave qu'en France des esprits éclairés tels Jacques Bainville dans son livre *Les conséquences politiques de la paix*, ont montré quelles seraient les conséquences fatales de traités qui devaient mener en toute logique à la Deuxième Guerre mondiale. Il y avait dans l'administration française bon nombre d'idéologues, contrairement à certains hommes politiques qui avaient, eux, la tête sur les épaules. Je citerai, parmi ces esprits éclairés, Aristide Briand.

— *Beaucoup étaient prisonniers d'une idée reçue selon laquelle l'empire austro-hongrois était une « prison des peuples ». On lui opposait la tradition nationaliste soi-disant libératrice, née de la Révolution française. Cette idée jacobine avait suscité une agitation endémique tout au long du XIXᵉ siècle. On s'était donc imaginé que la solution miracle allait consister à émanciper ces nations prétendument asservies par les Habsbourg.*

On peut commettre une erreur une fois. Mais alors, pourquoi, après la Deuxième Guerre mondiale, l'a-t-on commise une seconde fois en maintenant l'existence de la Yougoslavie et de la Tchécoslovaquie ? N'en voit-on pas les conséquences aujourd'hui en Yougoslavie ?

— On aurait pu éviter les malheurs de notre époque en tirant la leçon des traités qui avaient achevé la Première Guerre mondiale. Malheureusement, là aussi, des sectaires, dans les différents pays, n'avaient pas une vue claire de la situation. Je ne citerai que le mot d'un haut fonctionnaire français qui, à la veille de l'agression serbe contre la Slovénie, en 1991, déclara : « Si la Slovénie et la Croatie obtiennent leur indépendance, la France aura perdu la Première Guerre mondiale. » C'est le genre de personnes qui n'ont rien appris.

— *La guerre sans merci à laquelle nous avons assisté après 1991 dans l'ex-Yougoslavie est paradoxale, à notre époque où l'on affirme que les questions territoriales ne sont plus primordiales, que la puissance technologique, et non plus la superficie du territoire national, est décisive pour le classement des États. Voyez par exemple la puissance de Taïwan, celle du Japon, le poids de Hong-Kong et de Singapour. Ce n'est même plus une question de démographie. Israël est plus puissant que chacun des États arabes vastes et peuplés qui l'entourent. Pourtant tous les conflits actuels en Europe centrale et orientale sont déclenchés par des visées territoriales. On se croirait vraiment revenu en 1914.*

Le plan Vance-Owen partait, lui aussi, d'une conception territoriale. Il tablait sur la possibilité de découper et répartir à l'amiable des territoires. Seulement, pour les parties belligérantes, serbe, bosniaque et croate, ces champs de bataille sont imprégnés du sang des martyrs.

— Le plan Vance-Owen partait d'une idée typiquement américaine. En Amérique, on peut faire des États quadrilatéraux. En Europe, c'est impossible et impensable [1].

— *A Washington, en mai 1993, le plan Christopher-Kosyrev a annulé le plan Vance-Owen en prenant acte des conquêtes territoriales des Serbes. On a eu l'idée de mettre les musulmans dans des « zones de sécurité », autrement dit des « réserves ». Là-dessus, on créait une fédération des trois ethnies en Bosnie. Ce qui revenait à éterniser le conflit et à préparer l'éclatement.*

— Pourquoi créer des cantons « ethniquement purs » ? Alors que Croates, Serbes et Musulmans s'entendaient bien en Bosnie jusqu'au début de cette guerre civile. Lors du référendum sur l'indépendance croate, la majorité des Serbes de Croatie avaient voté pour l'État croate. Plus significatif encore : de toutes les minorités vivant en Croatie aujourd'hui, ce sont les Serbes de cette république qui donnent le plus de volontaires à l'armée croate (16 % des soldats sont serbes). Parmi les officiers généraux, le pourcentage des Serbes est encore plus élevé. L'héroïque défenseur de Vukovar était un Serbe qui se battait pour la Croatie.

J'ai longuement parlé au chef des Serbes de Croatie. Lui et ses frères se considèrent comme une autre nation serbe, autre que celle de Serbie. Ces Serbes de la Krajina ont vécu pendant des siècles dans le système occidental de l'Autriche-Hongrie. Leur comportement est différent de celui des Serbes de Belgrade auxquels ils ne veulent pas être soumis bien qu'ils soient fiers, comme eux, d'être Serbes. Il m'a cité en exemple l'attitude de l'administration et de la police à l'égard de la population. Elle est bien plus libérale dans les pays de formation occidentale telle la Croatie, qu'en Serbie.

— *Mais peut-on surmonter des oppositions remontant aussi loin dans le passé ?*

— Les musulmans de Bosnie ne sont pas des fanatiques. Ils

---

1. Voir aussi *infra*, p. 277.

sont très attachés à leur religion, ce qui les honore. Mais ils ont gardé le souvenir de la vieille Autriche et ne sont pas en opposition avec l'Europe.

Lorsque la ville de Sarajevo s'est dotée pour la première fois d'une administration librement élue, le pont sur lequel l'archiduc François-Ferdinand avait été assassiné a été débaptisé pour s'appeler « Pont François-Ferdinand ». Avant, il portait le nom de son assassin, Princip. Une très importante délégation de musulmans de Bosnie était venue participer à l'enterrement de ma mère, à Vienne, avec à sa tête ses chefs religieux.

— Ce qui prouverait que des musulmans d'Europe peuvent être occidentalisés eux aussi ? Mais dans le passé déjà, les musulmans de Bosnie furent le grain entre deux pierres d'une grande meule, d'une part, la Slovénie et la Croatie, chrétiennes depuis l'époque des Francs, utilisant l'alphabet latin et gravitant dans l'orbite culturel germanique ; de l'autre, la Serbie, restée sous influence byzantine et orthodoxe, écrivant en cyrillique et protégée par les Russes.

— Les ancêtres de ces musulmans appartenaient à la secte manichéenne des Bogomiles qui s'est répandue entre le Xe et le XIIe siècle dans les Balkans. Ecrasés entre les deux grandes communautés chrétiennes, ils se sont convertis en foule à l'islam des Turcs, à l'avènement de l'empire ottoman. D'où la jalousie des autres, chrétiens et orthodoxes, envers ces favoris déchus des anciens maîtres ottomans.

Devenus musulmans, ils sont considérés par les autres comme l'incarnation de l'ancien oppresseur colonial. Ce ne sont pourtant pas des zélateurs religieux. Ayant connu l'empire austro-hongrois après l'empire ottoman, ils sont revenus à la culture européenne dont ils étaient issus. La croisade contre l'islam dont se réclament ceux qui cherchent à les exterminer n'a aucune crédibilité. Ce slogan cache un génocide ayant pour but de s'emparer de leurs terres.

— On peut craindre maintenant que les pays islamiques qui n'ont pu venir défendre leurs frères en religion, ne veuillent prendre

160

leur revanche en sabrant l'Occident, comme après les guerres gagnées par Israël, comme après la guerre du Golfe. On ne peut exclure que les « zones protégées » réservées aux musulmans en Bosnie-Herzégovine ne deviennent des têtes de pont du djihad islamique. Le président musulman, Ilia Izetbegovic, qui refusait le « secours » des fondamentalistes, est contesté.

Le 26 juin 1993, un obus de mortier serbe tuait sept jeunes de quatre à vingt-deux ans dans une rue de Sarajevo. Un drame parmi tant d'autres dans cette guerre. Mais lors de leur enterrement, le lendemain, la foule eut un accès de colère non pas contre les tueurs serbes, mais contre l'Ouest. « Pourquoi des enfants, qu'ont-il fait de mal », criait une femme. « Les Américains sont des lâches. Il n'y a pas de Saddam Hussein ici et les Occidentaux nous traitent comme des singes », disait un homme. « Les Européens ne sont pas humains s'ils peuvent regarder cela sans bouger », lançait une autre femme.

— Si cette guerre engendrait une recrudescence des tensions, ce qui est tout à fait possible, car les Balkans ont toujours été la poudrière de l'Europe, ce sera la faute des Serbes dont la guerre nous a mis à dos les musulmans que l'Occident n'a pu sauver. On les a aidés, accueillis, soignés, on leur a apporté des vivres autant que possible. Sans l'aide occidentale, ils auraient été complètement massacrés. Mais la propagande mensongère des Serbes s'est servie des préjugés endémiques, de la peur atavique qu'éprouve l'Europe à l'égard de l'islam. De la même manière qu'elle a fait passer les Allemands et les Croates pour des rejetons du fascisme.

— *Non contents de ne pas envoyer de soldats sous l'égide de la Forpronu, les Allemands se sont tenus de plus en plus à l'écart. Cela ne leur a pas réussi puisqu'en fin de compte, comme il fallait des boucs émissaires pour cette défaite morale de l'Occident, on les a accusés d'avoir provoqué la guerre en reconnaissant « prématurément » la Slovénie et la Croatie.*

— Ils l'ont fait après que les Serbes aient refusé le dialogue pour passer à l'action armée. Le rouleau compresseur serbe était déjà en route. Dès 1986, on parlait à Belgrade de « nettoyage ethnique ». En 1988, les communistes serbes s'en prenaient aux Albanais du Kosovo. Le siège de Dubrovnik a commencé en octobre 1991 et Vukovar est tombée en novembre de la même année. Les Allemands ont reconnu la Slovénie et la Croatie à la mi-décembre 1991, en respectant le délai fixé par l'Europe, et la CEE s'est jointe à eux en janvier 1992. La Bosnie-Herzégovine n'a été reconnue qu'en avril 1992.

— *En mai 1993, encore, le Premier ministre grec, Konstantin Mitsotakis, déclarait à un journal allemand, la* Franfurter Rundschau, *que la reconnaissance de la Bosnie avait été « une tragique erreur » et qu'elle avait fait l'effet d'une « déclaration de guerre ». Aurait-on pu vraiment éviter, en y renonçant, une guerre qui avait déjà commencé ?*

— En se retirant de Croatie, l'armée serbe avait accumulé en Bosnie d'énormes stocks d'armes, révélateurs de ses intentions. Mais on ne voulait pas admettre, à l'ouest, que le nationalisme grand-serbe commençait une guerre de conquête. Prisonnières du mythe yougoslave pro-serbe, la France et l'Angleterre s'imaginaient que Belgrade défendait l'idée de la fédération yougoslave. Or, Belgrade voulait agrandir son propre lopin et en chasser les autres.

Est-ce que ce ne furent pas plutôt les plaidoyers occidentaux en faveur de l'unité yougoslave qui encouragèrent les Serbes à intervenir ? En juin 1991, l'ambassadeur américain à Belgrade, Warren Zimmermann, déclarait que les États-Unis n'oublieraient jamais qu'ils s'étaient battus dans deux guerres mondiales aux côtés des Serbes. Un mois plus tard, l'armée yougoslave attaquait la Slovénie.

La reconnaissance devait permettre d'internationaliser le conflit pour sauver les républiques menacées par les Serbes. La protection de la CEE a finalement sauvé la Slovénie. Seulement, la reconnaissance ne suffisait pas, surtout dans le cas de la Bosnie, venue plus tard. Il aurait fallu pouvoir les protéger.

— *Les Allemands et les Autrichiens, déçus par la politique de la CEE qui ne veut même pas admettre qu'elle a échoué et cherche à*

faire retomber sur eux la faute, ne vont-ils pas s'en détourner peu
à peu et poursuivre seuls leur politique à l'Est ?

— Pourquoi reprocher à la CEE de n'avoir pas agi alors
qu'elle n'en avait pas encore les moyens ? Le traité de Maastricht n'était pas encore ratifié. Lui seul prévoit une politique
étrangère et une défense communes qu'il faudra organiser par
la suite. C'est plutôt l'Otan, en tout cas l'ONU, qui auraient
pu agir, ou tout simplement les Quatre Grands, États-Unis,
Union soviétique, Grande-Bretagne et France, auxquels les
conférences de Potsdam et Yalta, qui ont organisé le monde
d'après-guerre, avaient donné des pouvoirs de police mondiale. Ces puissances n'auraient-elles pas pu réassumer leurs
responsabilités ? Car, après tout, ce qui s'est passé en Yougoslavie résultait de la désagrégation d'un ordre instauré après la
guerre.

Mais puisque vous parlez des occasions manquées, voici les
fautes qui ont été commises. Premièrement, on a décidé
l'embargo sur les armes, ce qui revenait à refuser aux musulmans, qui n'en avaient pas, les moyens de se défendre contre
l'agresseur serbe armé jusqu'aux dents. Deuxièmement, on a
fermé les yeux sur la double stratégie des Serbes, qui ont fait
alterner fausses négociations et vraies conquêtes. Ainsi, les
forces du Mal ont été lâchées sur ce pays où l'homme est
devenu un loup pour l'homme.

— *Vous vous souvenez sans doute qu'un ministre d'Helmut*
Kohl, Christian Schwarz-Schilling, a démissionné avec pertes et
fracas à l'automne 1992 parce qu'on refusait aux musulmans bos-
niaques les moyens de se défendre. Fin juin 1993, au sommet
européen de Copenhague, alors que la guerre était perdue pour les
musulmans bosniaques, mais que des batailles et des massacres
féroces avaient encore lieu, Helmut Kohl, encouragé par Bill
Clinton, a voulu revenir sur cette erreur et lever l'embargo sur les
armes. Mais la France et la Grande-Bretagne s'y sont opposées,
comme elles ont voté ensuite contre cette proposition bien tardive
des États-Unis au Conseil de sécurité de l'ONU. Ce fut le premier

vote divergent de l'alliance occidentale qui avait tenu depuis la dernière guerre mondiale.

La Bosnie éclatera, Serbes et Croates ayant déjà introduit leur système juridique et leur monnaie dans les parties qu'ils contrôlent. Ce qui est à craindre maintenant, c'est que l'Europe, par son inaction, ne se soit mis presque tout le monde à dos, les victimes pour ne pas les avoir sauvées, les agresseurs pour les avoir condamnés.

— Tandis que les Russes, eux, seront dans le camp des vainqueurs puisque leurs amis serbes auront gagné. Or, quand on a réussi un mauvais coup, on est tenté de le refaire ailleurs. La prochaine étape risque d'être la guerre au Kosovo dont la population est, dans son immense majorité, musulmane albanaise. Les Serbes ne seront-ils pas tentés par un nouveau nettoyage ethnique dans cette région ? Et n'oubliez pas que la puissante armée d'une Serbie agrandie et encouragée par son impunité fait face maintenant à une Croatie avec laquelle tous les contentieux sont loin d'être réglés. Les Serbes occupent encore une partie du territoire croate. Et ce, sans oublier les risques de conflits entre la Macédoine et la Grèce. Entre la Grèce et l'Albanie.

Notez que c'est la deuxième guerre d'un pays orthodoxe contre un pays musulman, après la guerre de Brejnev en Afghanistan. La guerre des Serbes contre les musulmans bosniaques, avec participation de volontaires, d'officiers et d'armes russes, s'insère, pour les Russes, dans un antagonisme séculaire.

— *Naturellement, on ne peut que redouter ces nouvelles guerres de religions, qui sont, parfois aussi, des guerres entre idéologies et religions. Mais ne préfigurent-elles pas notre avenir ? Le XXIe siècle se prépare plutôt mal.*

— Le conflit actuel dans l'ex-Yougoslavie n'est pas religieux. Il oppose des peuples qui veulent un système démocratique et libéral et non le système communiste cher à Monsieur Milosevic. Je pense qu'au contraire le renouveau religieux que l'on peut observer dans beaucoup de pays sera, si nous savons

GUERRES INTERETHNIQUES OU DE RELIGION ?

l'utiliser, un grand facteur de paix et d'entente. J'ai souvent affaire à des représentants de l'islam et je suis plus que jamais convaincu que nous pourrons nous entendre, à condition d'amorcer un vrai dialogue sur le plan culturel et non pas des négociations qui sentent le pétrole.

— *Encore faudrait-il que les musulmans acceptent ce dialogue authentique. Or, ils n'ont pas renoncé à se considérer comme « les gens du Livre », détenteurs de la révélation exclusive par le Coran, en déniant toute transcendance à la Bible, et à considérer les chrétiens comme des subordonnés ou des ennemis en puissance qui ne font pas partie de l'« umma », la communauté des vrais croyants.*

— Mais ils ne nous considèrent pas non plus comme des païens. Il y a donc là une base pour le dialogue. C'est d'ailleurs pour cela que je rejette cette notion d'intégrisme dont on abuse de nos jours. Tout mahométan qui croit en Dieu et qui prie, passe pour être intégriste ou fondamentaliste. Moi, je préfère un musulman qui lit le Coran et qui prie, à un ex-musulman qui lit Karl Marx ou autres publications totalitaires, tel le petit livre vert de Kadhafi.

— *Tel n'est pas l'avis des gens de Kaboul. Tandis que les moudjahidine descendus des montagnes les massacrent et rasent leurs maisons à la roquette, ils regrettent le régime communiste qui au moins les laissait vivre en paix. Le premier grand conflit Nord-Sud a été à mon avis la guerre soviétique en Afghanistan, déclenchée par les Russes. Mais en défendant aujourd'hui la frontière du Tadjikistan contre les attaques islamiques venues d'Afghanistan, l'armée russe a entrepris de dresser un barrage contre la destruction des civilisations du XXe siècle par les fondamentalistes. Ces maquisards afghans et tadjikes — et autres « fous d'Allah » qui ne sont pas si fous que cela — valent bien les Khmers rouges par leur volonté d'anéantissement.*
Parlons du danger islamique. Selon Bassan Tibi, un des grands spécialistes de l'islam, professeur à Göttingen, le fondamentalisme islamique n'est pas religieux mais politique. Il est animé d'une

ambition de domination politique. Mais il se sert du langage musulman qu'un milliard deux cent mille personnes comprennent. Alors que jusqu'ici tous les terrorismes relevaient de sous-cultures, de minorités. Il en résulte une ambiance de croisade contre l'Occident.

— Naturellement, il y a des différences importantes entre l'islam et le christianisme. Je sens que vous allez me dire que la charia, la loi d'Allah, dans les États islamiques, et le djihad, la guerre sainte contre les infidèles qui refusent de se laisser convertir, sont aux antipodes de notre droit. C'est évident que maintes règles de la vie quotidienne des musulmans, infériorité des femmes, refus du droit de propriété et du prêt usuraire, sont incompatibles avec notre code civil.

— *Et surtout, la rigidité des règles de vie islamiques exerce un magnétisme sur des esprits frustes et des êtres frustrés...*

— Mais si vous prenez le tout, il n'est pas moins évident que ce qui nous unit est plus important que ce qui nous sépare. Le fond commun entre christianisme et islam est plus important qu'on ne le croit. Un des Pères de l'Église, le bienheureux Raymond Lulle, disait, au XIIᵉ siècle déjà, que l'islam n'était en fin de compte qu'une hérésie chrétienne. Je partage son opinion. En outre, nous sommes certainement plus éloignés des athées que des musulmans.

— *Moi, je n'en suis pas certain du tout. Dans l'au-delà peut-être, mais pas ici-bas. En démocratie, les athées ont les mêmes droits que les autres. Pour nous, Français, il faut que les musulmans acceptent les lois de la République, essentiellement la laïcité et la tolérance, y compris envers les non-croyants.*

— Pour ce qui concerne les règles pratiques de la société islamique, des réformes profondes s'imposent, bien sûr. Mais elles ne sont pas impensables. Nous voyons dans les républiques islamiques d'Afrique centrale et notamment en Turquie des formes différentes de l'islam. A Oman, sur la péninsule arabique, le sultan a donné un terrain à bâtir pour une église catholique dans son État et il en a financé la construction.

On se fait aussi beaucoup trop d'idées à propos de certaines règles archaïques encore respectées par l'islam, et qui ressemblent beaucoup à ce qu'enseignait, chez nous, l'Ancien Testament. L'interdiction de boire de l'alcool par exemple. Le Prophète a dit qu'il ne faut pas boire d'alcool avant de prier. Cela ne correspond-il pas à notre jeûne eucharistique ? Les docteurs de l'islam ont alors interprété cela dans le sens qu'il ne fallait jamais boire, car le musulman était supposé prier constamment. Les docteurs et, hélas ! certains théologiens peuvent fausser les plus beaux principes d'une religion.

Je voudrais aussi ajouter que l'idée du messianisme conquérant n'est pas raisonnable. Certes, les conquérants existent. Et dans notre monde chrétien aussi. Mais il ne faut pas croire que l'ensemble du monde musulman ait envie de partir en guerre.

— Seulement, ce messianisme conquérant ne répugne ni à l'assassinat ni au terrorisme. N'est-ce pas, de nos jours, pour l'Europe, un danger pire qu'en son temps celui du stalinisme ?

— Pour ce qui concerne l'assassinat comme instrument de diffusion de la religion, c'est une méthode typiquement chiite, une secte comme nous en avons eu aussi dans le monde chrétien.

Mais je note que les Maures, quand ils étaient présents en Espagne, toléraient les chrétiens, comme le veut d'ailleurs le Coran. Nous avons eu là un merveilleux exemple de coexistence pacifique entre les différentes communautés religieuses. Souvenez-vous du royaume des trois religions de Tolède ou encore de la civilisation de Cordoue. Il n'y avait pas d'incompatibilité. Par ailleurs, je crois que nous avons en Europe beaucoup de préjugés contre l'islam qui ne sont pas justifiés par les faits.

C'est encore une chose qu'il faut expliquer par l'histoire. On peut vérifier par l'expérience que les guerres les plus destructrices sont les guerres populaires. J'entends par là des guerres qui ne sont pas confiées à des soldats de métier. Les guerres menées par des professionnels ne laissent pas de blessures qui ne cicatrisent pas. Ce qui n'est point le cas des guerres entre les peuples. C'est compréhensible, car pour amener un civil à tuer un autre civil qu'il ne connaît pas, il faut le plonger dans un état d'excitation, le travailler par la propagande.

Or, les deux grandes guerres qui firent l'Europe ont été la Reconquista, la reconquête de l'Espagne sur les musulmans par la monarchie espagnole, et la guerre de l'empire austro-hongrois contre les Turcs. Ce furent des guerres populaires. L'image que nous avons donc retenue de l'islam est celle d'une propagande faussant les réalités. Bien entendu, il y a des explosions dans l'islam comme il y en a dans d'autres parties du monde. Nous n'en sommes pas exempts, nous non plus.

— *Mais le christianisme, sauf en Irlande, a dépassé ce stade infantile des guerres de religions et des bûchers. L'islam impose un code de conduite coercitif qui n'est pas des mieux adaptés à notre époque ni des plus ouverts au progrès de l'intelligence. Son enseignement scolaire est figé et répétitif. Il cherche à perpétuer, à l'aube du XXIe siècle, les règles de vie de Médine avant l'Hégire, c'est-à-dire les coutumes d'une société tribale du désert arabique d'il y a treize siècles.*

J'admets l'utilité de vos échanges de vues avec les docteurs de l'islam, mais ces sages sont-ils maîtres des idées qu'ils répandent ?

— Les États islamiques avaient promis en 1992 de faire quelque chose en Bosnie à la date du 15 janvier 1993 si l'ONU n'agissait pas pour empêcher la destruction de ce pays. A la date annoncée, ils se sont croisés les bras. Alors il n'est pas étonnant qu'on ne prenne pas leurs menaces tellement au sérieux.

— *Je pense à la progression de l'intégrisme islamique.*

— Je crois que le fondamentalisme islamique est une formule récente, découverte dans le contexte de l'ayatollah Khomeiny, porte-parole des chiites qui représentent moins de 10 % des musulmans, en Iran, Irak et au Pendjab.

— *Néanmoins, ils totalisent une cinquantaine de millions de personnes et sont le fer de lance du monde musulman.*

— Il n'empêche que la grande majorité des musulmans sont sunnites. Je ne crois donc pas à ce danger islamique. Au contraire, nous avons tout intérêt à nous mettre d'accord avec les peuples islamiques. N'oublions pas que la Méditerranée n'a été que rarement ce que nous considérons comme la frontière sud de l'Europe. Elle en a été plus généralement la plaque tournante.

Chapitre IX

Le triangle méditerranéen

Jean-Paul Picaper : Alors, quel est votre plan pour protéger le flanc sud de l'Europe ?

Otto de Habsbourg : Bien entendu, on ne peut pas étendre la Communauté européenne au sud de la Méditerranée comme cela aurait été le cas si l'Algérie était restée française. Nous aurions eu alors des problèmes considérables, plus graves encore que ceux que l'ex-RDA pose à l'Allemagne fédérale.

Mais il faudrait disposer d'une force de fédération comparable à ce que fut l'empire ottoman jadis. Cette unité n'a été rompue que par des intérêts coloniaux et économiques durant et après la Première Guerre mondiale. La destruction de l'empire des Habsbourg a eu des conséquences fatales dans le Bassin danubien et l'effondrement de l'empire ottoman en a eu de terribles au Proche-Orient.

Par les traités conclus au lendemain de la Première Guerre mondiale, des États artificiels ont été créés et des liens rompus. Nous le payons aujourd'hui par des conflits tel celui avec Saddam Hussein ou par la crise palestinienne.

Une solution logique serait une unification du Maghreb, d'un côté, sous forme de fédération souple dans laquelle le Maroc pourrait jouer un rôle décisif tandis que la Turquie, de l'autre côté, assumerait sa fonction qui est de faire l'unité des peuples du Proche-Orient. Une fois ces trois unités constituées, Maghreb, Proche-Orient inspiré par la Turquie et Europe, on pourrait conclure un accord méditerranéen qui relierait ces trois ensembles les uns aux autres, tout en ne les insérant pas dans des liens aussi étroits que ceux qui nous rattachent au sein de la Communauté européenne.

— Je constate que pour vous, donc, la Turquie n'a pas vocation à devenir un pays membre de la CE. Il est vrai que depuis la libération des peuples turcs d'Asie centrale du joug communiste, elle s'est découvert des ambitions plus vastes. Mais pourquoi le Maroc ?

— Le Maroc est un des pays islamiques les plus éclairés, les plus ouverts et en même temps, les plus religieux. Ses dirigeants sont à la hauteur de leur tâche, y compris le roi Hassan. Il est frappant que l'Algérie, malgré ses ressources naturelles énormes, ait vu baisser le niveau de vie de sa population tandis que l'inverse se produisait au Maroc sans ces ressources. Nous avons en Europe des doctrinaires qui ne veulent pas admettre l'évidence à propos du Maroc. Je le vois au Parlement européen où certaines forces travaillent inlassablement à discréditer ce pays. Ils cherchent à ruiner un des meilleurs amis de l'Europe, un des partenaires dont nous aurons besoin à l'avenir.

— Malheureusement, l'Algérie, avec ses incertitudes, pèse plus lourd. Que serait-ce si elle tombait sous la coupe du Front islamique du salut ! Lors des élections du printemps 1992 que le FIS avait quasi remportées, on a vu monter en France une grande peur. Les assassinats de personnalités algériennes de valeur ont suscité beaucoup d'émotion.

La grande manifestation des intellectuels et des gens de progrès, dans leurs rangs beaucoup de femmes qui, sous le joug islamique, perdraient leur identité et leur liberté, a été, en mars 1993, à Alger, un événement sans précédent dans le monde arabe. Mais ces courageux démocrates arabes ne seront-ils pas bientôt des émigrés en France ou aux États-Unis ?

Alain Juppé a donné en juin 1993 une promesse de soutien intégral de la France à une Algérie non islamique. Et en Égypte aussi, on a compris l'ampleur de ce danger qui émane d'Iran et du Soudan, avec l'argent des Saoudiens. Le Caire a le soutien des

Américains contre l'emprise du terrorisme islamique, surtout depuis l'attentat islamique contre le World Trade Center en mai 1993.

La France a une sensibilité « méditerranéenne » au danger islamique qui fait gravement défaut à l'Allemagne, obnubilée par son « Ostpolitik » de longues années durant, puis, maintenant, par le financement de sa réunification et les problèmes de la Russie.

— Je ne crois pas que l'« Ostpolitik » ait détourné intégralement l'Allemagne de toute vision méditerranéenne. Un grand nombre de musulmans vivent maintenant dans ses frontières.

Pour ce qui est de l'Algérie, je ne vois pas les choses exactement de cette manière. La monté du FIS a été avant tout la conséquence de la pourriture du régime antérieur ainsi que de la violation de toutes les promesses de démocratisation qu'il avait formulées. D'ailleurs, le régime actuel est la conséquence d'un coup d'État contre le peuple algérien. On aurait dû à mon avis, du côté occidental, essayer de parler aux forces populaires au lieu de s'accrocher à une structure dépassée.

— *Les deux grands « héros » de l'histoire de France sont deux héroïnes, sainte Geneviève qui passe pour avoir sauvé Lutèce d'Attila en 451, et Jeanne d'Arc qui contribua à « bouter les Anglais de France » près d'un millénaire plus tard. N'est-ce pas inimaginable dans l'islam où les femmes n'existent ni politiquement ni socialement ?*

— Ce n'est pourtant pas exclu. D'ailleurs les écrits sacrés de l'islam témoignent un grand respect envers les femmes. Chez nous, le rôle politique des femmes est également assez nouveau, du moins dans les régimes républicains. En revanche, dans certaines lignées dynastiques, les femmes ont joué un rôle de tout premier plan. Je pense à celui de Marie-Thérèse d'Autriche, à l'engagement politique de ma mère Zita et à celui de ma fille Walburga.

En Turquie, les femmes commencent à jouer un rôle considérable, promotion qui s'est concrétisée, le 14 juin 1993, avec la nomination au poste de Premier ministre de Mme Tansu Ciller. C'est un grand événement, la rupture d'un tabou.

— *Visiblement consciente de la « première » qu'elle réalisait dans le monde musulman, celle-ci a eu la prudence de se placer d'emblée dans un contexte plus maternel que politique, appelant ses adversaires déçus ses « frères » et affirmant à ses compatriotes qu'elle serait pour eux une « mère », une « sœur », une « fille ». Je pense que la grande force révolutionnaire dans l'islam, ce sont les femmes. Tôt ou tard, la question féminine se posera dans ces pays. La société islamique est fondée sur l'infériorité sociale et morale de la femme.*

— Dans le Sud-Est asiatique, du Pakistan à l'Indonésie, l'islam n'a pu changer les traditions. Il a dû s'adapter à la civilisation matriarcale traditionnelle. Ce qui ne va pas sans problèmes pour le droit à l'héritage, par exemple, l'islam arabe défavorisant les filles dans le partage des biens, ce qui n'est pas le cas en Indonésie. On croit souvent critiquer l'islam alors qu'on ne critique que la civilisation arabe archaïque qui l'imprègne. S'il n'y avait pas eu adaptation locale, comment madame Bhuto aurait-elle pu devenir Premier ministre au Pakistan ?

— *Croyez-vous les démocraties capables de neutraliser l'islam comme elles ont neutralisé le stalinisme ? Je sais bien que les ayatollahs iranien cherchent à se protéger comme de la peste des tentations occidentales. Par exemple l'édit qui interdit depuis quatorze ans les magnétoscopes et les cassettes vidéo en Iran. Or il y aurait trois millions de magnétoscopes dans le pays. Ils ne résisteront pas à la modernisation.*

Mais nous avons des ghettos musulmans en France. Il s'en crée aussi en Allemagne. Les Turcs d'Allemagne n'avaient pas causé de problèmes à la République fédérale jusqu'à l'année 1993. Mais après les incendies criminels de maisons turques à Mölln, en novembre 1992, et à Solingen, en mai 1993, travaillés aussi par des mouvements extrémistes, les jeunes Turcs ont livré des batailles de rue à la police allemande. Ces batailles d'immigrés contre les forces de l'ordre locales étaient un phénomène qu'avaient connu la Grande-Bretagne, la France, la Hollande, mais pas encore l'Allemagne.

Alors, pour l'avenir, on peut faire deux pronostics. Pour certains, les immigrés formeront des États dans l'État, des têtes de pont de ce débarquement tiers-mondiste décrit par Jean Raspail dans son livre visionnaire Le camp des Saints [1] *dès les années soixante-dix. Pour d'autres, tel Christian Jelen qui a publié récemment un livre sur l'assimilation des Maghrébins au titre éloquent* Ils feront de bons Français [2], *ils se laisseront assimiler au bout d'une ou deux générations : « Avec tous ses interdits, écrit Jelen, comment l'islam rigide pourrait-il résister au pouvoir de séduction des sociétés démocratiques ? »*

— Sans avoir lu ni l'un ni l'autre de ces deux livres, je pencherai plutôt pour la deuxième thèse.

— *La menace islamique nous avait été cachée par la menace soviétique. L'Ouest a vaincu le communisme. A-t-il su gérer cette victoire ?*

— En Russie qui fut la Mecque de l'empire stalinien, la nouvelle alliance bolchevique contre Boris Eltsine entre l'armée et les forces communistes est inquiétante. Nous avons assisté à l'automne 1992 puis au printemps et enfin à l'automne 1993 à des épreuves de force entre le président Eltsine et le parlement qui soutenait Khasboulatov et Routskoï. Eltsine est un homme très fort qui peut encore redresser la barre. Mais je ne suis pas excessivement optimiste à son sujet. Si l'autre groupe avait pris le pouvoir, cela aurait été pour nous extrêmement dangereux. Même désintégrée, l'armée soviétique possède encore 35 000 têtes nucléaires et ses effectifs comptent un million et demi de soldats.

La perte de vitesse d'Eltsine s'était manifestée à l'automne 1992, quand Routskoï, Khasboulatov et Chapochnikov lui avaient interdit de se rendre au Japon où il risquait de négocier le statut des Kouriles contre une aide économique [3].

1. Éd. définitive, *J'ai lu*, 1989.
2. Éd. Robert Laffont, 1991.
3. Voir actualisation, *infra*, p. 278. Entre temps, Boris Eltsine a triomphé du putsch communiste, mais uniquement grâce au soutien de l'armée dont les régiments d'élite et leur chef, le général Gratchev, ne sont que plus puissants (J.-P. P.).

— *Les Japonais ont fini par comprendre, à la demande des Américains, en avril 1993, qu'il fallait séparer ces deux problèmes pour aider Eltsine.*

— Ils ont fait quelques gestes dans le sens des Américains, mais sur le fond, ils restent fermes, Dieu merci. Je soutiens totalement la position japonaise.

Rappelez-vous aussi que le ministre des Affaires étrangères, Andreï Kosyrev, a dû souligner que l'enclave de Königsberg était russe et menacer quelque peu les États baltes.

Enfin, la Russie a édulcoré et freiné systématiquement les sanctions des Nations-Unies contre la Serbie. Il aura fallu que Boris Eltsine, cet artiste de la survie, sorte indemne de la crise du printemps 1993, pour que l'ONU puisse mettre en œuvre l'application de la zone d'exclusion aérienne en Bosnie.

— *Alors, Eltsine ne vaut pas mieux que Gorbatchev ?*

— Certains commentateurs, à l'Ouest, semblent éprouver une joie maligne à voir baisser l'étoile d'Eltsine, comme auparavant celle de Gorbatchev qu'ils lui préféraient. Pourtant, il y a une différence entre les deux. Eltsine a le soutien de la population. Gorbatchev ne l'avait pas. Des sondages effectués par des stations de radio occidentales l'ont prouvé sans contestation possible. Il est visible d'ailleurs que dans ses démêlés avec le Congrès des députés qui est tout, sauf une représentation populaire, Eltsine avait le peuple pour lui. Mais le peuple n'a absolument pas voix au chapitre en Russie. La volonté des citoyens compte à peine dans ce pays et la résistance d'Eltsine aux putschistes, le 19 août 1991, avec le soutien populaire, est restée un cas unique [1].

Comme au temps jadis, le pouvoir est entre les mains de l'armée, de la police secrète et de structures remodelées qui représentent les intérêts de l'ancienne bureaucratie totalitaire. Avant la chute du communisme en URSS, 15 millions de

1. Effectivement, la population a assisté passivement, le 4 octobre 1993, à l'écrasement des putschistes de la Maison blanche de Moscou par les régiments d'élite de l'armée, confirmant la justesse de cette analyse, antérieure à ces événements ; pour ce qui concerne le rôle du général Gratchev (page suivante), la prédiction s'est également vérifiée (J.-P. P.).

personnes travaillaient à la ruine de l'économie par la planification. Ces gens-là savent que l'introduction de l'économie de marché signifierait la perte de leurs privilèges. Grâce à leurs relations avec l'armée et la police, ils constituent le véritable pouvoir de l'État. Et la majorité de ce parlement, qui a été constitué sous le régime communiste, défend leurs intérêts. En coulisse, ces éléments cherchent à reconstruire une dictature. Il faudrait prêter davantage d'attention à des gens comme le général Gratchev. Certes, officiellement, le maréchal Chapochnikov est le porte-parole des forces armées. Mais le ministre de la Défense Gratchev multiplie, au nom de l'armée, les déclarations sur des questions non militaires.

L'Ouest doit aussi tenir compte du courant panslaviste-bolchevique dans la politique russe. Ce courant permanent soutient les Serbes, ainsi que tous les éléments extrémistes en Europe de l'Est, et s'en prend désormais aux républiques musulmanes indépendantes d'Asie centrale. L'hégémonisme panrusse est en train de redevenir ce qu'il était sous Staline, sous Brejnev et encore sous Gorbatchev. Néanmoins, après s'être efforcé, sous toutes sortes de prétextes nucléaires, de réintégrer les anciennes républiques de l'URSS dans une nouvelle confédération, la CEI, dominée par la Russie, l'Ouest soutient Moscou avec son argent, croyant que ses capitaux serviront à nourrir la population. Le président Clinton a renoué avec la vieille règle de la politique américaine selon laquelle on lutte contre le totalitarisme avec de l'argent. Washington ne voit pas que les sommes astronomiques investies dans l'économie soviétique disparaissent dans un tonneau des Danaïdes.

Un coup de force en Russie qui serait, cette fois, mieux préparé qu'en août 1991, constituerait un grave danger pour tous les peuples de la terre. Une politique occidentale digne de ce nom ne devrait pas négliger d'envisager aussi cette éventualité [1].

— *Pour le moment, l'armée russe, heureusement, ne serait pas en*

1. Entretien mené, rappelons-le, plusieurs mois avant le putsch du début octobre 1993.

mesure d'exécuter des opérations à grande échelle. C'est ce qui ressort d'un rapport de l'intelligence militaire suédoise, rédigé au début du printemps de 1993. Ses forces terrestres et aériennes, sa marine manquent de carburant, discipline et morale laissent à désirer. Les Suédois estiment n'avoir plus rien à craindre de Moscou, mais ils ont quand même décidé de relever leurs dépenses militaires, estimant qu'un à deux ans suffiraient aux Russes pour retrouver leur niveau militaire du temps jadis.

— Je suis très sceptique à propos de ces rapports de services de renseignements, me souvenant des années qui nous ont conduits à la Deuxième Guerre mondiale. Tous les services secrets nous informaient de l'incapacité d'action de l'armée d'Hitler. On ne réalisait pas la puissance effective de cette armée. Je crains que la même chose ne se passe aujourd'hui à propos de la Russie. D'ailleurs, ce sont les petites unités qui peuvent être décisives sur le plan politique. Je citerai dans ce contexte les unités OMON du KGB que l'on rencontre maintenant de plus en plus là où les Russes mènent des opérations contre des pays nouvellement indépendants.

Tout le monde a été rassuré par le référendum d'avril 1993 favorable à Eltsine. Pourtant, le bras de fer va continuer et devenir plus dangereux. Khasboulatov ne joue plus le rôle qu'il jouait jadis, son étoile a baissé, comme c'est compréhensible puisqu'il est tchétchène et que les Russes, de ce fait, ne l'aiment guère. De plus, il a manifestement des visées sur la Tchétchénie où il voudrait s'asseoir dans le fauteuil du président, comme Chevardnaze en Georgie. L'homme le plus important désormais est incontestablement le vice-président Routskoï. C'est un homme de l'armée, un héros de la guerre d'Afghanistan et il dispose d'une certaine popularité personnelle.

C'est entre ce dernier et Eltsine, je pense, que l'histoire tranchera [1].

— *Les Russes visiblement cherchent à devenir le « policier » des anciens territoires de l'URSS. N'ont-ils pas proposé aux Nations-Unies de fournir des Casques bleus russes pour arbitrer ces*

1. *Id.* (voir note de la page précédente).

conflits ? Sous le drapeau des Nations-Unies, ils pourraient continuer à mener leur politique de domination.

Malgré tout, je ne puis me défendre de l'impression que vous grossissez le danger russe en minimisant le danger islamique. L'Autriche-Hongrie a été confrontée à ces deux forces. Toutes deux sont parvenues jusqu'à Vienne, à plusieurs siècles d'intervalle. L'une d'elles a-t-elle encore des visées impérialistes en direction de l'Europe de l'Ouest ?

— J'estime que la Russie reste un danger. D'ailleurs, il suffit d'observer l'attitude des Russes dans le conflit bosniaque où, certainement, ils ont partie liée aux Serbes.

On a refusé une intervention de Casques bleus turcs en Bosnie à cause de leur engagement trop exclusivement pro-musulman. On a jugé impossible que des Casques bleus allemands soient présents à cause de leurs affinités avec la Croatie. Ce serait donc une erreur capitale d'ajouter des troupes russes aux Casques bleus. Pourtant, cela ne semble choquer personne. Aussi est-il compréhensible que dans les milieux politiques allemands, on parle de plus en plus d'une résurgence des alliances de 1914.

— *Le ministre français des Affaires étrangères, avait proposé en mai 1993, en effet, la participation de Casques bleus russes aux forces de l'ONU en Bosnie. L'ancien secrétaire d'État allemand à la Défense, Lothar Rühl, s'insurgeait contre ce projet, rappelant que l'espace au sud du Danube allant de l'Adriatique au Bosphore avait toujours été considéré comme un champ d'expansion par les Russes.*

Au siècle dernier, écrivait-il, les tsars avaient cherché, avec un succès partiel, à coloniser la Bulgarie, la Serbie et le Monténégro, en faisant de la Grèce un poste avancé de leur empire. Nicolas Ier, au milieu du XIXe siècle, avait tenté aussi de s'inféoder le sultan de Turquie, « l'homme malade du Bosphore ». S'ils cherchaient à rééditer cette aventure, cela détruirait l'équilibre retrouvé en Europe après le retrait des troupes soviétiques du centre du continent.

Eltsine a réussi à imposer à Clinton son droit de regard sur la gestion du conflit dans l'ex-Yougoslavie. A l'origine, la proposition des Russes de participer aux forces de paix de l'ONU se limitait aux territoires jouxtant leur propre pays. Faut-il les attirer sur l'Adriatique aux frais des Américains, des Allemands et des Japonais, principaux bailleurs de fonds de l'ONU ? Faut-il leur donner cet élément de prestige dont Eltsine aurait tant besoin ? Attirer l'Ours russe dans les Balkans ?

— Il ne faut pas non plus introduire dans ce jeu des négociateurs russes, tel Gorbatchev, comme le proposent les Serbes. Ce serait une autre faute qui affaiblirait considérablement l'Occident.

Je ne crois pas que le général de Gaulle aurait commis pareille faute.

— *Pensez-vous vraiment que des militaires russes se soient battus aux côtés des Serbes ?*

— Des volontaires russes combattent dans les forces serbes et la Russie fournit abondamment du matériel militaire à l'agresseur. De plus, des officiers supérieurs russes servent de conseillers aux forces serbes.

— *Le journal londonien* Evening Standard *a publié en avril 1993 un article au sujet d'un colonel russe dirigeant un bataillon de la Forpronu en Croatie, Victor Loginov, passé du côté du commandant d'un groupe terroriste serbe, Zeljko Rasniatkovic, auquel sa cruauté a valu d'être surnommé « Arkan », « le tigre ». D'après ce journal britannique, les maquisards serbes avaient volé 51 chars et de nombreux canons dans un dépôt de l'ONU dont « quelqu'un » leur avait donné la clé. Ce ne pouvait être que ce Loginov que les Serbes avaient corrompu. D'après le colonel belge de la Forpronu, Paul Malherbe, qui a pris sa retraite, les Russes accusaient toujours les Croates d'avoir rompu les cessez-le-feu, jamais les Serbes.*

— Ce genre de révélations doit déranger pas mal de gens. Aussi n'en avons-nous pas eu beaucoup de ce genre. Du côté des forces de l'ONU, j'ai eu parfois l'impression qu'on était plus soucieux d'étouffer les nouvelles défavorables que d'entreprendre des actions susceptibles de ramener la paix.

— *Une des grandes idées du général de Gaulle était de créer une défense européenne. Le traité de l'Élysée conclu en janvier 1963 entre la France et l'Allemagne prévoyait des consultations politiques régulières, des échanges de jeunes et une coopération militaire. Cette dernière n'a vu le jour que vingt-cinq ans plus tard, en 1987, avec la création du Conseil de défense franco-allemand et de la brigade franco-allemande devenue, en 1992, l'Eurocorps, noyau d'une défense européenne multinationale, auquel les Belges ont adhéré en 1993, suivis bientôt des Espagnols.*

Après que les soldats français de l'Eurocorps aient participé au défilé du 14 juillet 1993 sur les Champs-Élysées, je ne serais plus étonné de voir défiler avec eux, le 14 juillet 1994, des soldats belges, espagnols et allemands. Ce serait une première vraiment historique, plus d'un demi-siècle après la parade de la Wehrmacht au pied de l'Arc de Triomphe sous les yeux d'Hitler. Nos ennemis d'hier sont devenus nos alliés les plus sûrs.

— Il était plus que temps, pour la France, d'entraîner les autres à édifier une défense européenne. En Allemagne, où le retrait des troupes soviétiques du Centre-Europe a engendré une singulière démobilisation, de nombreuses forces politiques sont défavorables aux engagements militaires hors de la zone Otan et d'aucuns ne verraient pas sans plaisir un démantèlement de l'armée. Ce n'était pas du tout la même chose au début des années quatre-vingt quand l'Allemagne fédérale était directement menacée par le pacte de Varsovie — sauf dans les milieux pacifistes.

Je viens de lire un sondage de votre journal, selon lequel 80 % des Français sont fiers de leur armée, 57 % seraient prêts à donner leur vie pour leur pays et 65 % restent attachés au service national. Aujourd'hui encore, un des atouts majeurs de la France, hérité du général de Gaulle, est son armée. Certes, la détente Est-Ouest a émoussé le pouvoir de sa force de frappe nucléaire. D'où un certain recul sur la scène internationale pour un pays qui avait misé sur la chose militaire alors que les

Allemands misaient davantage sur l'économie. Cependant, la dissuasion nucléaire française reste valable au moment où des parvenus et des ambitieux aspirent à s'approprier l'arme atomique.

Ces initiatives militaires françaises et franco-allemandes sont très importantes. Le risque principal pour la Communauté n'est-il pas de manquer en effet à son devoir de défense ? Deviendra-t-elle une Communauté véritable, capable de défendre ses États-membres, ou ne sera-t-elle qu'une association de commerçants, une zone de libre échange avec quelques fioritures politiques ? L'Allemagne suivra-t-elle jusqu'au bout ? Rompant avec la tradition prussienne, les Allemands d'après 1945 avaient choisi l'économie et le commerce, se reposant en partie sur le parapluie américain.

— *Soit soldats, soit commerçants, tout au long de leur histoire, les Allemands jouent alternativement sur ces deux tableaux. S'y est ajouté le courant pacifiste et neutraliste, si important dans les rangs de l'actuelle opposition socialiste qui n'est pas encore descendue de son nuage. Aujourd'hui, il n'y a pas de peuple au monde, me semble-t-il, plus pacifique que les Allemands.*

Nos voisins ont si bien abjuré l'esprit guerrier depuis la défaite de 1945 qu'ils hésitent à fournir leur contribution aux forces de l'ONU et a fortiori à l'Europe. En fait de pacifistes, je ne vois guère que les Esquimaux et les Pygmées à l'être davantage qu'eux...

Mais, à leur déplaisir, on n'a pas touché longtemps les fameux « dividendes de la paix ». Trois à quatre ans seulement après l'abolition du pacte de Varsovie, il faut réarmer face aux dangers et incertitudes du présent. D'où une nouvelle promotion de la France, comme agent du maintien de l'ordre et de la pacification, en Afrique, dans le Golfe, en Somalie et en Bosnie, toujours sous le drapeau de l'ONU, aux côtés des États-Unis, des Britanniques et d'autres nations. En avril 1993, lors de la conférence de Washington sur la Bosnie, aux côtés des États-Unis et de la Russie, on voyait la Grande-Bretagne, la France et l'Espagne. L'Allemagne brillait par son absence.

— La France aussi s'est transformée, mais de façon positive à mes yeux. Elle n'est plus aussi exclusivement une puissance militaire que jadis. Depuis la fin du xixᵉ siècle, votre pays avait transposé sur l'Allemagne sa peur atavique de l'empire des Habsbourg, sans comprendre qu'elle aurait pu se rapprocher de l'Autriche qui faisait contrepoids à la Prusse. Mais avec les progrès de l'unification européenne qui ont éliminé pour elle, depuis une trentaine d'années, les risques provenant de ses voisins immédiats, la France est en train d'atténuer son centralisme militaro-bureaucratique. Et la résistance à l'adversaire soviétique commun l'avait empêchée de s'isoler, même si elle n'était plus dans l'organisation militaire de l'Otan. Paris a donc compris qu'il n'y aura plus de défense possible que partagée avec les pays européens et Mitterrand a été à cet égard le digne héritier de de Gaulle qui voulait ajouter la valeur allemande à la valeur française. Cette « globalisation » de la Défense — pour des raisons budgétaires aussi — est tellement impérative qu'on jette déjà les bases, au sein de l'UEO, d'un réseau européen de protection antimissiles.

— *Les anciens neutres, eux aussi, ressentent ce besoin d'être protégés. Au cours de l'été 1991, quand la Slovénie s'est séparée de la Yougoslavie, les combats étaient visibles de la frontière autrichienne. Au début de l'année 1992, le ministre autrichien de la Défense, Werner Fasslabend, a expliqué qu'il n'y aurait plus de sécurité dans toute l'Europe du Sud-Est si la Serbie n'était pas punie pour son agression en Bosnie.*

— Pour l'Autriche à laquelle son statut de neutralité conférait une sécurité relative, malgré le voisinage du rideau de fer, la situation a empiré. Certes, sa neutralité n'aurait duré qu'aussi longtemps que les troupes soviétiques n'auraient pas dû franchir son territoire pour entrer en Italie et en France. Mais justement, elle n'aurait subi de dommages qu'en cas de conflit global entre l'Otan et le pacte de Varsovie, conflit devenu de plus en plus improbable. Fenêtre ouverte sur l'Est, l'Autriche a cru pouvoir améliorer sa situation en 1989, à la fin de la guerre froide.

Or la situation s'est dégradée. L'équilibre Slovaquie-Bohême reste fragile, les conflits potentiels slovaco-hongrois, roumano-hongrois, serbo-hongrois, polono-ukrainien et gréco-turc, pour ne pas parler des tensions entre la Macédoine et la Grèce et de la poudrière du Kosovo, sont autant de bombes à retardement disposées tout autour de Vienne.

— *Raison pour laquelle l'Autriche requiert la protection de l'UEO ou de l'Otan, comme le font aussi la Hongrie, la Bohême et la Pologne ? A la frontière de la Hongrie avec la Voïvodine, des chars serbes montent la garde. Des ressortissants yougoslaves d'origine hongroise, dans cette région, refusent d'être enrôlés de force dans l'armée serbe et passent la frontière. Les Croates se préparent à reconquérir les territoires que leur ont pris les Serbes. On voit déjà comment le conflit pourrait se propager.*

— Ce risque est réel. Comment pourra-t-on empêcher une grande guerre balkanique ? Elle entraînerait d'autres embrasements, en Méditerranée orientale et dans le Caucase.

En ne balayant que devant leur porte, les gouvernements semblent malheureusement oublier les impératifs de la géostratégie. Notre monde est un endroit dangereux. La paix n'est pas sûre. Les principales sources de risques sont les États successeurs de l'Union soviétique, les républiques nées de l'éclatement de la Yougoslavie et le Proche-Orient [1].

L'Ouest ne semble pas en prendre conscience. Deux exemples de cet état d'esprit. Le premier : le manque de netteté des sanctions contre la Serbie. Le 1er avril 1993, les Nations-Unies ont mis en œuvre la zone d'exclusion aérienne au-dessus de la Bosnie-Herzégovine. La décision remontait à la résolution 781 du 9 octobre 1992. D'autres décisions suivirent. Elles avaient toutes une caractéristique : on formulait des interdictions, mais non assorties de sanctions. Aussi n'est-il pas étonnant qu'entre le 9 octobre 1992 et le 1er avril 1993, les Serbes aient effectué plus de 400 attaques aériennes contre la Bosnie.

Le monopole aérien des Serbes était un atout majeur dans

1. Voir actualisations, *infra*, p. 273-275.

cette guerre. Les forces serbes de Bosnie pouvaient savoir où se trouvaient leurs adversaires alors que ces derniers tâtonnaient à l'aveuglette. Et la décision d'interdire concrètement l'espace aérien aux Serbes était dépourvue de sens dès lors qu'on interdisait aux avions de l'Otan de bombarder les aérodromes d'où décollaient les avions des agresseurs. Mais il est évident qu'on l'a fait parce que l'engagement de plus en plus visible des Russes en faveur de la Serbie a rendu celle-ci intouchable. Donc les « mesures énergiques » dont on a tant parlé ne furent rien d'autre qu'une duperie de l'opinion publique. Le peuple bosniaque a été la principale victime de ces faiblesses. Si ce n'était pas tragique, ce serait grotesque.

Forts de cette impunité, les Serbes ne s'arrêteront pas après un succès en Bosnie. Alors, il n'est plus certain qu'on puisse limiter le conflit. La Première Guerre mondiale a commencé, elle aussi, par des conflits dans les Balkans.

— *Et le deuxième exemple ?*

— On s'est tellement déshabitué chez nous à penser en termes géostratégiques qu'on ne voit pas sur la carte les « points blancs » qui seraient des atouts précieux dans des situations à haut risque. L'un d'eux, aux portes de l'Europe, est l'île de Malte. Depuis que l'Angleterre lui a rendu sa souveraineté, il y a trois décennies, l'île est devenue un État souverain. Elle désire maintenant adhérer à la CE. Mais on fait la sourde oreille.

A-t-on oublié que Malte fut au centre de la politique mondiale à l'époque des guerres contre les Turcs et lors de la défense de l'Occident chrétien par l'Ordre qui portait son nom ? Qu'elle ne fut pas moins importante, stratégiquement, durant les guerres napoléoniennes et pendant la Seconde Guerre mondiale quand son bombardement par la flotte aérienne de l'Axe fut déterminante pour l'évolution des combats en Afrique du Nord ?

— *Mais Malte s'est taillé une mauvaise réputation : régime de gauche, flirtant avec Kadhafi...*

— C'était sous son Premier ministre de gauche, Dom Mintoff, qui abusait de sa neutralité en menaçant de céder à la flotte soviétique des droits de mouillage sinon de faire alliance avec Moscou. Après des luttes homériques, le Parti national d'Edouard Fenech Adami, d'orientation chrétienne-démocrate, a été élu à la plus forte majorité de l'histoire maltaise. Depuis, les relations de Malte avec l'Ouest se sont améliorées. Cette république qui passait pour être la plus fidèle alliée de Kadhafi quand le Parti socialiste la gouvernait, ne figure plus dans la clientèle du colonel. Elle maintient avec lui des relations polies, simplement parce qu'elle a, vis-à-vis de Tripoli, un solde commercial excédentaire.

— *Vous voulez dire que Malte répondrait aux critères de Maastricht ?*

— Oui, car sa situation économique s'est beaucoup améliorée. Le Parti national, que les fameux « experts » donnaient perdant aux dernières élections, procède à de sévères économies budgétaires que la population accepte parce qu'on les lui explique. Le bilan touristique est positif. Mais ce n'est pas essentiellement pour des raisons économiques que Malte veut devenir membre à part entière de la CEE, mais aussi pour des raisons de sécurité extérieure. Nos gouvernants sont-ils capables de comprendre l'importance de l'adhésion de Malte à l'Union européenne ? Peuvent-ils saisir les grands contextes de politique étrangère et militaire de notre époque ?

— *Pour ce qui est des téléspectateurs et à plus forte raison des lecteurs de journaux, leur conscience géopolitique a évolué.*

Confrontés tous les jours aux images ou articles relatifs à la crise yougoslave, ils commencent à connaître cette région. Quel citoyen moyen connaissait, il y a cinq ans seulement, les noms des républiques composant cette fédération ? Il en va de même pour Israël, pour le Proche-Orient en général et les téléspectateurs commencent à déchiffrer le contour des États baltes ainsi que les territoires du Caucase et de l'Orient russe.

— Les gouvernants feraient bien d'en tenir compte.

Chapitre X

L'Europe du terroir

Jean-Paul Picaper : L'empire des Habsbourg était un système supranational et fédéraliste, comme l'Europe future. Synthèse fondée sur la cohabitation de peuples disparates, il était donc aux antipodes du jacobinisme parisien. N'est-ce pas là un principe qu'il faudrait remettre à l'honneur dans l'Europe d'aujourd'hui ? J'admets qu'en France, où l'on cultive l'homogénéité nationale, cette idée paraîtra aberrante, voire choquante...

Otto de Habsbourg : Pas tout à fait quand même, car cet esprit fédéraliste existe aussi en France. En Franche-Comté, par exemple, où la défiance envers Paris est encore vive. Lors de ma première visite à Besançon, il y a une cinquantaine d'années, un des participants au congrès rotarien où je prenais la parole me raconta que son grand-père avait voulu être enterré la face vers le bas pour protester contre la France de Paris — en haut sur la carte — et par attachement à l'empire. Cette vision plurinationale n'est pas étrangère non plus à la Lorraine et surtout pas à la Bourgogne qui font partie aujourd'hui de votre pays.

— Mais entre temps, Franc-Comtois, Bourguignons et Lorrains ont fait un bout de route avec la France. Tout cela, c'est de l'histoire ancienne. Demandez à un Hongrois, un Autrichien, un Espagnol s'il se sent des affinités avec les gens de Besançon, il ne comprendra pas ce que vous voulez dire.

— Certes, à première vue, s'il a oublié ce qu'on apprend à l'école. Mais l'Autriche-Hongrie est moins extérieure à la France qu'on le croit. Autrichiens et Hongrois furent les successeurs des Bourguignons. Sur le tableau du Titien, quel

187

drapeau portait Charles Quint à la bataille de Mühlbach ? Le drapeau impérial qui n'était autre que le drapeau bourguignon. Cette Bourgogne, peuplée au Ve siècle par les Burgondes, d'où son nom, a eu une influence déterminante sur la formation de la pensée autrichienne. Mais en même temps, ce fut le creuset de l'Europe.

— *Ainsi c'est dans ce fameux « royaume d'Arles » qu'aurait germé la civilisation européenne ? Ce royaume qui réunissait au Xe siècle tout le pays allant de Bâle au delta du Rhône, avec la Bourgogne pour pilier ?*

— Oui, mais la Bourgogne n'en est pas restée là. Ce n'est pas sans raison qu'on parle de « l'élasticité bourguignonne ». Il a fallu quelques lustres seulement, après Charlemagne, pour qu'elle devienne l'épine dorsale de l'Europe.

Du traité de Verdun à la mort de Charles le Téméraire, en six siècles et demi, cette province s'est étendue à toute la grande fissure européenne, notre verticale Nord-Sud, axe majuscule de notre civilisation puisqu'elle est allée des Flandres au royaume d'Arles, avant de se fixer en une trinité unique : le duché de Bourgogne proprement dit, la Franche-Comté et les Pays-Bas.

Entre la mort du Téméraire, duc de Bourgogne, en 1477, dont la fille Marie sera la grand-mère de Charles Quint, et l'accession de ce dernier au trône impérial, en 1519, il ne s'est pas écoulé plus de cinquante ans, une larme dans l'océan de l'histoire, mais cinquante années décisives pour notre continent. En 1477 également, le fils de Frédéric III de Habsbourg, Maximilien, épousa donc la fille unique du Téméraire, Marie, dont le fils, Philippe le Beau, se maria avec Jeanne de Castille. Ainsi apparut la conjonction hispano-bourguignonne qui prenait le royaume de France dans un étau. Encerclée d'Hendaye et de Dijon à l'estuaire du Rhin, la France n'aura plus qu'une hâte : centraliser l'administration de l'hexagone assiégé.

— *Mais un empire aussi immense portait en lui des germes de dislocation ?*

— Les Habsbourg durent faire face au problème inverse en effet. L'étendue des territoires hérités de Charles Quint, puis, à sa mort, la bipartition des possessions européennes en une couronne impériale et une couronne espagnole, rendirent inéluctable la mise en œuvre d'un modèle d'administration décentralisateur. Or, la Bourgogne l'avait mis au point. Après avoir été appliqué de l'Espagne aux Flandres, ce système fut étendu aux régions danubiennes qui l'ont gardé jusqu'en 1918.

— *S'agissait-il d'us et coutumes diffus ou d'un système codifié ?*
— Les deux à la fois. Des usages codifiés en Franche-Comté. En Bourgogne, au niveau juridique et administratif, Besançon prit le pas sur Dijon. L'invention organisatrice y fut grande et la formation des juristes meilleure. Les historiens ne prêtent que trop peu d'attention au rôle capital de cette ville. La Franche-Comté a donné à l'empire une administration sans faille grâce à la compétence de ses fonctionnaires.

Elle a codifié en lois et règles l'héritage bourguignon. Voyez cette Bourgogne médiévale avec ses autonomies accordées à des identités régionales et féodales, ses attaches diverses tant en France que dans l'empire, et son style de vie raffiné. Sa chevalerie était urbaine, à l'inverse des chevaleries française et germanique, donc génératrice de civilisation. Son commerce reliait le bassin méditerranéen à la mer du Nord. Sur un espace minimum, elle rassemblait un maximum d'ethnies et de courants : Cluny, Vézelay, Gand et Bruges, et ce furent le compositeur Guillaume Dufay, l'humaniste Didier Erasme et le peintre Roger van der Weyden. Les ducs de Bourgogne ont donné la première définition moderne de l'État en créant un ordre de chevalerie unique en son genre : la Toison d'Or.

Non contente d'avoir associé la qualité et la profusion intellectuelle de notre continent, d'avoir été le haut lieu où s'effectua la première osmose européenne, cette province qui fit de bonnes et saines lois, s'employa à réveiller les impulsions fédératives. C'est pour cela qu'une place d'élection dans nos soucis politiques lui revient aujourd'hui.

— *A l'exception de la Catalogne, les régions françaises limi-*

trophes, Alsace-Lorraine, Bourgogne et Savoie, Bigorre, Béarn et Pays Basque, de même que la Bretagne, ont voté européen au référendum du 21 septembre 1992. L'Europe leur donnera une chance que la France ne leur a pas concédée. Depuis leur rattachement à la France, au Moyen Âge, le Languedoc et l'Aquitaine étaient traités en provinces excentriques. L'ouverture de grandes voies de communication transpyrénéennes, au Puymorens et au Somport, ramène le midi de la France, dans le contexte continental.

— La Bretagne entre presque dans la catégorie des « frontaliers ». Un professeur breton me disait récemment son regret que sa région n'ait pas réussi le mariage avec les Habsbourg. « Et ceci à cause de la France qui a empêché la Bretagne d'entrer dans la grande Europe », m'a-t-il affirmé. Dans votre pays l'Histoire est omniprésente, beaucoup plus qu'ailleurs. D'où cette carte du vote.

— *Et la Savoie ? Dans cet ancien duché qui englobait jadis des régions appartenant aujourd'hui à l'Italie et à la Suisse, l'unité linguistique transcende de nos jours encore les frontières.*

— La Savoie est une région « ouverte ». Le plus grand général de notre empire en était originaire. Déçu par Louis XIV, Eugène de Savoie-Carignan entra au service des Habsbourg, apportant à Vienne la tradition savoyarde qu'il rehaussa non seulement par ses succès militaires, mais aussi par son sens artistique et sa vision politique. Les régions frontalières engendrent souvent des hommes et des femmes exceptionnels parce que marqués par plusieurs cultures et généralement polyglottes.

— *Pensez-vous que l'Europe puisse favoriser la reconstitution tout au moins culturelle et commerciale de la région Béarn-Navarre-Aragon comme au temps d'Henri IV ? Et que la quasi-suppression des frontières, dans la vie quotidienne, serait une solution praticable pour le Pays Basque ? Vous connaissez certainement le slogan des séparatistes basques « Deux plus trois », trois provinces espagnoles et deux provinces françaises.*

— L'Union européenne permettrait de cicatriser ces vieilles blessures et d'éviter des divisions absurdes, surtout sur le plan économique. L'Europe de l'Est et du Sud-Est est en train de faire, à ses dépens, l'expérience de cette désagrégation. L'intégration européenne va contrebalancer ces forces centrifuges, nonobstant certaines tensions dues à des éléments extrémistes, notamment au Pays Basque ou en Corse. Mais je pense que ce phénomène est passager.

— *Charlemagne, l'empereur d'Aix-la-Chapelle, ne fut-il pas le type même de l'Européen avant la lettre ?*
— Avant la lettre et l'écrit. A l'heure du nationalisme triomphant, historiens allemands et français se livrèrent en effet à des polémiques acharnées sur le fait de savoir s'il était allemand ou français. Une bataille qui paraît bien ridicule aujourd'hui, la réconciliation de ces deux peuples ayant permis de nettoyer l'histoire de ses scories idéologiques.

Les Mérovingiens avaient fondu des éléments judéo-chrétiens, gallo-romains et franco-germains dans un même ensemble qui paraissait devoir donner naissance à une Europe aux contours nouveaux, succédant à l'empire romain dévasté par les Grandes invasions.

Sous les Mérovingiens en pleine dégénérescence, les maires du palais carolingiens, et ensuite Pépin le Bref, père de Charlemagne et premier roi carolingien, œuvrèrent dans trois directions, inspiratrices des siècles suivants : en convoitant l'Italie et Rome, en luttant contre l'islam qui agressait leur royaume depuis l'Espagne arabisée et en cherchant à étendre leur pouvoir vers l'Est par le biais de l'unification de toutes les tribus germaniques.

Quand Charlemagne accéda au pouvoir, il poursuivit ces actions. Il fit la guerre et tissa des liens économiques avec les peuples slaves. Les pressions des envahisseurs païens de l'Est, tels les Avars, sur les Slaves d'Europe centrale expliquent cette double stratégie. D'où aussi cette orientation vers l'Europe occidentale qu'ils ont conservée jusqu'à nos jours.

Du côté italien, Charlemagne s'octroya la couronne de fer

de Lombardie et prit dès lors le titre de « roi des Lombards et des Francs », témoignant ainsi d'un esprit fédéraliste avant la lettre.

Enfin, avec l'établissement de la Marche d'Espagne et la conquête de Barcelone, une enclave du royaume chrétien des Francs fut créé au sud des Pyrénées, redonnant l'espoir à la péninsule ibérique de se libérer un jour de l'islam. C'est sur ce souvenir que repose la vénération dont jouit Charlemagne, de nos jours encore, en Espagne, au Portugal et avant tout en Catalogne et en Andorre.

Ces royaumes transpyrénéens sont antérieurs à la « reconquista » de Ferdinand d'Aragon et d'Isabelle de Castille. Des fondations aussi profondes ne peuvent être éradiquées. Elles forment le substrat de l'Europe. L'hymne andorran est un des meilleurs témoignages de cette filiation carolingienne. Avant l'entrée de l'Espagne dans la Communauté européenne, le gouvernement catalan, sous la présidence de Jordi Pujol, est venu faire un tour d'Europe qui ne commença ni à Bruxelles, ni à Luxembourg, ni à Strasbourg. C'est à Aix-la-Chapelle qu'il se rendit d'abord pour rendre compte du retour à l'Europe de ses Catalans. Lors de la visite des Catalans à la séance plénière du Parlement européen, j'ai rappelé cette tradition. Plusieurs députés socialistes se mirent à rire et à plaisanter. Manifestement, ils ne savaient pas qui était Charlemagne.

— *On assiste à des résurgences régionalistes et des sursauts fédéralistes dans diverses régions excentriques de la France aussi. Ne faut-il pas leur fournir des exutoires culturels et économiques ? Certains commencent à comprendre que l'Europe des régions peut apporter un correctif bénéfique à notre pays hydrocéphale, avec sa capitale surdéveloppée. L'effort décentralisateur du général de Gaulle avait tourné court et le non au referendum sur la décentralisation, en 1969, avait mis fin à son ère. La loi Mitterrand de 1991 recréant les régions est venue bien tard.*

— Le père Pinay avait déjà ces idées-là. Dès les années cinquante, il était pour l'abolition des départements et le retour à la notion de province.

J'observe le renouveau régional en France et en Espagne avec grand intérêt. Dans la péninsule ibérique, c'est un roi des Bourbons qui revient à la tradition des Habsbourg ! Nous vivons aujourd'hui la revanche sur la guerre de succession d'Espagne.

J'étais, vers 1970, avec le poète espagnol Jimenez Caballero dans un petit avion de tourisme. Nous volions à basse altitude entre Saint-Jacques de Compostelle et Madrid. « Je vais vous montrer la réalité de l'Espagne, m'a-t-il dit. Nous survolons d'abord La Granja, le territoire des Bourbons, édifice magnifique mais qui n'est pas à sa place en Espagne. Derrière les montagnes de La Granja c'est l'Escurial, l'Espagne des Habsbourg qui s'intègre parfaitement dans le paysage ».

— *En France, hormis les régions limitrophes, tout est axé sur Paris. Mais, d'après plusieurs sondages, l'axe Paris-Lyon-Méditerranée commencerait à concurrencer la capitale, plus quelques amateurs de l'Auvergne, de la Bretagne et du Midi-Pyrénées. Heureusement, le gouvernement Balladur, en 1993, a opté fermement pour la décentralisation.*

— Ce retour au pays profond ne m'étonne pas car le centralisme français ne correspond pas à un caractère « génétique » de vos compatriotes. Il leur a été imposé par les armes à plusieurs reprises avant de l'être par des décrets administratifs. La croisade des Albigeois au XIIIe siècle se déroula dans un contexte religieux autant que politique, mais permit de rattacher à la couronne de France les régions méridionales conquises par Simon de Montfort par le feu et le sang. Ou encore la Franche-Comté qui fut rattachée dès 1169 à l'empire...

— *... et qui redevint trois siècles plus tard possession des Habsbourg d'Espagne...*

— Oui, intégrée dans la « Marche de Bourgogne » en 1548, elle jouait un rôle capital dans « le transit » entre l'Espagne et les Pays-Bas. Envahie par Henri IV et par Louis XIII, puis à nouveau par Louis XIV, elle fut acquise définitivement à la France en 1678 au prix d'une guerre impitoyable.

— *L'idée impériale habsbourgeoise passait en France depuis la Révolution française pour l'incarnation de la « tyrannie ». Était-ce un malentendu ?*
— Le régime habsbourgeois n'a jamais été tyrannique. Il a été fort libéral, après avoir connu d'autres approches dans la période antérieure quand le libéralisme n'existait pas encore.

— *A Berlin, on dit souvent que diverses réformes de Frédéric le Grand : abolition de la torture, tolérance et respect des minorités, indépendance de la justice, scolarité obligatoire, administration moderne, etc., ont fait à la Prusse l'économie d'une révolution. Mais n'en fut-il pas de même chez les Habsbourg avec Joseph II, « despote éclairé » lui aussi ? Il y avait là une volonté de progrès. A moins que François II qui lui succéda en 1792, n'ait enrayé la pénétration de ces idées modernes ?*
— Joseph II a réalisé en Autriche-Hongrie nombre de réformes de Frédéric II de Prusse. Mais il a eu le tort de vouloir dépasser son siècle et de faire le deuxième pas avant le premier. Un empereur assez peu connu, Léopold, qui était le frère de Joseph II et ne gouverna que deux ans, a beaucoup œuvré à la stabilisation des réformes de Joseph II. C'est ainsi qu'elles ont pu durer alors qu'une réaction très forte se manifestait contre elles.

— *Les trois principes de base de la Révolution française, souveraineté du peuple, laïcité de l'État et indépendance de l'État-nation étaient en contradiction avec les principes d'organisation de l'empire des Habsbourg. Approuvez-vous l'historien français Jean Bérenger quand il écrit : « Conscients du danger mortel que représentait cette évolution idéologique, les Habsbourg ont, jusqu'à la fin, hésité entre l'immobilisme, la réaction brutale (comme pendant la période de néo-absolutisme 1849-1860) et un réformisme prudent, adapté aux nécessités de l'Europe danubienne ».*
— Je ne suis pas d'accord avec Bérenger. Les Habsbourg

n'avaient pas si peur que cela du changement. On les analyse trop dans la perspective de certaines périodes caractérisées par leur immobilisme. Bornons-nous à leur politique des nationalités. Il y a aujourd'hui encore des États européens qui se défendent contre les principes que les Habsbourgs avaient admis en 1905 dans le compromis morave. Curieusement, ce sont les idéologues jacobins qui se défendent aujourd'hui le plus contre tout progrès.

— La France n'a jamais oublié la menace émanant de l'empire autrichien, d'où sa politique autrichienne en porte-à-faux au fil du temps, avec des séquelles encore visibles aujourd'hui. Le mirage de l'alliance franco-russe, de l'amitié franco-soviétique en a été la conséquence, sous-tendu par l'idée qu'il fallait prendre en sandwich les puissances du milieu, Allemagne et Autriche. Cette idée se perpétue aujourd'hui. Ne vaut-il pas mieux, pourtant, être en bons termes avec ses voisins immédiats au lieu de prendre pour devise : loin des yeux, près du cœur... ?

On dit qu'il faut retenir les leçons de l'histoire. Mais n'aurions-nous pas dû oublier celle-là ? Cela nous aurait peut-être évité les massacres de 1914-18...

— La pression extérieure des Habsbourg en Italie du Nord, en Allemagne et en Espagne avait donné à la France le sentiment d'être un pays cerné par une puissance politique omniprésente. Le centralisme français ne date donc pas des Jacobins. Il apparut sous le règne des Bourbons et la Révolution ne fit que le renforcer. Par son organisation politique, la France présentait alors tous les caractères d'une forteresse assiégée cherchant à exploiter les avantages d'une ligne intérieure de défense. C'est cet esprit obsidional qui a créé le centralisme français.

Il faut toujours compléter les leçons de l'histoire par les données de la géostratégie et de l'actualité. Le fait qu'avant 1914 et avant 1870 déjà on se soit encore référé à une tradition qui ne correspondait plus aux réalités de l'heure, a certainement fortement contribué au déclenchement des guerres. Mais l'histoire ne peut être réécrite. Quand on voit la façon dont a éclaté la guerre de 1914, on a parfois l'impression d'assister à une tragédie grecque où la fatalité jouait un rôle capital. Certains enchaînements ont surpassé les forces des gouvernements.

— *Quels grands Français ont compris qu'il fallait dépasser l'antagonisme avec l'Autriche ?*

— Ce sont surtout les intellectuels français comme Jacques Bainville qui comprenaient la nécessité d'une alliance franco-autrichienne ou plutôt d'un renversement d'alliances qui a eu lieu d'ailleurs momentanément. Mais ils n'ont guère été suivis par les politiques qui vivaient, eux, encore trop dans le passé.

— *Pensez-vous que l'histoire va se répéter et que l'Europe sera une réédition moderne de la Bourgogne médiévale ?*

— Avec des adaptations, bien sûr, mais la graine semée là peut encore germer. Qu'est-ce que l'Europe de notre fin du XXe siècle, sinon la Bourgogne du Moyen Âge finissant ? Celle, qui sut concilier l'apport méditerranéen et le flamand, réaliser leur symbiose et l'appliquer à nombre d'ethnies différentes sans que jamais l'une prît le pas sur les autres. L'Europe de notre temps, à distance culturelle égale de la Russie et des États-Unis, ne trouvera le chemin de son unification que dans l'exercice rigoureux de deux principes : celui de la décentralisation, somptueux cadeau que fit la Bourgogne à l'Autriche et à la lignée des Habsbourg ; et celui de l'autonomie locale qui permit à l'empire de durer jusqu'aux premières années du XXe siècle ?

Ce qui fut, jadis, à l'échelle régionale doit passer maintenant à l'échelle continentale. Les transports modernes ont raccourci les distances. Mais il s'agit de la même chose sous d'autres noms. Connaissant l'impossibilité d'imposer au continent le gouvernement d'une seule nation, l'Europe future devra être gérée dans le cadre d'un système d'harmonisation des intérêts qui ne sera autre que le legs administratif de la Franche-Comté.

— *Il y a peut-être une filiation invisible des procédures. Mais dans les réalités quotidiennes, les peuples ont oublié. Le rouleau compresseur du centralisme français est passé par là et les antagonismes nationaux ont effacé les vieilles cultures.*

— Je ne crois pas. En 1928, j'ai passé deux semaines à Pierrelatte sur le Rhône avec mon oncle Sixte de Bourbon. Nous faisions des excursions dans la région. Un jour, nous montâmes de Valence sur les contreforts du Massif Central. Nous admirions cette vue splendide lorsqu'un vieux paysan s'arrêta près de nous. Nous engageâmes la conversation avec lui et il nous dit, en pointant son doigt vers Arles : « Le temps va changer, il pleut déjà sur l'empire. »

J'ai vécu une expérience similaire en Espagne. Nous descendions, quelques amis et moi, vers une source derrière Callosa de Ensaria quand un vieux paysan ôta son chapeau en nous croisant. Le maire de la commune qui était avec nous lui demanda : « Mais pourquoi salues-tu avec ton chapeau ? » — « Parce que c'est le descendant de nos empereurs qui passe », répondit-il. Comment imaginer que dans le fin fond de ce pays les traditions se soient maintenues à ce point ?

C'est la raison pour laquelle j'aime tellement reprendre contact avec le pays profond. En Bavière, par exemple, dans ma circonscription, au moins un tiers de mes réunions se fait dans les petits villages.

— *Vous croyez donc aux résurgences historiques ?*

— Je pense, oui, que les choses oubliées peuvent remonter à la surface.

— *Seulement, dans l'Europe actuelle, nous assistons à une poussée de résurgences dangereuses, des résurgences nationalistes.*

— Hélas !

— *Qu'il ne faut pas confondre avec les résurgences traditionnelles qui sont, elles, les bienvenues ?*

— Certes, mais il ne faut pas rester polarisé sur la renaissance du nationalisme en Europe de l'Est et du Sud-Est. Parce qu'il va être pris entre deux feux : l'Europe supranationale et l'Europe régionale.

L'idée régionaliste est en train de renaître. Ce n'est pas une idée anti-française. Elle s'intégrera au contraire très bien à la France, tout en recélant quelques graines d'indépendance.

— *Le chef actuel de la Maison des Habsbourg, conseillerait-il à la France, à présent, de se décrisper ?*

— Oui. La survie de la nation française ne sera menacée ni par le régionalisme ni par une confédération des nations européennes. Mais ces angoisses sont ancrées très profondément en France et sont reportées maintenant sur l'Europe. Il faut à présent cheminer à petits pas, en encourageant les régions sans en avoir peur.

Ce mouvement s'amorce d'ailleurs dans votre pays. Seuls quelques Jacobins irréductibles ne reconnaissent pas la supériorité du fédéralisme. La vie locale des provinces est devenue plus intense. Grâce à la régionalisation, il n'est plus interdit de parler les langues locales dans les écoles. Naturellement, un tel changement demandera du temps, mais la coopération au sein de la Communauté européenne peut aider les peuples à sortir des schémas rigides forgés par leur tradition.

Dans mon groupe parlementaire, le Parti populaire européen, je constate que bon nombre d'Espagnols tremblent à l'idée de devoir reconnaître les régions et les nationalités locales. Tout en étant chrétiens et conservateurs, ils se sont battus avec acharnement contre la reconnaissance de la Croatie et de la Slovénie, disant que ce geste engendrerait la désintégration générale.

Ils défendent toujours ce centralisme dans la tradition de Franco, un centralisateur d'origine israélite galicienne...

— *Menace extérieure et centralisme intérieur vont donc de pair ?*

— La menace extérieure fut un facteur de centralisme, qui plus est, dans la situation géopolitique de la France de l'époque. Mais il existe d'autres facteurs de centralisation. Je crois que le fédéralisme est une victoire de la civilisation sur le caractère profond de l'homme, comme la liberté l'est d'ailleurs aussi. L'homme est de par sa nature centralisateur. Ce n'est que grâce au raisonnement qu'il devient fédéraliste. C'est compréhensible puisque chacun est dans son for intérieur convaincu de sa supériorité et de son intelligence. Quand il est dans une position de pouvoir, l'homme a donc tendance à tirer la couverture à lui, persuadé qu'il est que sa décision sera la meilleure. Déléguer des pouvoirs est l'une des choses les plus difficiles.

Chapitre XI

Mosaïque des langues et des cultures

Jean-Paul Picaper : L'empire des Habsbourg avait une vaste capacité d'intégration des peuples. Et le terme « empire » semble être synonyme, dans votre esprit, de « fédération » ou de « confédération ». Système plurinational, bien entendu, impliquant le respect des sensibilités étrangères et des franchises locales. En schématisant, le système décentralisé Habsbourg s'opposait au système centralisé des Valois et des Bourbons. Après la Révolution française, le contraste s'est renforcé, la menace change de camp. Le conservatisme tolérant de la monarchie austro-hongroise s'oppose à l'impérialisme rationaliste et progressiste des Jacobins.

Otto de Habsbourg : C'était inévitable, car l'esprit des Habsbourg n'était pas cartésien. Il faisait la part des sentiments des peuples. Votre compatriote, l'historien Henry Bogdan, a écrit, à propos du XIXe siècle, que « toute personne de bonne foi doit admettre que, dans un siècle où les antagonismes nationaux étaient puissants, la monarchie austro-hongroise était parvenue à faire coexister des nationalités différentes, parce que son organisation était assez souple pour permettre à toutes d'avoir leur place au soleil ».

— Le type de coexistence instauré à l'intérieur de l'empire des Habsbourg est la preuve même que la Communauté européenne élargie est réaliste et viable et qu'elle permettra de dépasser le fatal découpage qui est source de tensions dans la Mitteleuropa et les Balkans depuis la chute de l'empire en 1918.

Dans un ouvrage paru avant la fin de la guerre froide, un autre historien français, Jean Bérenger, s'est interrogé, lui, sur l'erreur commise par la France victorieuse de la Première Guerre mondiale : « Était-il bien utile de détruire l'Autriche-Hongrie ? Ses peuples étaient incontestablement plus libres avant 1914 que dans les systèmes mis en place depuis 1938 [1] ».

— C'est exactement ce qu'a écrit Winston Churchill dans ses *Mémoires*.

— *Ce qui est resté de la doctrine des Habsbourg ne prédisposerait-ils pas les Autrichiens plus que les Français à l'Europe unifiée de notre temps ?*

— En tout cas à l'Europe culturelle de demain. Les Habsbourg, qui n'étaient pas les assiégés, se trouvaient en dehors du cercle. Par conséquent, leurs préoccupations dominantes étaient culturelles. A Tchernovtsy en Ukraine, on trouve des édifices autrichiens. La première fois que je suis allé en Pologne, j'ai reconnu entre Varsovie et Cracovie, l'ancien tracé de la frontière entre les territoires jadis autrichiens et ceux de la Russie ou de la Prusse.

— *Dans toutes ces régions, les Habsbourg avaient formé des élites locales. A Vienne, un économiste autrichien d'origine tchèque, Jan Stankowsky, me disait, en 1991, que, de la Croatie au sud de la Pologne, on rencontrait des gens capables de comprendre la comptabilité, peut-être parce que leur grand-père ou arrière-grand-père avaient appris à lire et à compter dans l'armée autrichienne. A l'est de cette ligne, selon lui, les gens mettraient trois, voire quatre générations à assimiler la pensée économique, à supposer qu'ils l'acquièrent jamais.*

— L'école économique de Vienne n'est pas le fruit du hasard. Mais quand on parle d'économie, il faut penser à l'élément israélite. J'appartiens depuis 1948-1949 à la Société du Mont Pèlerin, la plus vaste association internationale d'économistes

---

1. Jean BÉRENGER, *Histoire de l'Empire des Habsbourg. 1273-1918*, Éd. Fayard, p. 738. ‘

regroupant de nombreux Israélites. Elle a eu comme présidents Wilhelm Röpke et Friedrich von Hayek. Ludwig Erhard en est sorti. J'étais membre de cette société quand ce père du miracle économique allemand et futur chancelier n'était encore qu'un tout petit politicien.

— *Vous voulez dire que l'esprit autrichien, plus précisément l'esprit viennois, s'est affirmé en permettant à une minorité, en l'occurrence les Juifs, de participer à une grande œuvre collective ?*

L'empire aurait donc été un facteur de civilisation plus qu'un creuset des peuples, qu'un « melting pot » à la manière américaine, puisque chaque ethnie pouvait y conserver son identité. Mais était-ce réaliste à la longue ? L'empire ne s'est-il pas désagrégé quand même ? Ce qui pourrait bien arriver à l'Europe...

— Certes, l'empire s'est effondré, mais après des siècles d'existence. Et il a fallu plus de quatre années de guerre pour le faire sombrer. Jusqu'au dernier moment, ses peuples se sont battus pour lui.

En revanche, les États dits nationaux qui lui ont succédé, n'ont pas résisté longtemps à l'adversité. La Tchécoslovaquie a capitulé sans tirer un seul coup de fusil. La Roumanie s'est rattachée très vite au Reich hitlérien. Quant à la Yougoslavie, sa guerre contre l'Allemagne de Hitler a duré exactement quatre jours, tous ces peuples refusant de lutter pour un État qu'ils n'aimaient pas.

La résistance de l'Autriche-Hongrie durant la Première Guerre mondiale a prouvé la supériorité d'un régime libéral et décentralisé. Nous devons y penser pour l'Europe. Bien sûr, nul ne peut prévoir l'avenir. Mais nous devons d'ores et déjà, ensemble, préparer le ciment de l'unité pour donner à l'Europe des fondations plus solides que celles résultant d'une loi imposée.

— *A la base, l'empire n'était-il pas une juxtaposition de cultures nationales hétérogènes ?*

— Les députés du dernier Reichstag de l'empire des Habsbourg, élus au suffrage universel, avaient des origines très diverses mais scellées par le ciment culturel de l'empire. Que ce soit dans l'architecture ou dans la littérature, on retrouve la même synthèse. L'écrivain Josef Roth venait de Galice orientale. D'autres de Bohème. D'autres encore, tels Franz Kafka, Rainer Maria Rilke et Franz Werfel, de Prague.

— *Pourtant, Vienne n'est-elle pas restée jusqu'à nos jours la seule « société multiculturelle » qui ait réussi en Europe ?*

— Je citerai aussi Prague, Cracovie en Pologne, et même Tchernovtsy en Ukraine. Bien que le pouvoir soviétique ait beaucoup nivelé cette ville, il reste encore des apports venus des quatre coins de l'empire qui ne demandent qu'à renaître.

— *Tchernovtsy qui fut jadis la capitale de la Bucovine, le « Buchenland » en allemand, sous le nom de Czernowitz ?*

— Oui, cette lointaine province de l'empire austro-hongrois avait été rattachée à la Roumanie après la Première Guerre mondiale, puis cédée à l'Union soviétique après la Deuxième Guerre. Mais la langue allemande dominait dans cet îlot d'Europe cosmopolite et provinciale où s'entremêlaient les influences germaniques, slaves, latines et juives. En 1875, lors du centième anniversaire de la réunion de la Bucovine à l'Autriche-Hongrie, on avait fondé à Tchernovtsy l'université François-Joseph. La langue des cours était l'allemand, les professeurs venaient de Pologne, de Serbie, de Hongrie, de Roumanie, d'Allemagne et d'Autriche. En 1913, la moitié des mille étudiants avaient l'allemand pour langue maternelle, presque tous étaient juifs. L'allemand cessa d'être parlé en 1944 quand les nazis, aidés par le Roumain Antonescu, exterminèrent les juifs. Le ghetto de Tchernovtsy avait été érigé dès 1941. C'est dans ce milieu que sont éclos de grands talents littéraires juifs de langue allemande : Alfred Margul-Sperber, Immanuel Weissglas, Rose Ausländer, Alfred Kittner, Georg Drosdowski, David Goldfeld, Alfred Gong, Moses Rosenkranz, le poète yiddish Itzig Manger ; et surtout, les deux plus célèbres,

Paul Celan et le grand écrivain autrichien, Gregor von Rezzori, y sont nés [1].

— *Von Rezzori semble plus connu en Allemagne et entre temps en France, qu'en Autriche. On sent chez lui l'amertume, faite d'ironie, laissée par tous ces bouleversements. Mais par-dessus tout flotte le regret de ce havre de paix entre les cultures qu'était la Bucovine. Il y a un poème de Rose Ausländer qui cerne bien ce qu'a dû être cet univers exceptionnel, plein de mythes hassidiques et de richesse baroque : « Grüne Mutter/ Bukowina/ Schmetterlinge im Haar/.../ Der Karpatenrücken väterlich/ lädt Dich ein/ dich zu tragen/ Vier Sprachen/ Viersprachenlieder/ Menschen/ die sich verstehen » : « Mère verte/ Bucovine/ des papillons dans tes cheveux/.../ Le dos des Carpathes t'invite paternellement/ pour te porter/ Quatre langues/ Des chants en quatre langues/ Des gens/ qui se comprennent ».*

Démarche similaire chez l'écrivain français George Walter, né à Budapest, qui transcende, lui, son regret du passé en nostalgie du Graal, en une quête de la Babel perdue [2]. André Brincourt a écrit dans Le Figaro *que ce roman « nous offre le plus troublant et le plus émouvant tableau de cette réalité socio-politique, l'empire des Habsbourg, dont la carte d'identité et de géographie a été jusqu'alors falsifiée ; cette "Mitteleuropa" dont "les ombres passent aux aveux" dans "un siècle fumant comme un théâtre incendié" ».*

Ces provinces et principautés de l'empire, devenues aujourd'hui des régions d'Europe, sont les « ruines de Babel », les restes épars d'un rêve passé, celui d'un empire multilingual et pluriculturel. Quel était leur dénominateur commun ?

— L'idée impériale et le christianisme. L'empereur n'appartenait à aucune de ces nations. La dynastie venait à l'origine de

---

1. Le roman *L'Hermine souillée* de Gregor von REZZORI, éd. Gallimard, est consacré au Czernowitz de son enfance. Autre roman de cet auteur traitant de la vie au temps jadis sous la Double monarchie : *Neiges d'antan*, paru en traduction aux éd. Salvy.
2. Le roman de Georges WALTER *Les Pleurs de Babel*, éd. Phébus, Paris, 1993, commémore parallèlement l'effondrement de la dynastie austro-hongroise et la désagrégation d'une famille hongroise.

l'Alsace et de la Suisse, ce qui permettait cette multiplicité dans l'administration. Par exemple, les Polonais ont toujours occupé le ministère des Finances de l'Autriche-Hongrie. Ils avaient le génie des finances. Lors des négociations entre la Communauté et la Pologne, les papiers financiers des Polonais étaient infiniment supérieurs à leurs papiers économiques. L'administration était rattachée à la personne du souverain et restait donc au-dessus de la mêlée des nationalités et tous étaient égaux devant elle. D'ailleurs, à l'époque de François-Joseph, beaucoup de hauts fonctionnaires venaient de pays extérieurs à l'Autriche-Hongrie. Je ne connais guère que les pays arabes pour faire de même. C'est une pratique très sage, car elle élargit le réservoir des talents.

— *Sans recopier scolairement les méthodes de cet empire défunt, il faudrait donc que l'administration européenne, pour être efficace et légitime, recrute ses collaborateurs selon des critères supranationaux, comme elle le fait déjà d'ailleurs. Mais les nationalités ne risquent-elles pas de se révolter contre un gouvernement à facettes ?*

— Je pourrais citer ici, à propos du système de gouvernement de l'Autriche-Hongrie qui consistait à réunir différentes nationalités, la remarque d'un historien qui disait qu'on protestait contre le régime de l'empereur François-Joseph, non pas parce qu'il opprimait des nationalités, mais parce qu'il empêchait les nationalités de s'opprimer réciproquement. S'y ajoute le sage propos de l'empereur François qui disait, au début du XIXᵉ siècle : « J'ai bien gouverné quand tous mes peuples sont également et modérément insatisfaits. » Le maréchal Tito s'est penché sur cette question dans les dernières années de sa vie. Il déplorait que cet élément essentiel de l'ancienne Autriche-Hongrie ait disparu, et se lamentait même de n'avoir pas de dynastie au-dessus des nationalités comme solution acceptable pour tous.

— *Croyez-vous vraiment à la société pluriculturelle ? Nous assistons à l'échec du modèle d'intégration américain. En France, en*

Grande-Bretagne et en Hollande notamment, des antagonismes éclatent entre communautés religieuses, culturelles ou ethniques. Et en Allemagne, des extrémistes de droite exercent des violences contre des groupes d'étrangers. Pour ne pas parler de la Yougoslavie où pourtant Croates, Bosniaques et Serbes possédaient une langue commune. Certains disent même que le multiculturalisme engendre automatiquement le racisme.

— Je suis convaincu qu'il est possible de vivre en paix ensemble. Pourquoi, par exemple, trois nationalités vivaient-elles en bonne intelligence en Bosnie-Herzégovine quand cette région faisait partie de l'Autriche-Hongrie ? Et pourquoi s'entredéchirent-elles aujourd'hui ? C'est le nationalisme serbe qui, en imposant sa domination à la Yougoslavie, a engendré cette hostilité contre nature.

— *La Bosnie-Herzégovine avait été assujettie à la Double monarchie à la fin du XIXᵉ siècle. Croyez-vous que la république de Bosnie-Herzégovine aura cessé d'exister avec la guerre de 1991-1993 ?*

— Il suffisait de regarder la carte pour savoir que le plan Vance-Owen était mort-né. Il n'y a guère qu'Israël comme exemple de vainqueur s'étant plié à la contrainte d'une restitution de territoires.

— *Il y a aussi le Vietnam du Nord qui a quitté le Cambodge. Acculés à la faillite, les Russes ont quitté l'Europe centrale et l'ex-RDA. La France avait quitté l'Algérie, mais on attend que la Chine quitte le Tibet.*

En Bosnie, les communautés se haïssent trop pour pouvoir coexister. A moins de poster des casques bleus à tous les coins de rues. Combien de génération faut-il pour surmonter la haine ? Qui sera le partenaire susceptible de stabiliser la région ? Les musulmans, animés d'une volonté de revanche insatiable ? Les Serbes qui ont été les seuls Européens depuis 1945 à agrandir leur territoire par les armes et seront tentés de continuer ? Ou les Croates qui ont compris qu'on leur demandait de se laisser spolier sans réagir ?

— La seule façon d'instaurer la concorde dans un pays où les nations sont mêlées, est de remonter au compromis morave de 1905. Tant qu'on n'aura pas trouvé un arrangement de ce type, l'hostilité subsistera.

— *En quoi consistait cette recette miraculeuse ?*
— C'était une charte de la compréhension entre Tchèques et Allemands. Après des troubles dans la ville de Brno, Brün pour les Allemands, les représentants des Allemands et des Tchèques de Moravie se réunirent sous la présidence d'un député juif et conclurent — avec une grande sagesse — un compromis des nationalités. Ce texte disposait que les Allemands renonçaient à la supériorité que leur conférait l'ancien droit électoral mais qu'à titre de compensation, aucune modification législative en matière scolaire et culturelle ne pourrait être adopté qui n'eût été auparavant adoptée par la majorité de chacune des deux nationalités.

Cet accord eut pour effet heureux la disparition de facto des tensions. Il fut jugé tellement positif que la Galice et la Bucovine en signèrent un du même type. Le compromis morave allait être conclu pour toute la Bohême quand la guerre éclata. Si l'on avait eu plus de temps, il aurait été étendu à l'ensemble de la partie autrichienne de l'empire.

— *Les Serbes qui ont conquis la quasi-totalité du territoire, mais pas tout, veulent avoir au minimum un corridor sûr entre les deux parties de la Bosnie qu'ils peuplent. Ne croyez-vous pas que cette république serbe de Bosnie autoproclamée demandera un jour son rattachement à la Serbie proprement dite, provoquant ainsi l'éclatement de la Bosnie-Herzégovine ?*
— Le rêve des Serbes restera de rattacher la Bosnie à la Serbie. Ils demanderont alors une partie de la Croatie, l'objectif étant ce qu'ils appellent la Grande Serbie, avec l'intention d'imposer un régime serbe à toutes les régions du Sud-Est européen.

— *Alors que l'Europe nous est présentée comme une grande entité, seule capable de se mesurer économiquement et politique-*

ment aux grandes puissances, États-Unis et Japon, et d'affronter les problèmes planétaires, des forces centrifuges se manifestent dans les ensembles nationaux qui la composent. Comment expliquer ce double mouvement ?

— Ces tendances centrifuges vont de soi, car l'œuvre de rassemblement ne fait que commencer. Mais contrairement aux tentatives d'intégration antérieures, on essaie de la réaliser par des moyens démocratiques. Cela durera longtemps, car il faut convaincre au lieu de forcer.

— Dans les toutes premières semaines de la guerre en Yougoslavie, aux frontières de la Slovénie et de la Croatie, plusieurs pays de la CE ont hésité à condamner les Serbes. Ils redoutaient eux-mêmes des tendances sécessionnistes sur leurs territoires et « comprenaient » donc le « fédérateur » yougoslave. C'était le cas notamment de la Grande-Bretagne avec l'Irlande, de la France avec la Corse, de l'Espagne avec la Catalogne ou le Pays Basque. Est-ce exact ?

— Dans les pays d'Europe occidentale, on n'a malheureusement pas compris ce qui se passait dans l'ex-Yougoslavie. On n'a pas réalisé qu'il s'agissait d'une chose totalement différente de ce qui pourrait arriver notamment en Espagne. Je me suis, du reste, beaucoup employé à convaincre mes amis espagnols à ne pas faire de parallèle entre l'évolution de l'ex-Yougoslavie et les réalités de Catalogne ou du Pays Basque. Ce sont des problèmes de nature différente qu'on a eu le grand tort de confondre.

— L'Allemagne avait reconnu la Slovénie et la Croatie dès décembre 1991. L'Autriche a hésité un peu plus longtemps. Pourquoi ?

— Parce qu'elle était concernée plus directement et en raison de sa faiblesse. La coalition qui gouvernait à Vienne connaissait des difficultés. Si l'Allemagne a reconnu assez rapidement la Slovénie et la Croatie, contre la volonté d'ailleurs de Hans-Dietrich Genscher qui ne voulait pas franchir ce pas, c'est que le gouvernement de Bonn était soumis à un pression presque

irrésistible de l'opinion publique. A cet égard, la presse allemande a rendu un très grand service, en particulier la *Frank-
furter Allgemeine Zeitung* et Carl Gustav Ströhm, ce grand
journaliste allemand qui travaille pour *Die Welt*.

— *Depuis que la Croatie veut guerroyer contre les Serbes et les
musulmans bosniaques, Bonn se repent d'avoir soutenu cet État.
Le ministre allemand des Affaires étrangères, Klaus Kinkel, et le
chancelier Kohl ont-ils eu raison de se fâcher avec le président
croate Tudjman ?*

— Je trouve leur attitude déraisonnable. D'ailleurs, M. Kinkel
s'y connaît très peu en politique étrangère et il est arrivé à son
poste, manifestement, avec des préjugés anti-croates. Que les
Croates aient essayé de reprendre certains territoires qui leur
appartenaient, était un acte parfaitement justifié. Du côté de
l'ONU comme du côté de la Communauté européenne, on
avait promis de rétablir la Croatie dans les limites qui étaient
les siennes avant le conflit, à condition que la guerre s'achève
par un armistice. On avait même donné des dates butoirs pour
cela. La patience des Croates était épuisée et je trouve leur
initiative tout à fait logique. C'est d'ailleurs une preuve de plus
de l'hypocrisie des nations occidentales si l'on s'en prend aussi
violemment aux Croates en laissant les Serbes faire ce qu'ils
veulent.

— *La reconnaissance de la Bosnie-Herzégovine comme république indépendante par la communauté internationale n'a pas
empêché les milices serbes de dépecer à leur guise cet « État ».*

— Bien entendu, la reconnaissance de la Bosnie-Herzégovine
est intervenue après tant de palabres qu'on ne la prenait plus
au sérieux.

— *Cette reconnaissance diplomatique devait « internationaliser »
le conflit. On pouvait dire, dès lors, que les Serbes violaient des
frontières internationales au lieu de mener une guerre civile.
Reconnaîtra-t-on un jour de la même manière l'Irlande du Nord,
le Pays Basque, le Haut-Adige, pour transformer ces régions
d'Europe en États indépendants ?*

— Ce n'est pas la même chose, surtout en Irlande du Nord. Faites un plébiscite aujourd'hui en Irlande du Nord : une majorité écrasante se prononcera pour le statu quo. Pareil pour le Pays Basque. Il n'est que de lire les résultats des scrutins, en particulier dans les provinces basques espagnoles, pour se rendre compte que les groupes terroristes, qu'on confond souvent avec les Basques, ne représentent qu'une infime minorité. On ne peut pas mettre sur le même plan des réalités historiques telles la Bosnie-Herzégovine et des provinces d'Europe.

— D'ailleurs ces petits États seraient-ils viables sur le plan politique et économique ? Leurs contribuables pourraient-ils financer des rouages gouvernementaux ? Des ambassades ? Au moment où l'on prêche l'intégration européenne, on risque d'aboutir à la désintégration.

— Pourtant, ma réponse est « oui ». Je suis certain que les petits États sont viables. La différence entre notre époque et l'entre-deux guerres est immense. En ce temps-là, les « petits » ne pouvaient se suffire à eux-mêmes. Mais, de nos jours, grâce à la Communauté européenne, des traités d'association et, plus encore, la qualité de membre de la Communauté permettraient à ces petits États de vivre sans souffrir sur le plan économique. Nous en avons la preuve avec le grand-duché de Luxembourg qui est le pays de la Communauté avec le niveau de vie le plus élevé. Qu'on les appelle « régions » ou « États », ils disposent déjà d'administrations suffisamment étoffées. Quant aux ambassades, elles sont superflues entre pays européens. C'est d'ailleurs un point dont il faudra parler avec insistance à l'avenir. Il est grotesque d'entretenir des ambassades entre la France et la Grande-Bretagne, entre la France et l'Allemagne. Les pays du Commonwealth n'ont pas entre eux des ambassades mais des hauts commissaires.

— Outre le respect des frontières, la protection des minorités est un des deux grands principes de l'ONU, de la CSCE, de la CE, etc. C'est une condition essentielle à l'émergence d'une Europe des

régions. Mais ce principe n'est-il pas foulé aux pieds partout dans le monde ?

— Oui, à l'heure actuelle, on le piétine. Mais ce n'est pas une raison pour éluder la solution. Il faut toujours essayer d'améliorer ce qui existe.

— *Paris, Londres, Rome, Madrid, Bruxelles, craignent la contagion est-européenne, cette montée de nationalismes comparable à une poussée de fièvre qu'on observe là-bas.*

— Je comprends cette peur de certaines capitales européennes d'être contaminées par l'Europe de l'Est. Mais ce sentiment n'est pas raisonnable. Il y a des poussées de fièvre dans certains pays occidentaux aussi. Croyez-vous vraiment que la situation est-européenne puisse influencer d'une façon ou d'une autre ce qui se passe en Occident ? A l'Ouest, les institutions sont assez solides pour résister. Les pays d'Europe centrale ont connu jusqu'à ces dernières années des dictatures, avec, pour caractéristique, de ne jamais résoudre les problèmes mais de les escamoter. Les problèmes ressurgissent quand la dictature s'efface.

— *Vous qui connaissez bien la Belgique, pensez-vous que le fameux « conflit linguistique » entre Wallons et Flamands, et, subsidiairement, avec la minorité allemande, explosera à nouveau ? Fondée en 1830, la Belgique existera-t-elle encore en l'an 2 000 ? On a vu récemment les démocrates-chrétiens et les socialistes flamands faire bloc contre les socialistes wallons. Les Flamands ne veulent plus financer la région wallonne en crise. Par réaction, les séparatistes wallons rêvent du rattachement à la France. Pourtant, on avait là, depuis 1971, un État vraiment fédéral dont les régions parlaient des langues différentes.*

— Par rapport à ce qui s'est passé autrefois en Belgique, il faut admettre qu'il y a eu des améliorations importantes. On adapte graduellement les réalités constitutionnelles aux réalités concrètes. Je ne pense donc pas que la Belgique disparaîtra.

On ne peut ignorer cette tension entre Flamands et Wallons qui a des raisons économiques profondes. Mais la réforme économique que la Communauté européenne mettra en œuvre, résoudra aussi ces problèmes.

— *On dit que seule la monarchie, c'est-à-dire Baudouin, le roi de tous les Belges, les retenait encore ensemble. Deux questions : la monarchie est-elle la seule panacée contre ce genre de sécession ? Est-elle un lien suffisant ?*
— La monarchie est le lien le plus fort entre les différents éléments de ce pays. Le roi Baudouin et la reine Fabiola ont été considérés comme légitimes tant par les Flamands que par les Wallons. Ce furent de vrais Belges. Il semble que ce soit aussi le cas pour leur successeur, Albert.

— *Ces mouvements régionalistes dans divers pays européens de l'Ouest ont visiblement votre assentiment. Mais entre régionalisme et indépendantisme, où est la frontière ?*
— Il ne faut pas être trop doctrinaire. A la longue, le régionalisme sera la solution. J'ai vu cela dans la pratique dans la région-frontière séparant la Hongrie de la Slovénie. Je me trouvais il y a quelque semaines en Slovénie, dans la région de Murakös, où Hongrois et Slovènes coexistent fraternellement. Des deux côtés de la frontière, les panneaux indicateurs portent des inscriptions dans les deux langues. Cette frontière n'est pas très différente de celle séparant la Bavière du Bade-Wurtemberg. C'est la solution idéale : des frontières qui n'arrêtent plus les gens. Voilà un exemple encourageant.

— *Voir la France, l'Espagne, l'Italie se décentraliser et peut-être se morceler ne procurerait-il pas une secrète satisfaction au descendant des Habsbourg ? N'est-ce pas une sorte de revanche sur l'histoire ?*
— Il n'y a pas de revanches de l'histoire. Je ne crois qu'aux réalités qui finissent par s'imposer.

— *Je vous parlais tout à l'heure de mes doutes à propos de la société multiculturelle. Ce mot est devenu un slogan de la gauche. Et un leurre parce que des gens trop éloignés les uns des autres ne peuvent partager leur vie quotidienne.*

— Dans une Europe « pluriculturelle » et non pas « multi-culturelle », une Europe pluraliste donc, la coexistence des cultures et des langues me paraît en revanche possible et même souhaitable.

Les liens entre les peuples ne se créeront pas par la politique, mais par le commerce et la parole, c'est-à-dire l'économie et la littérature. N'est-ce pas d'ailleurs par la culture et l'économie qu'on donnera du champ libre aux régions ?

Chapitre XII

Économie : une crise de croissance

Jean-Paul Picaper : Il fut un temps où l'effigie de Charles Quint était frappée sur des pièces de monnaie qui circulaient de l'Espagne aux Flandres, de la Bourgogne à la Hongrie. L'Écu ne sera peut-être pas la première monnaie vraiment européenne ?

Otto de Habsbourg : La monnaie la plus répandue dans l'empire des Habsbourg était le thaler. Il jouissait d'un prestige qui s'est maintenu, çà et là, presque jusqu'à nos jours. On utilise encore le thaler à l'effigie de Marie-Thérèse dans certains pays arabes. C'était notamment le cas dans le sultanat d'Oman jusqu'à il y a seulement quelques années. Quand j'y suis allé, il n'y a pas si longtemps de cela, on pouvait encore faire son marché dans l'arrière-pays en thalers à l'effigie de l'impératrice autrichienne.

— *Vous qui attachez de l'importance aux symboles, êtes-vous d'accord avec le mot de Jacques Rueff selon lequel « l'Europe se fera par la monnaie » ? On avait commencé avec la CECA par mettre en commun les matières premières qui servent à fabriquer les canons. Puis ce fut l'abaissement progressif des barrières douanières et leur suppression. Et maintenant, on va faire l'Europe avec la monnaie.*

— Malgré toute mon admiration pour Jacques Rueff, je ne partage pas entièrement son point de vue. La monnaie est un facteur important mais il ne faut pas la placer au-dessus de la culture.

— *Le duc de Bourgogne Charles Quint, devenu empereur, avait réussi dans ses entreprises contre François Ier parce qu'il était aidé*

215

*par les banquiers allemands Fugger. Il leur dut son élection à
l'empire ainsi que la victoire de Pavie. Les Fugger étaient-ils la
Deutsche Bank de l'époque ? Je n'oserais pas dire la Bundesbank...*

— Mais si, on peut faire cette comparaison. L'appoint qu'ils
ont fourni à Charles Quint a été tout à fait décisif.

— *Frapper monnaie est le privilège des nations. L'abandonne-
ront-elles à l'Europe ?*

— Les nations, de nos jours, essayent encore de protéger la
valeur de leur monnaie, la considérant comme un des symboles
essentiels de leur souveraineté. Elles sont dans l'erreur, car
frapper monnaie, cela signifie aussi assumer la responsabilité
de la stabilité monétaire. Or, nos chers gouvernements ne sont
plus à la hauteur de cette tâche.

— *Mais ce n'est pas facile. Le montant des capitaux erratiques qui
n'attendent qu'une occasion de se précipiter sur une monnaie qui
donne des signes de faiblesse, comme des piranhas sur un animal
blessé, s'élèverait à près de 900 milliards de dollars. La vitesse de
leurs réactions est décuplée par l'utilisation du marché électronique. Les banques centrales font face à une situation nouvelle.
On ne peut plus se servir comme autrefois des instruments de la
dévaluation ou du « floating » pour obtenir la relance conjoncturelle. De plus en plus de monnaies sont attaquées sans raisons
économiques, sans motifs autres que la pure spéculation. D'où les
solidarités de défense qui se créent dans le Système monétaire
européen, notamment entre le franc fort et le mark lourd. La
défense de la monnaie est devenue un « must ».*

— Raison de plus pour avoir une monnaie unifiée de
l'Europe, car elle seule serait solide. La situation internationale
imposera l'Ecu et les gens verront qu'entre amis, un système
de parités fixes va de soi. On ne peut sans cesse renégocier son
amitié. Personnellement, je serais d'avis de laisser croître toute
seule la monnaie européenne. Ce serait inopportun de l'imposer contre les monnaies nationales. Elle deviendra par la force
des choses la monnaie de tous, sans qu'on ait à promulguer

cette suppression artificielle et bureaucratique que l'on envisage dans certains milieux. Une fois qu'on aura un système de parités fixes, et c'est d'ailleurs presque déjà le cas dans le Système monétaire européen où les changements de parité sont limités par des « fourchettes », les gens se rendront compte qu'il n'est plus utile de changer de l'argent pour voyager ni pour effectuer des virements dans les pays voisins.

J'ai d'ailleurs l'impression que le mot Ecu s'impose d'ores et déjà malgré les réticences de certaines personnes. Enfin, l'Union monétaire viendra peut-être plus vite qu'on ne le croit parce que l'actuel Système monétaire européen a survécu aux crises de l'automne 1992 et à celles du début et de l'été de 1993 et que deux ou trois monnaies fortes commencent à surnager ensemble.

— *J'ai pourtant beaucoup de mal à imaginer que l'Ecu remplacera les monnaies nationales. Ce terme ne dit rien aux Allemands, aux Britanniques et autres. Il est, en outre, pour eux quasi-imprononçable. Les Anglais diront-ils « équiou » et les Allemands « Ekü », ce qui est d'ailleurs en Allemagne une marque de bière ? Et arriveront-ils à mettre l'accent tonique sur la deuxième syllabe, comme ce mot français l'exige ? Je gage que les Espagnols eux aussi auront du mal à prononcer ce « u » français. Les Anglais se sont moqués du « Frogmark » à propos de l'axe monétaire Paris-Francfort. Et un opposant bavarois à l'Europe, le ministre Peter Gauweiler s'est moqué de l'« argent-esperanto ». Quel est votre proposition ?*

— Je ne suis pas de votre avis. On est à la recherche de compromis. Soit continuer comme jusqu'à aujourd'hui, Ecu d'un côté, Franc, Livre ou Deutschmark de l'autre. Ou bien encore, ce qui serait plus simple, dire Euro-franc, Euro-mark, Euro-livre et ainsi de suite. Mais l'Ecu est le nom inscrit au traité pour la monnaie européenne et, à partir de 1999, on va l'adopter progressivement.

— *C'est ce que m'a dit en juin dernier Valéry Giscard d'Estaing au cours d'une conférence de presse à Bonn. Mais une semaine plus tard, le futur président de la Bundesbank, Hans Tietmeyer, me disait que le terme Ecu, que les Allemands ont tendance à écrire en majuscules, n'est que l'abréviation de « European Currency Unit », « Unité de liquidité européenne », donc l'abréviation désignant un instrument susceptible de prendre d'autres appellations.*

— Le nom est une question essentiellement artistique. Je crois à une évolution lente des usages. D'ailleurs nos monnaies, elles aussi, ont changé très fréquemment de nom et les gens s'y sont habitués. Certes, il existe des différences entre le mark, le franc, la livre, la lire ou la peseta, pour ne pas parler de l'escudo, du schilling, du zloty et autres couronnes. Mais ces différences s'estompent graduellement. Une bonne partie de nos difficultés vient du fait que l'on se hâte trop et que l'on essaye d'imposer des solutions sans voir que celles-ci seront adoptées d'elles-mêmes. Il faut laisser croître l'Europe comme un arbre et non pas la bâtir comme un gratte-ciel américain. Arrosez-là un peu tous les matins, au bon soleil, au lieu de la confier à des grues et des bétonneuses.

— *D'un point de vue strictement économique et financier, les Allemands ont le plus à perdre en abandonnant le mark. De plus, il a été le symbole de leur reconstruction économique après la guerre. C'est le mark qui a fait la réunification allemande, le 1ᵉʳ juillet 1990, avant la réunification politique, le 3 octobre suivant. Et ils devraient jeter ce symbole national au bord de la route ? Il n'y a pas que Gauweiler à s'y opposer. Fin juin 1993, un sondage de l'institut Forsa donnait 59 % d'Allemands hostiles à l'abandon du mark.*

— Oui, j'ai vu cela. Mais 39 % des personnes interrogées étaient favorables à l'Ecu. Tout dépend de la question qu'on pose. Si l'on dit : « Voulez-vous abandonner le mark ? », la réponse sera « non », bien évidemment. Mais si l'on explique aux gens qu'ils auront une monnaie stable, qu'ils pourront partir en vacances en Europe sans devoir changer d'argent, une monnaie qui sera leur passeport partout en Europe, alors ils réfléchiront.

Par ailleurs, avec la réunification les Allemands ont récupéré leur identité culturelle. Ils n'en ont pas encore parfaitement pris conscience. Jusqu'ici le mark était leur symbole national dominant. Mais il leur sera possible désormais de trouver d'autres miroirs de leur personnalité.

— *Par-delà la monnaie, chaque nation a ses traditions fiscales, administratives et sociales. En Allemagne, on est imposé sur le salaire brut, en France sur le salaire net. La fiscalité directe est plus lourde en Allemagne, la fiscalité indirecte pèse davantage sur les Français. Les Allemands épargnent, ou épargnaient jusqu'ici, même si l'on taxe leurs intérêts, aussi apprécient-ils les taux élevés. Les Français empruntent davantage qu'ils n'épargnent, aussi aiment-ils les taux d'intérêt bas. Comment mettre en phase ces mentalités différentes ?*

— Je suis sûr que le commerce intraeuropéen, les placements dans toute l'Europe et les séjours dans d'autres pays européens modifieront graduellement ces habitudes qui se sont affirmées surtout dans le dernier après-guerre.

— *Autre divergence : les insulaires britanniques qui ont long-temps dominé le commerce mondial et vivaient d'importations, ont des traditions libre-échangistes. C'est également le cas des Hollandais. L'Allemagne qui fut et reste une gigantesque usine de transformation de matières premières importées brutes, réexpor-tées sous forme de produits finis, encourage, elle aussi, à l'ouver-ture des marchés.*

L'industrie française avait au contraire commencé à se dévelop-per sous Colbert avec le soutien de l'État et à l'abri de frontières protectrices. Aussi les Français conçoivent-ils l'Europe comme une forteresse et ont-ils une certaine idée de ce qu'est une « politique industrielle », deux mots parfaitement incompatibles aux yeux des industriels allemands. Comment peut-on rapprocher ces points de vue ?

— Nous avons déjà beaucoup évolué. Seulement, nous n'en avons pas encore pris conscience parce que nous sommes très souvent trop doctrinaires.

Nous ne survivrons pas sans tenir en laisse le libéralisme sauvage. Mais les garde-fous ne doivent pas toutefois prendre tournure d'interdictions. Votre ministre des Affaires étrangères, Alain Juppé, défend par exemple l'idée de « préférence communautaire », ce qui me paraît être une bonne chose parce que c'est un accent positif. Il va de soi que la Belgique est plus proche de la France que Singapour, l'Allemagne que la Corée.

— *Je lisais une étude du prix Nobel d'économie Maurice Allais sur les risques d'importation de chômage et de désindustrialisation qu'implique le commerce mondial entre pays à niveau de développement différent. En plus de l'importation de produits fabriqués par des salariés sous-payés des pays d'Asie, nous accueillons de la main-d'œuvre d'Europe de l'Est et du sud de la Méditerranée qui prend les emplois qui restent chez nous. Et ils ne prennent plus seulement, comme on disait, « les emplois dont les Français ne veulent plus ». En période de chômage aigu, on n'a pas ce luxe du choix. Je caricature un peu, certes, mais face aux déséquilibres mondiaux, à l'offensive économique japonaise, aux égoïsmes américains, les Français n'ont-ils pas eu raison de s'opposer au GATT tel que le concevaient les Anglo-saxons et les Allemands ?*

— Je suis persuadé, moi aussi, qu'il faudra protéger les intérêts européens. Un libre-échangisme sauvage au niveau mondial me paraît irréaliste. Notre standard de vie ne peut être ramené brutalement au niveau d'autres pays à très bas salaires, exempts de charges sociales, comme c'est en train de se produire insidieusement. Le libre-échangisme est bon, mais à condition de ne pas aller trop loin. En ce domaine comme en d'autres, il faut garder le sens de la mesure.

— *Les leaders du patronat allemand disent : « Il faut ouvrir les frontières au libre-échange, c'est le seul moyen de rester concurrentiels », autrement dit « On nage mieux au milieu de l'Atlantique qu'en piscine parce que là il y a davantage d'eau. » Ils oublient les vagues, les distances, les requins peut-être.*

— C'est vrai que çà et là il faut garder quelques écluses en état de fonctionner. Je me demande parfois, par exemple, si les

Coréens ne seront pas en mesure de copier le TGV français après avoir acheté ce bijou de notre technique européenne. Et l'Indonésie ne sera-t-elle pas capable de refaire dans dix ans des centrales à gaz et à vapeur si Siemens lui en cède quelqu'une. La récession actuelle ne doit pas nous aveugler. Effarés par l'amincissement de leurs carnets de commandes, certains industriels sont fascinés par les taux de croissance des « petits tigres » asiatiques. Ils leur vendraient presque leurs bureaux d'études et leurs laboratoires. A ce rythme-là, l'Europe creuserait sa propre tombe. En tout cas, elle compromettrait son avenir.

— Le chancelier Kohl est un homme politique authentique qui a le sens des idées à la mode et un bon chrétien qui veut sincèrement aider les démunis. Aussi va-t-il répétant que l'aboutissement de l'accord du GATT sera aussi un service rendu au Tiers-Monde. Est-ce juste ? Ne vaudrait-il pas mieux protéger le Tiers-Monde des échanges avec le monde industrialisé ?

— Le Tiers-Monde ? Cela n'existe pas. Il y a plusieurs mondes, très différents les uns des autres. Ce classement en deux ou trois catégories fausse la pensée politique. Je vous ai déjà dit qu'il faut cesser de faire des cadeaux à ces gens. Mieux vaut leur apprendre plutôt à développer chez eux une économie de subsistance. La fixation des populations sur place sera alors possible. Naturellement, si on leur donne, en plus, des besoins non nécessaires au détriment de leurs besoins vitaux, on compromet l'avenir de la planète. Qu'ont-ils besoin de la télévision, de la voiture, du congélateur ? Ne vaudrait-il pas mieux qu'ils construisent des infrastructures, des écoles, des coopératives et se chauffent ou cuisent à l'électricité ou au gaz au lieu de pratiquer la déforestation ?

— Là, nous sommes bien d'accord. Ils devraient trouver un type d'économie libérale conforme à leurs cultures au lieu de nous singer.
Mais nous avons aussi des problèmes d'ajustement en Europe. Ils sont d'un autre type. Les Français ont encore des complexes

vis-à-vis des Allemands dans plusieurs domaines, notamment industriel. Or, ils sont au même niveau, et quelquefois même au-dessus. Comment expliquez-vous ce comportement ?

— Ces complexes des Français vis-à-vis des Allemands ne sont pas raisonnables. La France accomplit des performances exceptionnelles sur le plan industriel et économique. Voyez ses chemins de fer, son aéronautique, ses télécommunications, son industrie nucléaire, sa recherche médicale et génétique, pour ne pas parler de ses atouts traditionnels en matière culinaire ou alimentaire et vestimentaire, bref dans tout ce qui relève du bon goût. S'y ajoutent les plus grosses banques d'Europe et des assurances de niveau mondial. La France n'a vraiment pas à avoir honte. Les Allemands ne font pas mieux, bien au contraire. Mais on inculque ces complexes aux Français, vis-à-vis des Allemands comme vis-à-vis des Japonais. Vous vous rappelez les déclarations malheureuses de Mme Édith Cresson à propos des Japonais ? Elles illustraient exactement ce qu'il ne faut pas faire.

— *Que les Français soient paresseux et les Allemands travailleurs, voilà un poncif qui a fait son temps. Les Allemands sont record-men du monde des horaires courts et des congés longs. En revanche, un autre préjugé subsiste. Les Allemands pensent que les Français ne sont pas sérieux. Et les Français ne comprennent pas la rigueur allemande. Quel trait de caractère définit à votre avis le mieux l'un et l'autre peuple ?*

— Je ne trouve pas les Français trop légers ni les Allemands trop pédants. Il y a de tout dans tous les pays. D'ailleurs, toutes ces idées préconçues qui ne tiennent pas debout, disparaîtront au fur et à mesure que les peuples feront connaissance. Ne perdez pas de vue que les vacances dans les pays voisins, les échanges de populations et les stages à l'étranger, sont des innovations toutes récentes. Dans ma jeunesse, j'avais beaucoup moins de facilités pour voyager que la génération de mes enfants. J'imagine l'ouverture à la communauté internationale que connaîtront mes petits-enfants. Ils auront des échanges vivants et permanents avec leur voisins. Alors, ces préjugés tomberont d'eux-mêmes.

— *Quoi qu'il en soit, les Français devraient prendre certaines choses davantage au sérieux. Mais je souhaiterais aussi que les Allemands s'accordent un peu plus le droit à l'erreur. A la moindre faute, que ce soit au sommet de l'État, dans les usines ou dans la circulation routière, tout le monde crie haro sur le baudet dès que quelqu'un s'écarte du droit chemin.*
On dit qu'un des problèmes de l'État français et de son économie réside dans l'excès d'autorité patronale tandis que le gros handicap, en Allemagne, serait l'excès de cloisonnement entre les services et départements à niveau égal. En France, la communication ne fonctionne pas assez verticalement alors qu'en Allemagne, elle est bloquée horizontalement par la spécialisation. Est-ce juste ?

— Cela signifierait qu'en France on ne peut outrepasser ses prérogatives hiérarchiques et en Allemagne ses compétences spécialisées ? Bref, en Allemagne, il ne faut pas piétiner les plate-bandes des collègues, tandis qu'en France, il ne faut pas marcher sur la cravate du directeur ?

— *Exactement.*
— Je voudrais intercaler ici une parenthèse. A mon avis, on ne s'en tirera pas en Europe sans décentraliser, et cela s'applique aussi aux entreprises. Malheureusement, poussés par la peur, les États et l'économie ont réagi à la crise en recentralisant. C'est une grave erreur, car il faut stimuler au contraire la compétition des idées, recueillir les courants nouveaux qui naissent dans des milieux culturels décentralisés si nous voulons gagner la compétition avec les États-Unis et le Japon. Je vois d'ailleurs apparaître sur notre continent de grands axes économiques et des centres économiques régionaux. Nous avons déjà parlé des régions d'Europe. Parlons des grandes voies de communication, la ligne, par exemple, qui va de la Scandinavie et de la Hollande à la Catalogne, en empruntant le sillon rhénan et rhodanien. Il y a la dorsale Baltique-Pologne-

Bohême-Hongrie-Autriche jusqu'à l'Italie du Nord. S'y ajoutent des centres financiers et décisionnels, Londres, Paris, Madrid, Franfort, demain Berlin et Vienne, peut-être Budapest, Prague et Varsovie. Les deux tendances de l'Europe sont, d'une part, la cession de droits économiques et financiers à des centres supranationaux. Mais, compensant cela, une tendance à la décentralisation culturelle se manifeste vigoureusement.

— *Et reliant le tout, une Europe de la communication, facilitée par les fibres optiques et les satellites ?*
— En quelque sorte, le système nerveux de ce grand corps.

— *Seulement, le moteur franco-allemand qui maintiendra tout cela sous pression, pourrait avoir des ratées. En Allemagne, on a le goût de la précision et de l'exactitude ; en France, on ne sait jamais exactement ce que chacun doit faire, chez nous, l'intuition joue un grand rôle.*
— Moi, je crois beaucoup au rôle primordial de l'intuition en matière économique. Le pédant échoue toujours parce qu'il est trop accroché à ses principes. Il faut que dans les deux pays on ouvre des fenêtres à l'innovation du comportement. Tant mieux pour la France si elle est naturellement douée pour cela.

— *Ces aspects psychologiques et relationnels de l'action économique sont des constantes, alors que les chiffres de production ne décrivent qu'un moment de l'évolution. On dit par exemple que l'économie allemande est plus « organisationnelle » et la française plus « relationnelle ». D'où de nombreux malentendus. Pourra-t-on vraiment travailler ensemble ?*
— Bien sûr, quand on aura des contacts plus étoffés et plus fréquents. C'est d'ailleurs ce qui se pratique déjà. En jetant un coup d'œil en arrière sur ma vie qui est déjà longue, je suis impressionné par le rapprochement franco-allemand déjà mis en œuvre. Cette évolution est si durable et si forte qu'il n'y a pas de raison qu'elle ne se poursuive pas.

— *Français et Allemands, ainsi que les États qui gravitent autour de leur axe, sont condamnés à coopérer. Et les Français ont moins à craindre qu'il y a quelques années l'ouverture commerciale et politique des Allemands à l'Est de l'Europe. Elle a mené à l'échec, par suite de l'effondrement économique des pays du Comecon et de la Russie. L'Allemagne a pourtant investi — probablement à fonds perdus — plus de 80 milliards de marks dans l'ex-URSS, essentiellement en Russie. Récemment je lisais l'éditorial d'un quotidien berlinois à propos de la BERD, la banque européenne pour le développement de l'Europe de l'Est. Son auteur se plaignait que « les Français fournissent son directeur, les Britanniques son siège et les Allemands l'argent ». Nos voisins sont-ils déçus ?*

— Ils auraient dû s'y attendre. Je suis très hostile à des investissements-cadeaux en faveur de l'ex-URSS. De tels investissements ne pourraient être rentables qu'après la disparition des structures marxistes qui survivent sur tous les plans. On remarquera d'ailleurs qu'une partie importante de l'argent que les Allemands ont donné aux Russes a reparu sur les marchés les plus divers, y compris dans les banques suisses et dans certains pays d'Amérique latine. Du côté allemand, on aurait dû investir beaucoup moins et limiter l'investissement aux entreprises déjà privatisées. L'Allemagne ne sera jamais assez forte pour réaliser le redressement de la Russie. C'est à la Russie de se redresser d'abord.

— L'Autriche réalisant 60 % de son commerce extérieur avec l'Allemagne, peut-on dire que, du point de vue économique tout au moins, l'Anschluss ait réussi ?

— Non, l'Anschluss ne peut être réalisé par l'économie. Ces échanges sont un système assez fructueux pour l'Autriche sans créer de dépendance.

— Un banquier autrichien me disait que Berlin finançait jadis plutôt la Russie, Vienne plutôt l'Europe centrale. Un avantage aujourd'hui pour l'Autriche ?

— Cet homme a raison, mais depuis cette époque, au début du siècle sans doute, une grande différence sépare ces deux pays. L'Allemagne est une grande puissance économique, ce qui n'est pas le cas de l'Autriche qui a encore quelques obstacles sur la voie de son adhésion à la Communauté. Vienne va organiser un référendum sur la question et son issue est assez incertaine. Jusqu'au déroulement de ce référendum, le poids économique de l'Autriche en Europe sera probablement moindre que ce qu'il serait si elle était déjà membre de la Communauté.

Sans doute, l'Autriche aura-t-elle besoin d'une période de transition pour s'adapter au niveau plus élevé des prix agricoles de la CE. Il lui faudra aussi obtenir des dérogations spéciales pour les petites entreprises agricoles de ses régions alpines, comparables d'ailleurs à celles de la « loi montagne » en France, ou à des privilèges similaires dans les Alpes bavaroises. Elle exigera aussi le maintien en vigueur de l'accord de transit Nord-Sud sur son territoire.

— L'Autriche veut aussi continuer à limiter les achats immobiliers pour les personnes qui n'ont pas leur résidence principale sur son territoire, disposition comparable à une réglementation en vigueur au Danemark. Ces petits pays ne veulent pas être envahis.

— Ces positions sont indéfendables dans la Communauté. Mais ce ne sont que des détails. L'important, c'est que l'Autriche fasse déjà partie des pays à monnaie dure et qu'elle remplisse les critères de convergence, ce qui est largement le cas.

— Quelle est la situation économique des pays d'Europe centrale candidats à l'adhésion ?

— Commençons par la République tchèque, le type même de ces pays qui vont se relever très vite, à mon avis. Elle me fait penser un peu au Portugal avant son adhésion à la Communauté. On disait que la différence de niveau était trop grande et que l'entrée de Lisbonne dans la CEE serait pour tous une catastrophe. Or l'inverse s'est produit. L'adaptation se fait par la pratique.

— La Russie, la Roumanie et la Bulgarie ne semblent guère en

*mesure de progresser rapidement. Les pays de la « Mitteleuropa »
ont mieux démarré. Un stratège de la banque américaine Morgan
Stanley, David Roche, estimait, en novembre 1992, que la
Pologne et la Hongrie entreraient, dès 1993, dans une phase de
croissance et que la Bohême-Moravie remplirait à brefs délais les
conditions d'accès à l'Union économique et monétaire (UEM)
définies au traité de Maastricht. Pourquoi ?*

— Les citoyens de ces pays veulent travailler et ils ont l'esprit
d'entreprise. Ils tournent le dos aux vieilles industries qui ne
fonctionnent pas dans une économie moderne. Ces pays
attirent les investissements techniquement les plus avancés.
C'est un peu la répétition de ce qui s'était passé en Allemagne
après la Deuxième Guerre mondiale.

— *Les industriels allemands doivent mobiliser tout leur sens
patriotique pour investir dans l'ex-RDA où les salaires, selon les
accords passés en 1991, rattraperont dès 1995 le niveau ouest-
allemand, alors que leur productivité plafonne encore à 30 % du
niveau de l'Ouest. Visiblement, certains préfèrent aller installer
des filiales chez les Tchèques où la main-d'œuvre, non moins
qualifiée, se contente de salaires inférieurs, avec des charges patronales six fois moins élevées que dans les « Nouveaux Länder »
est-allemands.*

— Ce mouvement est général et les syndicats ouest-allemands
et ouest-européens en sont un peu responsables. Sans vouloir
donner dans un faux cynisme, c'est le meilleur service qu'ils
puissent rendre à l'Europe centrale. D'ores et déjà, les industries implantées à l'ouest de l'Elbe et du Rhin se délocalisent
d'Allemagne et d'Europe occidentale pour fuir des salaires et
charges sociales trop élevés et s'installent en Pologne, en
Bohême-Moravie et Slovaquie et en Hongrie.

— *Et l'Ukraine ? Entre ces pays de la « Mitteleuropa » et la
Russie, on l'oublie un peu.*

— L'Ouest a tout fait pour maintenir dans le giron de la
Russie ce pays de 40 millions d'habitants. Je vous renvoie à ce
que disait récemment le Premier ministre ukrainien, Léonide

Kutchma : « Nous ne pouvons attendre d'investissements de l'Ouest qu'en poursuivant les réformes, en encourageant la formation de capital privé et en sauvegardant la stabilité politique. » C'était deux jours après que les États de la CEI aient convenu à Minsk, le 28 avril 1993, de pratiquer une coopération économique plus étroite. Kutchma se plaignait à cette occasion que la Russie n'offre à ses partenaires de la CEI qu'un statut de quémandeurs, notamment en relevant les prix de leur approvisionnement énergétique et en multipliant les obstacles douaniers.

— *En somme, une situation ressemblant fort à celle de l'ancienne Tchécoslovaquie. Pourtant, on avait pensé à l'Ouest que la CEI pourrait devenir une sorte de CEE... Or, c'est plutôt l'éclatement qui menace. Chaque fois que ces États anciennement communistes décident de se rapprocher, des forces centrifuges les séparent. L'attraction exercée par la CEE y est peut-être aussi pour quelque chose ?*

— Incontestablement, la CEE, association librement consentie, a contribué à la désagrégation du Comecon, organisme auquel on adhérait par contrainte. Aussi est-il difficile aujourd'hui d'installer des communautés viables sur les ruines du Comecon.

Mais l'économie occidentale, elle aussi, va subir le contrecoup de ces bouleversements. Deux tendances se dessinent actuellement. Premièrement, le centre de gravité de l'économie allemande va se déplacer vers l'Est pour revenir là où il était avant la Première Guerre mondiale, en Saxe, Thuringe et Saxe-Anhalt. Deuxièmement, l'Europe tout entière va glisser vers l'Est, vers la Hongrie et la Tchécoslovaquie et même vers la Pologne qui, en dépit de son chaos politique, commence à se redresser sur le plan économique.

— *Dans ces conditions, l'UEM qui remonte à une initiative franco-allemande pourra-t-elle se réaliser ? Ou bien assistera-t-on à l'émergence d'une zone mark englobant autour de l'Allemagne les pays de la Mitteleuropa, Autriche incluse, plus la Suisse, la Suède et le Bénélux ?*

— L'avertissement s'adresse à la France qui ne mise pas assez sur cette carte du Centre-Europe mais aussi à l'Allemagne occidentale avec ses coûts de production très lourds et son temps de travail réduit.

La bataille du mark n'est pas encore gagnée et, pour le moment, la dette cumulée de l'Allemagne et ses déficits budgétaires sont tels qu'elle ne pourrait même pas adhérer à l'UEM. Je vois le franc fort surgir à l'horizon, encore qu'il n'ait pas le prestige que confère au mark une longue suprématie.

Par ailleurs, la « Mitteleuropa » ne participera qu'inégalement à cet essor, par suite notamment de la partition tragique des Tchèques et des Slovaques. Le scénario dans l'ex-Tchécoslovaquie est plagié sur celui du Pakistan, il y a quelques décennies, quand ce pays fut battu par l'Inde et qu'on lui arracha le Bangladesh. Atterrés, d'abord, d'avoir perdu ce vaste territoire, les Pakistanais s'aperçurent, deux ans plus tard, qu'ils avaient fait une très bonne affaire. Plus question de continuer à verser des subsides au Bangladesh, ce foyer de misère. Désormais, l'argent resterait chez eux. C'est la raison pour laquelle, aujourd'hui, sur le continent indien, le Bangladesh est plongé dans une misère noire, l'Inde va cahin-caha et le Pakistan se porte bien.

Je crains que la Slovaquie ne devienne une autre région pauvre comme l'Albanie, tandis que la Bohême-Moravie sera riche.

— *Les Slovaques ont donc commis une erreur en souhaitant ce partage ?*

— Une faute capitale. Je ne les en blâme pas. Ne furent-ils pas, des siècles durant, une nation sans État ? Mais le prix à payer sera lourd sur le plan économique.

Un sondage tout à fait crédible et représentatif réalisé fin mars 1993 à Brastislava par l'Office national slovaque des statistiques révélait que 51 % d'entre eux étaient conscients de ce qu'ils ont perdu. Quant à savoir en quoi consistait le drame, 43 % jugeaient la « perte » surtout d'ordre économique, 25 %

la constataient dans tous les domaines, 18 % dans les relations commerciales tchéco-slovaques et 15 % dans le niveau de vie en baisse.

Un autre sondage avait révélé antérieurement que 78 % des Slovaques attribuaient la crise économique à « l'incompétence » de leur gouvernement qui ne s'était pas préparé à l'indépendance du pays. Notez que trois mois après l'indépendance de la Slovaquie, obtenue le 1er janvier 1993, les échanges commerciaux avec la République tchèque baissaient de 30 % et que la balance des paiements enregistrait un déficit de 450 millions de dollars, avec des réserves de devises au plus bas.

— *Est-ce que cela va se répercuter sur la croissance en Bohême-Moravie aussi, par contrecoup ?*

— A en juger par les déclarations du Premier ministre tchèque, Vaclav Klaus, c'est même, et de loin, son problème numéro un. La chute économique de la Slovaquie risque d'entraîner les deux républiques jadis unies dans une débâcle comparable à celle qu'avait provoquée la désagrégation du Comecon. Dans un article de *Cesky Denik*, M. Klaus a écrit aussi qu'un recul de 1 % des échanges extérieurs entraîne une diminution de 0,1 % du PIB. Si les échanges avec la Slovaquie baissent de 30 %, le PIB de la république tchèque reculera donc de 3 %.

— *Comment le marasme économique en Slovaquie pourrait-il provoquer un tel recul du commerce extérieur tchèque ?*

— Le déficit de 1,5 milliard de couronnes vis-à-vis de la Bohême-Moravie a été couvert par un crédit de 4,5 milliards de couronnes. Au rythme actuel, ce crédit devrait être épuisé d'ici un an, au plus tard. Alors, il faudra payer en devises convertibles, insuffisantes elles aussi. De ce fait, la république tchèque devra se chercher d'autres débouchés. Ce qui n'est pas facile vu la crise généralisée. A la mi-avril, un entrepreneur tchèque qui exportait 30 % de sa production en Slovaquie déclarait à *Rude Pravo* : « Les conséquences de la désagrégation de la Tchécoslovaquie sont pires que tout ce que nous avions imaginé. Elles sont vraiment fatales. On a cherché à nous persuader que ce ne serait pas si grave, mais je me rends compte à présent combien cela l'était. »

Quelques usines tchèques ont dû réduire de 75 % leurs exportations en Slovaquie. Il a fallu freiner l'exportation de la houille d'Ostrau-Karvin en Moravie vers la région sidérurgique de Kosice en Slovaquie qui a déjà une ardoise d'un milliard de couronnes vis-à-vis des Tchèques. Ce qui entraîne des mises en congé sans solde pour les mineurs tchèques qui, forcément, manifestent. Les Slovaques doivent déjà aux usines métallurgiques de Brno quelque 400 millions de couronnes. A cela s'ajoutent des tracasseries douanières provoquant des deux côtés des attentes à la frontière. Quand la Slovaquie mettra en œuvre ses lois anti-importation, l'union douanière des deux États sera en crise, ce qui affaiblira leurs économies.

D'où la nécessité grandissante pour la Bohême-Moravie de se tourner vers l'Ouest, vers la CE.

— *Oui, mais vers une Communauté frappée actuellement par la récession et incapable de fournir un aide. Plus que les deux à trois autres puissances économiques du monde, les États-Unis, l'Extrême-Orient englobant le Japon, la Corée du Sud, Taïwan et Hong-Kong, et le Sud-Est asiatique, principalement Singapour, la CEE est atteinte par l'épidémie du sous-emploi. En 1994, nous aurons 23 millions de chômeurs dans la Communauté sur 36 millions dans l'ensemble des pays les plus industrialisés, membres du G7. Cela signifie que les États-Unis et le Japon ont beaucoup moins de chômeurs que nous. De plus, notre chômage a augmenté de 10 % en deux ans. Pourtant, le PNB calculé par habitant a grandi nettement plus en Europe qu'aux États-Unis. A quoi cela tient-il ?*

— Ce serait pire si nous n'avions pas le Marché unique. Notre chômage résulte bien entendu des charges patronales très lourdes. Mais elles vont s'alourdir également aux États-Unis et au Japon où l'on aspire à la sécurité sociale. Il y a aussi le fait que la main-d'œuvre européenne est moins mobile que la main-d'œuvre américaine et japonaise. Cela va un peu changer maintenant avec la liberté de circulation et d'établissement dans la CEE. Mais je ne saurais blâmer les Européens d'aimer la région dans laquelle ils se sont enracinés. L'industrie doit aller à eux, s'établir sur les grands axes et non dans les métropoles.

— *Mais c'est presque un constat d'échec et les adversaires de l'Europe s'en servent pour la contester. Cette situation met-elle en question l'économie de marché peu après que celle-ci ait triomphé du marxisme ?*

— C'est l'impression générale. Pourtant, il faudrait éviter de jeter le bébé avec l'eau du bain. Churchill a dit que la démocratie est le pire des systèmes politiques mais qu'il n'y en a pas de meilleur. Cela vaut également pour le capitalisme. Partout où il n'existe pas, c'est la misère noire.

— *Pourtant, depuis la disparition des dictatures et du dirigisme planificateur en Europe, la société libérale dans son ensemble est plus contestée. En France comme en Allemagne, on envisage de sacrifier des vaches sacrées doctrinales. Par exemple, mettre les chômeurs et assistés sociaux au travail au lieu de les payer à ne rien faire. Ce ne seraient pas des travaux « rentables » au sens du profit. Mais on ne manque pas de tâches d'intérêt général laissées en friche. Ou faut-il encore, comme un éminent homme politique français l'a proposé, instaurer un contrôle des licenciements ? Beaucoup trop de chefs d'entreprises voient dans les réductions massives d'effectifs la panacée salvatrice et licencient à tour de bras. Si on laissait faire ces imprudents, nous aurions un jour la révolution.*

L'antagonisme de classes dont parlait Marx est en train de se créer sous nos yeux. Pas celui qu'il observait, fondé sur la propriété des moyens de production, mais l'opposition entre les propriétaires d'un emploi et les démunis d'emploi rejetés hors du circuit productif. Des cadres de tous les niveaux me confirment que ceux qui ont du travail doivent travailler de plus en plus. Et les autres n'ont aucun espoir d'en retrouver.

— Trop d'industriels ont tendance à faire payer la facture à leurs salariés en les mettant à la porte, quand ils ne rejettent pas la responsabilité sur le gouvernement. En Allemagne, certains assurent que cela va si mal parce que les directoires des sociétés ont « dormi » ou se sont trompés. Je ne puis juger de l'exactitude de cette affirmation, mais toujours est-il que, durant les neuf années d'expansion qui avaient précédé, les erreurs n'auraient guère tiré à conséquence, tandis que, dans la récession profonde que nous traversons, elles ne pardonnent pas.

Ce n'est pas des grandes entreprises, où ces erreurs ont peut-être été commises, que viendra le salut. Je suis persuadé qu'un des moyens les plus sûrs d'endiguer le chômage consistera à soutenir les petites et moyennes entreprises. De toute manière, les grandes entreprises continueront à licencier des salariés, à l'avenir aussi. C'est des PME que reviendra le dynamisme. Le Japon qui n'a pratiquement pas de chômage doit son succès en ce domaine à l'existence d'une classe moyenne très forte avec ses petites industries et son artisanat. Chez nous, cela devrait être la même chose, en particulier dans les nouveaux Laender de l'ex-RDA où l'on doit, à cet égard, repartir à zéro.

Le régime communiste n'avait eu qu'une hâte, détruire les classes moyennes, sous prétexte de lutter contre le capitalisme. Car il savait très bien que les petites entreprises sont moins vulnérables aux aléas économiques et politiques que les grandes et qu'on ne peut manipuler les classes moyennes avec la même facilité que ceux qui ne possèdent rien du tout. Les PME créent moins souvent des surcapacités à la différence des grandes. Elles réagissent plus rapidement à la demande et sont plus proches de leur clientèle et de leurs salariés. Le défaut de leur cuirasse est créé par les charges sociales, ce dont l'État devrait tenir compte.

On commence à comprendre, en outre, dans la CE, que les forces du marché seront insuffisantes pour renflouer les économies de l'Est et pour doper la croissance à l'Ouest. L'idéal serait une concertation très fine du secteur public et du secteur privé, pas seulement au niveau de quelques grosses entreprises privilégiées dont les cadres dirigeants sortent du même moule que les hauts fonctionnaires.

— *Pour rester sur le terrain du régionalisme qui nous est cher, il faudrait une concertation décentralisée, au niveau de la région et même de la commune. A ce niveau-là, il existe, par ailleurs, un élément des classes moyennes, de ce qu'on appelle en Allemagne à très juste titre « les indépendants », qui est, lui aussi, menacé dans son existence. Ce sont les agriculteurs. Vous aviez rédigé votre thèse de doctorat sur la propriété agricole. Je pense que vous devez avoir des idées là-dessus.*

De temps à autre, quelque vieux paysan passe dans vos récits.

— Les paysans et les montagnards ont le sens de l'histoire et de la tradition, et aussi cet enracinement à la terre qu'ils partagent avec les mineurs. L'Europe sans ses paysans ne serait plus l'Europe.

— *En cette fin de siècle, leur sort est devenu une préoccupation majeure. Quelle solution conseillez-vous pour les sauver ?*

— Franz-Josef Strauss disait de notre politique agricole qu'elle n'est pas toujours réaliste. C'est aussi mon avis. Essayer de maintenir le niveau de vie de nos paysans en manipulant les prix des produits agricoles mène à l'impasse.

Pourtant, le problème est simple. La production de denrées alimentaires dans le monde augmente annuellement d'environ 5 %. Les marchés n'étant pas élastiques, sauf peut-être pour certains produits à utilisation industrielle, nos paysans ne doivent plus dépendre uniquement du prix de leurs produits. En compensation de l'énorme service qu'ils rendent à la collectivité en préservant nos paysages, nous devons leur assurer un salaire.

C'est ce que Strauss appelait « le contrat du siècle », entre ville et campagne, entre industrie et agriculture. Un contrat qui permettrait aux jeunes de rester à la terre.

— *La politique agricole commune, la PAC, part de l'idée de geler les terres pour réduire les soi-disant excédents agricoles, alors que nombre de régions du globe meurent de faim. En 1992, les mêmes journaux télévisés, le même soir, nous montraient des agriculteurs européens en train de jeter de la viande ou des agrumes sur les*

routes et des centaines d'enfants et d'adultes somaliens squelet-
tiques, mourant de faim. Tout téléspectateur doté d'un minimum
de logique n'est-il pas poussé à haïr une société aussi absurde ?

— La disparité entre notre surproduction et la famine dans le
monde est généralement mal expliquée. La faim dans le monde
découle moins d'un manque réel de produits alimentaires que
de la mauvaise administration et de la corruption des gouvernements. A l'époque où les Européens étaient encore en
Afrique, le continent noir nourrissait non seulement toute sa
population, mais exportait aussi des denrées alimentaires vers
le reste du monde. Aujourd'hui, l'Afrique a faim. Preuve que
c'est avant tout la conséquence d'une mauvaise politique et de
mauvais dirigeants.

La solution n'est pas d'exporter éternellement nos denrées
vers les régions de famine. Bien sûr, nous devons les aider,
mais pas trop longtemps car la dignité des hommes souffre
d'une mendicité prolongée. Ils doivent avoir l'impression de
subvenir à leurs besoins par leur propre travail. Notre aide au
développement devrait se fixer comme priorité l'aide au paysan africain. Ce n'est pas en envoyant des produits mais en
permettant aux personnes de créer ces produits qu'on les
sauvera.

— *Industriels et banquiers allemands m'affirment*
« comprendre » les agriculteurs français. Mais ils voient surtout les
soucis électoraux du gouvernement français dans les campagnes et
pensent que l'on résoudra tout cela avec de l'argent, des « sub-
ventions directes ». Ils ne saisissent pas que, pour la France, la
question agricole n'est ni affaire de gros sous ni de suffrages, mais
que c'est un credo culturel et stratégique. En liquidant ses derniers
agriculteurs sur l'autel de la PAC et du GATT, la France
s'ampute d'un morceau de son âme.

— C'est surtout avec les Britanniques qu'il y a divergence, et
depuis très longtemps. Au Parlement européen, on peut distinguer les peuples qui, au cours des siècles derniers, ont souffert
à maintes reprises de la famine de ceux qui pouvaient importer
leur subsistance. De ce côté-ci de la Manche, notre attitude à

l'égard des paysans et de l'agriculture est déterminée par les privations endurées lors du blocus continental à l'époque napoléonienne ainsi que pendant les Première et Deuxième Guerres mondiales et dans le dernier après-guerre. La Grande-Bretagne avait, elle, la maîtrise des mers, s'approvisionnant partout dans le monde en produits alimentaires à des prix avantageux. Les Anglais considèrent l'agriculture comme un secteur parmi d'autres de leur économie, la différenciant à peine de la fabrication de cigares ou de machines à écrire. Les paysans et les exploitations familiales se font rares en Grande-Bretagne.

Sur le continent, l'agriculture fut longtemps considérée comme l'élément essentiel de toute politique de sécurité. Notre politique agricole est sous-tendue par l'idée que nous pourrions bien un jour ne plus avoir accès aux réserves alimentaires mondiales. Dans ces conditions, nos villes devraient leur survie aux petites exploitations familiales, étant bien entendu qu'une crise frapperait d'abord les grandes industries agro-alimentaires. C'est souvent aux plus petits que les rigueurs de la nature offrent les plus grandes chances de survie. Quand les loups envahissent les bois, les premiers menacés sont de loin les chevreuils et non les lapins. D'où le refus des Français et jusqu'à un certain point des Allemands, en particulier des Bavarois, de laisser anéantir les structures agricoles traditionnelles. Ils se souviennent qu'elles ont permis à leurs ancêtres de vivre.

— *D'accord sur le passé. Mais l'agriculture manque d'un projet d'avenir.*

— L'avenir de notre agriculture dépendra dans une large mesure de sa collaboration avec l'industrie. Notre industrie, aujourd'hui, se procure des matières premières non renouvelables. Il faut les extraire du sol où elles s'épuisent. Or, nous devons penser aux générations futures. Il devient indispensable de préparer pour elles les matières premières renouvelables. Nos paysans peuvent devenir des producteurs de matières premières pour l'industrie. Bien entendu, dans un premier temps, ces nouvelles matières premières seront plus coûteuses que les autres. Et c'est sur ce point que portent les critiques de l'industrie. Mais quand on pratiquera une coopération authentique entre l'industrie et l'agriculture, on trouvera des moyens de faire baisser les prix des matières premières renouvelables.

Alors, grâce aux matières premières renouvelables, on donnera un nouvel avenir à notre agriculture et on pourra rentabiliser les terres des paysans. Car l'objectif doit être de conserver vivante l'âme de l'Europe, cette âme que nous retrouvons dans notre agriculture.

— Cette idée qui consiste à conserver un secteur productif existant, mais en le mettant à même de produire autre chose, me séduit. Non, seulement, le principe est applicable à d'autres secteurs, mais il pourrait être la planche de salut. Il est évident que nous sommes saturés de divers produits classiques, alors que par ailleurs, il y a des lacunes. Nous ne produisons plus les bons produits. Pourquoi fabriquer des automobiles qui nous bloquent dans des embouteillages ? Pourquoi ne pas équiper les ménages de téléfax et — en Allemagne — de minitels au lieu de passer des heures au téléphone ? Pour résoudre ces problèmes, il n'est pas nécessaire d'abolir le capitalisme. Le capitalisme, c'est l'économie en soi et pour soi.

Mais le capitalisme ne devrait-il pas pouvoir faire entrer davantage dans ses calculs la rentabilité à long terme ? Comme les régimes démocratiques qui vivent d'une élection à l'autre, les systèmes capitalistes sont trop dépendants du profit à court terme. Quand on voit que des projets à long terme de recherche médicale, l'exploration d'énergies nouvelles et de carburants nouveaux, pour ne pas parler de la conquête spatiale, sont sacrifiés parce qu'ils ne sont pas rentables à brefs délais, il y a lieu de s'inquiéter. Pourtant l'aménagement incontournable des ressources de la planète devrait nous inciter à penser à long terme. On se trouve de plus en plus devant le cas de figure où il faut investir dans des projets dont nos petits-enfants et arrière-petits-enfants profiteront plus que nous. Étant donné que dans les pays les plus développés, les deux tiers des investissements sont sur le long terme, le système bancaire doit trouver les relais nécessaires.

— Oui, car nous sommes frappés d'une crise structurelle et non pas conjoncturelle. Il ne suffit pas de relancer la conjoncture, car la croissance génère du chômage au lieu de créer des emplois. Et les produits qui ont assuré la croissance en notre siècle et surtout durant le deuxième après-guerre ne sont plus demandés aujourd'hui. Vous avez mentionné l'automobile qui se heurte à un marché saturé, à des autoroutes obstruées, à des villes étouffant dans les embouteillages, pour ne pas parler des accidents de la route, causes d'hécatombes comparables à celles des conflits armés.

Les industriels parlent beaucoup aujourd'hui de réduction des coûts. Or le problème n'est pas de produire à bas coût, mais de savoir quoi produire. Dans cette perspective, le rôle de l'entreprise doit changer. Elle ne doit plus se contenter de produire, mais elle doit réfléchir à la meilleure manière de satisfaire les nouveaux besoins socio-culturels des Européens.

— *En ralentissant un peu le mouvement, la récession peut-être nous obligera à réfléchir. La production et la consommation avaient tendance à s'emballer, poussées par un délire publicitaire. Est-il nécessaire de lancer tous les cinq ans un nouveau modèle de voiture pour remplacer l'ancien ? De sortir tous les trois ans, maintenant tous les six mois, un nouvel ordinateur pour remplacer celui qui suffit aux besoins individuels ? Heureusement, les consommateurs ont réagi en restreignant leurs achats. Un directeur de Siemens m'expliquait que son groupe table sur une meilleure rentabilité de ses semi-conducteurs dans un proche avenir parce que les Japonais ne peuvent plus écouler la production de masse qu'ils escomptaient en ce domaine. Il va leur falloir produire moins de « puces » électroniques et relever leurs prix. De ce fait, la pression sur les prix des composants électroniques européens s'allégera. Ils se vendront moins mais seront plus rentables. Et l'on pourra investir cet argent dans la recherche du super-mégabit.*

— Notre système capitaliste a progressé grâce à la production de masse qui a permis d'abaisser les coûts et le prix. Mais vous avez raison de signaler qu'en certains domaines, il se heurte à des limites. Il est certain que la communication électronique est une chose d'avenir. Déjà téléfax et téléphone nous font gagner beaucoup de temps. Moi qui ai passé de nombreuses heures de ma vie à me déplacer en avion, en train, en voiture et en bateau, j'aurais certainement économisé beaucoup de temps et d'énergie pour le travail si j'avais bénéficié des vidéo-conférences. Nous aurons bientôt le vidéo-téléphone. Ces appareils nous éviteront d'aller passer des nuits dans des chambres d'hôtels pour rencontrer des partenaires. Néanmoins, les interlocuteurs resteront à distance. Il en résultera peut-être une certaine froideur des relations humaines qui posera des problèmes à nos descendants. Et puis, la facilité des communications engendre davantage de communication. Là aussi, il y aura des excès et des embouteillages.

— *Vous qui avez vécu la grande crise mondiale de 1929 — vous aviez alors dix-sept ans —, dites-nous si la crise que connaît actuellement l'économie européenne éveille en vous des réminiscences.*

— La crise actuelle me rappelle beaucoup de souvenirs de cette époque. J'étais très jeune encore, mais un tel événement reste gravé dans une vie. Quand je vois la manière dont nos gouvernements réagissent, j'ai l'impression que, dans la majorité des cas, ils n'ont rien appris. Cela s'applique notamment aux mesures que le président Clinton a prises pour enrayer la crise. On ne résout jamais une crise en augmentant les impôts. Qu'est-ce que l'impôt, en effet, sinon le transfert de capitaux du secteur productif au secteur non-productif qu'est l'administration.

— *Et l'on voit, malheureusement, maint gouvernement appliquer de nos jours la même panacée, un remède pire que le mal.*

Chapitre XIII

L'Europe, notre patrie

Jean-Paul Picaper : Le référendum français du 20 septembre 1992 est déjà loin. Néanmoins, ce remue-ménage référendaire avait redivisé la classe politique française, faisant apparaître certains clivages dont on n'avait pas pris conscience jusqu'alors et il a donc laissé des traces. Les milieux socialistes et libéraux ont voté Maastricht. Le Front national, le Parti communiste et une majorité des conservateurs ont été contre. Que diriez-vous à ces derniers pour les réconcilier avec l'Europe ?

Otto de Habsbourg : Qu'ils se sont laissé guider par des considérations de politique intérieure, alors que la campagne du référendum a ouvert à maints Français des horizons nouveaux.

La France avait commis l'erreur de ne jamais mettre l'Europe au niveau du citoyen. Le paysan d'Auvergne et le villageois des Pyrénées ont eu pour la première fois de leur vie le sentiment de participer à ce grand projet. Au cours de l'été 1992, ils ont pu voir l'Europe en face, mais dans de mauvaises conditions. Cela a permis à toutes sortes d'imposteurs d'introduire n'importe quoi dans le débat, tout en créant néanmoins un intérêt véritable.

— Supposons que le « non » l'ait emporté en France, que se serait-il passé ?

— Une relance sur d'autres bases aurait été nécessaire, car l'Acte unique, avec ses conséquences, n'était pas caduc pour autant. Le marché unique aurait fini par poser la question des institutions européennes qui, telles qu'elles sont actuellement, ne fonctionnent plus. Faites pour une Communauté à six, elles me font penser aujourd'hui à une grande personne qui se promènerait en costume de bébé.

— Qu'est-ce qui ne va pas dans ces institutions ?

— La rotation de la présidence entrave le fonctionnement du Conseil européen. La Commission a trop de membres, dix-sept à présent. Quand nous admettrons de nouveaux adhérents, elle dépassera les vingt. Comment voulez-vous diriger harmonieusement un tel orchestre ? On parle d'accélérer l'élargissement de la Communauté. Alors, il faudra accélérer en parallèle le renforcement des institutions si l'on ne veut pas être condamné à la dislocation ou à l'impuissance [1].

La structure de la Commission est également faussée par manque d'homogénéité. Un des Commissaires vient de l'extrême-gauche et d'autres de partis conservateurs. Entre eux, il y a toute la gamme politique. Difficile dans ces conditions d'avoir une politique homogène. Normalement, les gouvernements sont formés de gens partageant à peu près les mêmes idées. Pourquoi ne serait-ce pas le cas au niveau européen ?

Et puis, il y a le Parlement européen où nous sommes actuellement 530 députés. C'est déjà trop. Quand d'autres pays nous rejoindront, nous dépasserons les 600. A mon avis, passé ce cap, un Parlement cesse d'être un Parlement et devient une machine à voter. Cela ne ferait qu'aggraver son impuissance alors qu'il faut au contraire renforcer ses pouvoirs.

— Donc, le « oui » à Maastricht n'a pas résolu les problèmes institutionnels. Et si les Français avaient voté « non », cela aurait été la même chose ?

— Il y aurait eu une perte de temps de deux ans. Et deux ans, c'est beaucoup quand un événement grave, une grosse explo-

---

1. Malheureusement, la Conférence européenne du 29 octobre 1993 a décidé de reporter cette réforme, prévue initialement pour 1995, à 1996, après l'adhésion de quatre nouveaux membres. Il est à craindre que ceux-ci ne contribuent à perpétuer la surreprésentation des petits pays dans la Communauté.

sion venant de l'ex-URSS nous menace. **Nous ne savons pas quand, mais elle viendra.**

Et puis, nous sommes tous menacés par divers fléaux, les flux migratoires mondiaux — quelque 500 millions de réfugiés de par le monde, 20 millions dans l'ex-URSS qui n'attendent qu'un signe pour monter dans le train —, la progression foudroyante de la criminalité organisée et de la drogue, l'explosion des maladies virales et le retour de maladies microbiennes qu'on croyait vaincues, telles la tuberculose, pour ne pas parler des dégâts causés à l'environnement, risque nucléaire à la clé. Croyez-vous que tous ces problèmes qui fondent sur nous n'exigent pas un pouvoir européen fort et apte à réagir vite ?

— Certes, l'horizon 2 000 est lui-même trop lointain pour mettre en place les institutions. Nous allons être obligés d'accélérer. Alors, indépendamment du peu d'enthousiasme des Européens de l'Ouest, qui s'identifient d'autant moins à l'Europe qu'elle se concrétise davantage, l'Union européenne serait une nécessité incontournable ?

— Certes, l'Union a été accélérée par le « oui » français, mais elle n'aurait pas été sérieusement freinée par un « non ». Parce que la pression extérieure est très forte. L'évolution de Jacques Delors — initialement très opposé à un élargissement — est un signe des temps. Il voulait garder son petit jardin des Douze. Aujourd'hui, il est prêt à « ouvrir les grilles » parce qu'il ne peut plus résister.

Remarquez, d'ailleurs, que le chancelier Kohl et le président Mitterrand ont poussé à l'ouverture des négociations avec les futurs nouveaux membres, Autriche, Finlande, Suède et Norvège avant la ratification définitive du traité de Maastricht par l'ensemble des Douze, dès le début de l'année 1993. On ne pouvait attendre que les Anglais et les Danois en aient fini avec leurs problèmes. Nous aurons peut-être besoin d'une Europe capable d'agir sur les plans diplomatique et militaire plus tôt qu'on ne le pense.

— Que faire pour parer au danger ?

— Ne pas perdre de temps. Plus nous sommes désunis, plus le danger est grand. Il faut faire l'union, et très vite. Les gouvernements le comprennent mais dès qu'ils sont ensemble, ils retombent dans l'ornière des vieux nationalismes hérités du XIXe siècle.

— *Alors, on n'a pas le temps de « remettre Maastricht à plat », comme certains le proposent ?*

— A quoi bon ces complications ? Maastricht est imparfait comme toute œuvre humaine, mais il faut faire avec. Remettre ce texte sur le métier ralentirait considérablement le processus d'union, entraînerait une recrudescence de ces discussions oiseuses que nous ne connaissons que trop en Europe et nous rejetterait gravement en arrière. La basse-cour européenne a suffisamment caqueté. Il faut que ces poules deviennent des aigles. Et puis, un traité ne vaut que par ce qu'on en fait ensuite. D'ailleurs, le traité est adopté dans presque tous les États-membres[1]. Il le sera bientôt partout et les États-candidats ont dit qu'ils l'approuvaient sans restrictions. Ils ne demandent pas et n'obtiendront pas de dérogations, à la différence des Danois et des Britanniques.

— *Mais en Allemagne aussi, les critiques contre Maastricht se sont intensifiées au cours de l'année 1993, après son adoption par le Bundestag. La Cour constitutionnelle de Karlsruhe a examiné l'été dernier tout un chapelet de recours contre Maastricht, le plus sérieux se fondant sur le fait que la souveraineté appartient au peuple allemand, selon la Loi fondamentale, et non pas à des majorités fluctuantes au Conseil des ministres européen.*

— Mais, justement, cet argument serait balayé si le Parlement européen avait davantage de pouvoirs de contrôle et d'initiative. Il est élu au suffrage universel. C'est déjà une bonne chose.

— *Il y a aussi le malaise de la droite nationale allemande qui a*

---

1. Entre-temps, par tous les États-membres. Le traité de Maastricht est entré en vigueur le 1er novembre 1993.

peur d'être dissoute dans l'Union européenne « comme le sucre dans le café ». Même hantise chez les Français « pur sucre » du Front national et chez les barons du RPR.

— C'est qu'ils confondent « souveraineté » et « identité ». Les abandons de souveraineté nationale ne sont pas des abandons d'identité. Rappelez-vous le compromis austro-hongrois de 1868. Il était prévu que les deux nations de la Double monarchie mettaient en commun leurs intérêts financiers, les politiques étrangère et militaire, mais qu'ils conservaient leur parlement national, leur administration locale, leurs coutumes. Sans la Grande Guerre, cela aurait pu fonctionner encore très longtemps. Je n'ai pas l'impression que les Autrichiens ou les Hongrois aient perdu à l'époque la moindre parcelle de leur identité culturelle. Même le laminoir soviétique n'a pas réussi, par la suite, à amputer les Hongrois de leur âme. Je pense au contraire qu'au contact des autres peuples, l'identité nationale se renforce. On se compare et on s'affirme.

— *La droite conservatrice française redoute aussi que l'Union européenne ne soit qu'un habillage du Reich allemand. Selon cette interprétation, à mon avis désuète, l'Allemagne est trop faible pour se lancer toute seule dans une politique continentale ou même mondiale. Mais dotée de la légitimité européenne, elle pourra aller très loin sans éveiller les suspicions.*

Ceux qui connaissent intimement l'Allemagne savent que tel n'est pas l'objectif de la grande masse des Allemands. Tant que l'Allemagne sera une démocratie, elle ne pourra pas se servir de l'Europe à des fins dominatrices. L'Allemagne ne sera jamais dangereuse tant qu'elle restera démocratique. Et son intégration dans l'Union européenne est une garantie importante de fidélité à la démocratie.

— Il est donc inutile de se faire l'avocat du diable. En politique, les choses sont généralement partagées. Il y a d'autres Français qui disent au contraire qu'en arrimant l'Allemagne à l'Europe on l'empêchera de se lancer dans des aventures, qu'on la « tiendra en laisse ». L'Allemagne a fait des sottises, dans l'histoire, quand personne ne la contrôlait et que tout le monde était contre elle, comme c'est arrivé d'ailleurs à d'autres nations également. Ne vaut-il pas mieux atteler à l'Europe sa puissance économique, son potentiel intellectuel et humain ? Mais si l'on considère toutefois que la France a commis autant de fautes dans l'histoire que l'Allemagne, on ne peut plus considérer l'Europe comme un système fait pour attacher l'Allemagne.

— *Disons que mieux vaut voir l'Allemagne mettre son potentiel humain et économique, et son potentiel militaire aussi, au service de l'Europe, au lieu de les gaspiller. Ce qui m'a frappé dans la campagne référendaire en France, c'est que, d'un côté comme de l'autre, on n'a pratiquement pas parlé de la défense alors que les conflits armés au Moyen-Orient, en Afrique et dans les Balkans, tout autour de nous, devraient en faire une préoccupation majeure. Cette inconscience est* navrante.

— C'est également ce qui me préoccupe. On n'ose pas parler de sécurité, alors que c'est le fond du problème. Certains hommes politiques en ont pris conscience.

— *Si nous nous battons sur des mesquineries comme au siècle dernier, un adversaire futur n'aurait aucun mal à nous abattre un à un ou à nous dresser les uns contre les autres en fonction de prétendus intérêts nationaux.*

— Ces prétendus intérêts nationaux nous mettent effectivement en danger dans une situation qui n'est pas facile.

— *On a eu l'impression en 1992, en France, que Maastricht était un débat intérieur, une affaire franco-française dans une France assiégée par les démons allemands et les insolences britanniques. Les rares références extérieures semblaient dater du siècle dernier.*

— Cette campagne était en effet à usage interne. Un président de la République tombé très bas dans la cote de popularité a cherché à utiliser ce référendum parfaitement inutile à des fins personnelles et partisanes, mettant pour ce faire la population au pied d'un traité incompréhensible.

— *De par son histoire, la France a le réflexe parricide et le réflexe plébiscitaire. D'aucuns ont voté « non » pour contrarier ce président de la République.*

— En tout cas, dans ce vote, toutes sortes de motifs sont intervenus qui n'avaient rien à voir avec le traité. J'ai assisté à un meeting en France en septembre 1992 et j'ai posé aux gens la question : « Lequel d'entre vous a lu le traité de Maastricht ? » Personne. Et je les comprends. Ce texte tellement mal ficelé, bureaucratique et lourdaud, vous tombait des mains.

D'un côté, il y avait les livres contre Maastricht, aux idées fausses mais brillamment écrits, de Philippe de Villiers et de Charles Pasqua. De l'autre, cet espèce de document que l'on a distribué à cent mille exemplaires et que, bien entendu, personne n'a lu. Dès le départ donc, la stratégie des défenseurs de Maastricht fut mauvaise. Un référendum sur une chose que les gens ne comprennent pas atteint le summum de la malhonnêteté. Nous avons eu, en Autriche, une consultation populaire de ce genre sur la centrale nucléaire de Zwentendorf. Ce fut une bourde du chancelier Kreisky.

Notre démocratie représentative, qui nous vient d'Angleterre, est un bon système. Elle délègue le travail aux professionnels de la politique parce que le peuple n'a pas le temps de s'informer. Il laisse donc ce soin à des politiciens professionnels. Mais ceux-ci sont souvent trop lâches pour prendre leurs responsabilités.

— *Quelques hommes politiques dans le camp du « oui » ont visiblement ressenti ce malaise et ces lacunes dans les semaines précédant le vote puisqu'ils ont essayé d'expliquer concrètement le modèle Europe dans les médias.*

— Certes, seulement le malheur a voulu qu'ils ne soulèvent pas les masses. Tandis que Charles Pasqua...

— *Avec sa jugeotte, son franc-parler et son accent savoureux, est le plus « populaire » des politiciens français, au sens le plus fort du terme. Et puis, les gens se souvenaient qu'en 1986-1987 il a été le meilleur ministre de l'Intérieur que la France ait eu depuis des lustres, ce qui ne s'est nullement démenti en 1993, vu sa fermeté, son réalisme et la clarté de ses idées.*

On a eu l'impression aussi que les partisans du « non » récupéraient le courant centraliste jacobin et la tradition bonapartiste.

— Ce n'est pas tout à fait vrai puisque le prince Bonaparte s'est prononcé clairement pour le « oui », alors que le comte de Paris était très nettement en faveur du « non », mais les clivages politiques ont joué.

— *Plus que jamais depuis la fin de la guerre. On a eu même parfois l'impression de revivre un drame historique et non un débat de notre époque.*

— Ce qui me fascine dans la politique française, c'est cette impression de se trouver au bord d'un lac asséché où toutes les couches sédimentaires seraient conservées. Chez mes collègues français du Parlement européen, il y a des gens de l'Ancien Régime, des admirateurs de Louis XV et de Louis XVI, mais aussi des nostalgiques de la Révolution, d'authentiques Jacobins, sans compter des Bonapartistes, et naturellement les héritiers de la Troisième république. En France, l'histoire est restée vivante. Vous pouvez la lire à travers les contemporains. Les Français n'éliminent jamais une phase de leur histoire, ils l'additionnent aux autres.

— *A bien considérer l'histoire de France et son incarnation dans les élites politiques actuelles, normalement le pays aurait donc dû dire « non » à l'Europe.*

De Villiers a voté Ancien Régime, comme pour perpétuer la résistance des Chouans au Comité de salut public. Ce fut un vote romantique contre les temps modernes, prétendus « technocratiques ».

D'autres ont voté hypernationaliste. L'amalgame d'appel au peuple et d'exécutif fort, caractéristique du bonapartisme, a survécu dans une certaine droite française. Les communistes se sont retrouvés une fois de plus dans le camp du « niet ».

Rien d'étonnant à cela puisque l'idée européenne est très récente en France et que la plupart des familles politiques lui sont anté-

rieures. Comme l'Europe n'a pas de bases historiques chez nous, comment aurait-on pu voter européen ?

— En temps normal, on compte pourtant en France au moins 60 % de citoyens favorables à l'intégration européenne. Aussi se demande-t-on, dans ces conditions, après cette campagne de dénigrement systématique de l'Europe et tant de maladresses de la part de ses promoteurs, d'où avaient pu sortir ces 50,03 % de « oui ». Il est vrai que beaucoup, dans cette petite majorité, ont dit « oui » dans l'intérêt de la France plus que par goût pour l'Europe. Ils ne voulaient pas gâcher l'avenir de leur pays, l'Europe leur paraissant incontournable.

Ces Français ont pensé que si l'Europe était inévitable, mieux valait en être les artisans. Mais, tout en n'ayant pas une expérience de l'Europe prise globalement, la France ne lui est pas totalement réfractaire. Elle a recueilli certaines traditions européennes fort anciennes, antérieures au repliement frileux sur l'Hexagone. L'idée du Saint Empire joue encore un rôle dans certaines provinces françaises, au bon sens du terme, c'est-à-dire au sens de la supranationalité.

— *Vous voulez sans doute parler des régions-charnières entre la France et ses voisins ? Ces régions limitrophes entre les nations et les cultures ressentent ce dénominateur culturel commun des peuples européens qui s'est formé au long d'un à deux millénaires. Les antagonismes nationaux ont une origine plus récente et peut-être superficielle. L'Europe a-t-elle une spécificité ?*

— Oui, cette spécificité existe sur tous les plans, philosophique et culturel, transcendant et quotidien, mais il faut s'éloigner de notre continent pour en prendre conscience. Je ne suis devenu un vrai Européen que quand je vivais aux États-Unis, et surtout lorsque j'ai tourné le dos aux gratte-ciel de New York.

— *Entre-temps, l'architecture de Paris et d'autres grandes villes ressemble beaucoup à celle de New York. La France ne vit plus « à l'heure de son clocher », comme l'avait écrit le Suisse Herbert Luthy. Sauf dans nos provinces dépeuplées où, çà et là, son âme a survécu, en particulier dans la France paysanne.*

— C'est vrai, je vous ai parlé de ces paysans qui se souvenaient encore d'une Europe depuis longtemps effacée. L'Europe, c'est cette continuité. Ce qui distingue notre continent des autres, c'est son immense passé, avec ses éléments que sont la spiritualité chrétienne et le bon sens formé par la sagesse grecque et par le droit romain. Nous avons inscrit ces valeurs dans le sigle de l'Union paneuropéenne, fondée il y a soixante et onze ans, qui place la croix du Christ devant le soleil de la sagesse grecque.

— *Depuis qu'il existe un passeport européen et que Maastricht a institué le vote passif et actif des citoyens de la CE dans les pays membres à l'échelon communal, n'a-t-on pas fait un pas vers un modèle confédéral ?*

— Certainement, mais encore faudra-t-il rapprocher davantage le continent de ses citoyens. C'est notre point faible. A l'échelle de l'histoire, on n'a consacré que très peu d'années à la construction européenne. Je suis convaincu que nous parviendrons à populariser le patriotisme européen. Mais cela durera encore longtemps si l'on veut faire assimiler cette nouvelle notion d'Europe sans se défaire de l'amour de son propre pays. Après tout, nous avons été formés pendant des siècles à la notion d'État national.

— *Les citoyens de la CE sont-ils encore des « étrangers » les uns pour les autres ?*

— Certes non. Ce sont des citoyens d'une même entité. Ce qui ne veut pas dire qu'ils aient renoncé à leurs nationalités respectives.

— *En revanche, les non-Européens sont devenus plus « étrangers » encore qu'ils ne l'étaient avant l'Union de l'Europe. Peut-on les intégrer en Europe et doit-on le faire ?*

— Je ne suis pas favorable à une politique d'intégration, s'agissant d'une immigration massive. Bien entendu, certaines personnes et leurs familles peuvent devenir « européennes », c'est-à-dire assimiler notre culture tout en gardant la leur.

Dans le passé, des apports étrangers nous ont considérablement enrichis. De même que l'apport européen a enrichi des cultures étrangères. Il existe une osmose des cultures profitable à tous.

Mais c'est autre chose que cette immigration de masse qui nous crée des problèmes parce que nous ne sommes pas un continent d'immigration. C'est un des grands problèmes. Et nous ne le résoudrons qu'en donnant graduellement aux autres continents la possibilité d'accéder à notre niveau de vie sur leurs propres terres, et non en attirant chez nous la masse de leur population. Il faut leur faire comprendre que la solution des problèmes africains n'est pas dans les quartiers entourant la gare du Nord à Paris, mais en Afrique.

— La déclivité de niveau de vie Nord-Sud et la dégradation de l'atmosphère et des climats sont les deux problèmes globaux qui mettent aujourd'hui en question la survie de l'humanité. Mais ne trouvez-vous pas que parfois, « on en fait un peu trop » sur ces sujets ?

— Non. C'est bien de soulever l'intérêt général. Tout en exagérant, les écologistes ont fait progresser la conscience des problèmes relatifs au monde qui nous entoure.

— C'était à la mode d'être à gauche après 1945, puis à nouveau après 1968, et d'annoncer vers 1980 l'apocalypse nucléaire. Aujourd'hui, les mêmes milieux annoncent l'apocalypse de la famine et de l'ozone. A l'époque, il fallait être « anticapitaliste » ou « progressiste ». C'est bien vu aujourd'hui d'être « tiers-mondiste » ou « immigrationiste ».

— C'est vrai, mais il y a des sujets qui s'imposent à certains moments. On a toujours besoin d'une apocalypse, quelle qu'elle soit. Les gens engagés au service d'une cause exagèrent souvent, mais le fond de la population ne change pas. Souvenez-vous des événements de 1968 en France. Il a suffit que le général de Gaulle parle quelques minutes à la télévision pour ramener le peuple à la conscience des réalités et pour lui permettre de balayer ce qui paraissait irrésistible. Cette apocalypse-là a été remise à plus tard. Si le général de Gaulle n'avait pas arrêté le mouvement de mai 1968 à Paris, nous aurions vécu, je le crains, une révolution mondiale.

— Notre siècle ayant évité ainsi une troisième apocalypse politique et le climat de notre planète en ayant vu bien d'autres, peut-être allons-nous aborder sans encombre le prochain siècle. Vous qui avez vécu des situations extrêmes, pensez-vous que nous soyons à la veille d'une apocalypse ?

— Non, je ne le crois pas.

— Donc, pas de millénarisme de l'an 2000 ? Pas de chiliasme à la fin du siècle ?

— Bien entendu, à la veille de l'an 2000, de nombreux faux prophètes vont surgir pour nous annoncer tous les terribles malheurs dont ils diront l'imminence. Ce genre de prophétie se vend très bien dans le commerce, mais se réalise très rarement.

— Avant de vouloir sauver la terre, ne faudrait-il pas d'abord sauver l'Europe ? Ne devrions-nous pas être d'abord européens ? Tirer à la fois l'Europe de l'Est et le reste du monde de la misère, c'est beaucoup pour la CE.

— Il faudra dresser une échelle des priorités. Nous devrons concentrer l'aide au Tiers-Monde sur ceux qui ont commencé leur développement et sont prêts pour l'envol. Car l'aide au développement doit être répartie sur beaucoup d'épaules, contrairement à ce qui se fait aujourd'hui. C'est une erreur d'aider d'abord ceux qui sont dans la misère la plus profonde. Mieux vaudrait assister les pays voisins, peut-être un peu plus avancés, susceptibles par la suite de secourir les autres.

— Ce « tiers-mondisme » apparaît aussi dans le secteur défense. En Allemagne où il y a davantage de pacifistes que dans les autres pays européens, on rencontre pourtant des défenseurs de l'engagement de la Bundeswehr hors de la zone Otan. Mais leur argumentation relève de la même veine. Ils vous assurent que la future armée européenne doit aller porter la démocratie dans le monde et s'y consacrer à des tâches humanitaires.

Le rôle de l'armée européenne ne sera-t-il pas plutôt de défendre l'Europe que de jouer aux missionnaires ?

— Je partage votre opinion. Nous ne sommes pas appelés à convertir le monde entier à notre vision des choses. Il faudrait commencer par mettre de l'ordre dans notre maison et par balayer devant notre porte.

— Quant aux tâches humanitaires, n'est-ce pas le rôle des infirmiers, du génie peut-être, et non des unités combattantes ?

— L'armée européenne ne sera pas la Croix-Rouge. Cette tâche est réservée à des organisations admirables telles « Médecins sans frontières ». Cette association a fait davantage pour l'humanité que presque toutes les autres réunies.

— Nous avons parlé de la dimension Nord-Sud. Mais à l'Est, où s'arrêtera l'Europe ?

— Il est certain que la Russie restera un continent eurasiatique tant qu'elle continuera à occuper de vastes territoires de la Sibérie. De nombreux Russes avec lesquels j'ai parlé, m'ont dit qu'ils n'étaient pas certains d'être européens. Personnellement, je les considère comme tels, mais ils n'appartiendront à notre Europe qu'une fois débarrassés de peuples colonisés qui ne veulent pas faire partie de la Russie. Ils devront bien rendre un jour leur indépendance nationale aux Tchétchènes, aux Ingouches et à d'autres ethnies.

— La « Mitteleuropa » serait donc la partie orientale de l'Europe, une CEE allant de la Scandinavie à la Sicile en passant par les États baltes, la frontière orientale de la Pologne, l'Ukraine peut-être, la frontière Est de la Slovaquie et de la Hongrie et, dans les Balkans, certainement la Slovénie et la Croatie qui sont dans l'orbite de l'Autriche, peut-être la Bosnie si elle existe encore, et un ensemble rattaché à la Grèce. Je ne sais pas trop ce qu'on ferait de la Serbie. Sans doute la France et la Grande-Bretagne plaideraient-elles en sa faveur si Milosevic disparaissait de la scène.

Ainsi l'empire carolingien se souderait à l'empire des Habsbourg... Je veux dire qu'on récupérerait la « Mitteleuropa », cette

Europe centrale dont la désignation en allemand était devenue péjorative dans les années 80, en France, parce qu'on croyait que l'Allemagne allait « dériver » vers l'Est. Le contraire s'étant produit, l'Est ayant dérivé vers l'Allemagne, cette « Mitteleuropa » est un pilier stabilisateur dans une région instable. Son existence est aussi légitime que celle de la « Nordeuropa » scandinave, Islande incluse, de la « Westeuropa » franco-britannique et portugaise et enfin de la « Mittelmeerregion », les pays méditerranéens, Espagne, Italie et Grèce. S'y ajouteraient les deux îles de Chypre et de Malte, comme postes avancés.

— Les commissaires européens originaires du sud de l'Europe souhaitent l'adhésion de la Chypre et de Malte comme contrepoids à celle des pays scandinaves en 1995 et je ne peux les en blâmer. Pour ce qui est de Chypre, il faudra cependant que le conflit gréco-turc qui divise cette île soit réglé d'abord.

Je pense qu'il ne faut surtout pas isoler l'Europe centrale du cadre général de la Communauté. Certes, les pays de la « Mitteleuropa » ont des choses en commun, mais une fédération d'Europe centrale ne remplacerait jamais pour eux la Communauté européenne. Car elle serait trop faible pour s'imposer dans le monde. Je crois donc que ces États d'Europe centrale doivent entrer individuellement dans la CE. Au sein de la Communauté, ils peuvent passer des accords entre eux, à l'instar des États du Bénélux ou des Scandinaves.

— Vous étiez déjà pour cette Grande Europe avant la signature du traité de Rome. Vous avez connu le fondateur du mouvement paneuropéen, Coudenhove-Kalergi. Quand et comment ?

— Je l'ai rencontré à Paris en 1936. Il m'avait beaucoup impressionné par sa vision exceptionnelle du monde. Coudenhove-Kalergi diffusait des idées, mais la notion de pouvoir lui était étrangère. Il n'avait aucune ambition personnelle. Dans l'Ancien Testament, on aurait fait certainement de lui un prophète.

Lors de l'exposition de Kyoto, au pavillon de l'Europe, la Communauté avait dressé toutes sortes de statues, de Jean Monet et autres. Mais on n'avait pas érigé de statue de Coudenhove. Les Japonais ont vivement protesté. Je l'ai fait observer à Coudenhove, lui proposant de nous joindre à ces protestations. Alors il m'a répondu : « L'important, c'est qu'il y ait un pavillon de l'Europe. »

Une autre fois, un homme politique qui n'était pas de ses amis, l'avait plagié. J'ai suggéré qu'on intervienne contre le plagiaire. Coudenhove m'a dit : « Mais non, je suis heureux au contraire que mes ennemis adoptent les idées que je sème. Je ne sème pas pour moi mais pour les autres. »

— *Pour que les peuples européens aient conscience d'appartenir à un ensemble unitaire, il faudrait, dans ce monde chaotique et sournois, belliqueux et terroriste, pour ne pas parler des drogues qui attisent les peurs, qu'ils sentent une même protection autour d'eux et dans leur société. Est-ce que l'Europe peut la leur donner ?*

— Elle le doit. Et ses peuples doivent comprendre que la sécurité est primordiale en politique. Un État n'est pas légitime s'il n'assure pas la sécurité de ses citoyens. Notre notion de l'État ou de la Communauté d'États se fonde sur la sécurité garantie et pourtant c'est ce que nous hésitons à réaliser.

— *L'empire des Habsbourg, avez-vous écrit dans votre livre* L'idée impériale, *assurait la sécurité de tous, y compris des juifs, des tziganes, des minorités ethniques et religieuses.*

— Oui, et c'est d'ailleurs très frappant aujourd'hui en Europe centrale. Partout les minorités de pays, telle, par exemple, la Roumanie, sont les plus ardents défenseurs de l'idée de monarchie. J'ai beaucoup de contacts avec les minorités de ce pays, juifs, tziganes, Hongrois. Elles désirent toutes le retour du roi Michel. Ce n'est pas toujours par sympathie pour lui, mais simplement parce que le roi, n'ayant pas besoin d'être élu par la majorité, peut se faire protecteur des minorités. L'important, c'est qu'un régime soit légitime et non pas qu'il ait telle ou telle forme. La légitimité se crée, mais très lentement. Beaucoup de gens ne comprennent pas cela et s'exagèrent la question de la forme de l'État.

— *Et la légitimité européenne ? Est-elle déjà créée ?*

— Elle est en train de naître, mais dépendra beaucoup de la capacité des Européens à assurer leur propre sécurité. C'est pour cela que je crois beaucoup au slogan « Politique d'abord ». D'ailleurs, ce point de vue était partagé par tous les grands dont j'ai fait la connaissance dans ma vie, notamment par le général de Gaulle mais aussi par Robert Schuman, alors que les technocrates ne le comprenaient pas. Ils ont accompli de belles réalisations sur le plan économique, mais ils n'ont pas aussi bien réussi sur le plan politique.

— *L'Europe avait commencé par le charbon et l'acier. Dans l'esprit de Robert Schuman et de Jean Monet, il s'agissait de mettre en commun, entre anciens belligérants, les matières premières avec lesquelles on fabrique des canons. Aujourd'hui, d'autres domaines industriels dans lesquels nous coopérons aussi, l'électronique par exemple, dictent l'issue des guerres. Et l'on parle beaucoup du nerf de la guerre, la monnaie. N'oublie-t-on pas l'Europe culturelle ?*

— On en parle trop peu. Pourtant, il se passe là des choses extraordinaires. Voyez le splendide succès qu'a été l'Année de la musique dont l'initiative était partie du Parlement européen. C'est ainsi que l'Europe culturelle est en train de démarrer.

C'était une des grandes idées de Coudenhove-Kalergi qui fut davantage un des pères de l'Europe que certains technocrates dont on parle aujourd'hui.

— *La plupart des romanciers allemands ou autrichiens contemporains sont inconnus en France et vice-versa. On a créé la chaîne européenne* Arte, *mais son audience est assez mince. Elle « pense trop », et amuse trop peu.*

— Mais elle n'a pas dit son dernier mot. D'aucuns pensent à injecter dans *Arte* des capitaux privés. D'ailleurs les Belges se sont joints récemment sur cette chaîne aux Allemands et aux Français.

— *La Belgique, comme d'autres petits pays, avaient au départ davantage intérêt que les grands à voir se bâtir l'Europe. Elle leur confère une importance qu'ils n'auraient pas sans cela. Mais depuis 1992, ils se retournent contre elle, craignant, à tort ou à raison, d'y devenir des satellites de l'Allemagne. C'est le cas notamment du Danemark et de la Suisse.*

— Je crois que ces pays ont eu peur de l'Allemagne. Mais ils craignent davantage la bureaucratie de Bruxelles. Quant aux Belges, je ne pense pas qu'ils puissent jamais se détourner de l'Europe. C'est un tournant, certes, dans l'évolution de nos relations, mais pas un retournement. La Belgique est une création bourguignonne. Elle fait partie de ces quelques régions de notre continent qui furent toujours à l'avant-garde de la culture européenne.

— *Soumis à des pressions intolérables de la part d'une Allemagne acculée à la banqueroute et désireuse d'abolir l'indépendance des banques luxembourgeoises, le Luxembourg ne manquerait pas de raisons non plus de s'éloigner de l'Europe.*

Quand on voit la force du franc suisse, on peut comprendre que les Suisses aient dit non au référendum sur l'espace européen. A-t-on aboli les barrières douanières pour créer une inquisition fiscale en Europe ?

— Certes non, je vous ai déjà dit ce que je pensais de ces augmentations d'impôts. Le grand mérite de l'Europe aura été d'abolir des taxes douanières et dans un avenir prévisible des frais de change. Alors, espérons que les États, toujours insatiables, ne vont pas recommencer ailleurs à prélever des sous.

Les réticences des petits pays traduisent aussi une tendance très répandue dans de larges couches de nos populations à se retirer dans leur coquille, conformément au slogan « small is beautiful ». A l'opposé, les responsables politiques se rendent compte de la globalisation des problèmes et des dangers, d'où la nécessité d'accélérer l'intégration. Comment concilier ces deux tendances contradictoires ? Le principe de subsidiarité inscrit au traité de Maastricht est une première amorce de solution à ce problème.

— *Je relève que la résistance à l'intégration européenne émane dans les grands pays de milieux politiques ultraconservateurs, peu engagés dans les échanges internationaux et fermés à la politique étrangère moderne, telle qu'elle s'est développée depuis la dernière guerre. Elle touche aussi, parmi les jeunes, les non-diplômés, non-qualifiés, c'est-à-dire ceux qui n'ont jamais eu la chance de participer à des échanges internationaux ou d'apprendre des langues étrangères.*

Quant aux petits pays, leurs réticences ne sont pas toutes honorables. Peut-être parce que la concurrence y est moins vive que dans les grands pays, leurs élites n'ont pas toujours la même capacité d'adaptation et d'improvisation que celles des grands pays. Aussi préfèrent-elles rester confinées dans un univers protégé. Si je voulais être méchant, je dirais aussi que ces petits pays, dans la plupart des cas, ont été des objets de l'histoire plus que ses acteurs. Ils se sont laissé ballotter par les vagues. Un grand journaliste de la télévision allemande, un homme de votre génération, m'a dit un jour que l'Allemagne et la France avaient un destin, tandis que la Suisse n'avait eu qu'une histoire.

Quand on est confronté à tout ce kaléidoscope, comment créer un patriotisme européen ?

— Par une éducation européenne des jeunes. Et en donnant à tous les Européens le sens de leur dignité et de leur destinée. Ce qui peut vouloir dire subir des épreuves. L'Angleterre a dû, en grande partie, son redressement au courage de Margaret Thatcher quand elle décida l'expédition des Malouines. Une entreprise qui n'avait guère de raisons économiques, mais qui se justifiait par le sens des responsabilités et par une certaine conception de la dignité.

— *Aux antipodes de l'adhésion noble que vous venez d'évoquer, il existe la persuasion par la propagande. Par exemple, le 31 mars 1993 à Bruxelles.*

De nombreux journalistes ont quitté ce jour-là, en signe de protestation, une conférence de presse du parlementaire européen Willy De Clercq au moment où votre collègue présentait une étude de la Commission européenne sur les relations publiques dont il était l'inspirateur. On peut y lire des phrases du genre : « Il faut prêter une attention particulière aux présentateurs de la télévision et aux journalistes. Il faut qu'ils deviennent des partisans convaincus de l'Union européenne. Il est donc indispensable qu'on modifie leur opinion afin qu'ils soient des avocats de la cause européenne. »

Cette étude recommande une présence plus forte du drapeau européen, notamment dans les hôtels, lors de conférences, d'exercices militaires et de rencontres sportives dont les medias rendent compte. Ses auteurs conseillent à la CE d'adopter une étoile à douze branches comme signe, « l'étoile étant un symbole très fort, un signe d'espérance, de renaissance et de rénovation ».

Remarquez, je comprends ces préoccupations. Des décennies durant, la presse a fait son plat de résistance des crises de l'Europe, en oubliant systématiquement ses progrès. Mais il faut craindre la susceptibilité des journalistes, surtout ceux de la télévision. Tout en admettant que l'Europe est trop loin des citoyens, le responsable des relations publiques au sein de la Commission, Joao de Deus Pinheiro, n'a pas voulu s'identifier à cette étude, doutant du bon sens des méthodes qu'elle recommande.

— Joao de Deus Pinheiro est une des grandes valeurs de notre Commission et je partage son point de vue. Il a été pour son pays un excellent ministre des Affaires étrangères et il a le sens des réalités.

— *On dit que la propagande consiste à photographier le diable avec deux pieds normaux. Que l'Europe soit tentée de cacher quelques pieds fourchus qu'on appelle bureaucratisme, centralisme, goût excessif de la réglementation, etc., n'a donc rien d'étonnant ?*

— Certes, nous avons au niveau européen de la bureaucratie, du centralisme, mais ces composantes nous viennent plutôt des États nationaux. Ce sont eux qui sont à l'origine de nos travers les plus graves. Quand je vois une bonne idée surgir au sein de la Communauté, j'imagine les bureaucrates de Paris et de Madrid, de Bonn, de Rome et de Londres se préparant à mettre de côté pendant deux heures leurs mots croisés pour chercher un moyen de torpiller cette initiative. C'est un problème avec lequel nous devrons vivre, car il existe dans tous les pays et dans toutes les administrations.

— *Je sais que la Commission ne devrait pas s'ingénier à dicter la longueur des saucissons italiens ni celle des poissons que les pêcheurs français sont en droit d'attraper. Mais ne critique-t-on pas trop ses pouvoirs de réglementation ? C'est la Commission qui a diffusé partout en Europe le pot catalytique. Et certaines limites qu'elle a imposées aux chasseurs et à d'autres n'auraient pu être édictées par les gouvernements nationaux.*

— C'est justement dans ce domaine qu'on a dû limiter ce qu'on appelle le « principe de subsidiarité », ce principe qui consiste à remettre les affaires aux échelons les plus compétents pour en traiter. Certains avaient suggéré de remettre la protection de l'environnement et de la faune aux États nationaux. Ce serait une grave erreur. Les problèmes de l'environnement transcendent les frontières. Nous avons en Allemagne une législation très sévère pour la protection des espèces, en particulier des oiseaux. Une fois que ces malheureux volatiles ont franchi les Alpes et arrivent en Italie, ils se font abattre. De sorte que les mesures de protection qu'on applique en Allemagne n'ont plus de sens. Il faut donc là aussi édicter des règlements à l'échelon européen.

— *Pourquoi l'Europe est-elle tellement ennuyeuse ? Quand on parle de l'Europe, beaucoup se détournent. Les « eurosceptiques » ricanent. Le mot Europe évoque des problèmes techniques, réglementaires et législatifs, des tonnes de papiers d'information, une sorte de no man's land des eurocrates. Comment la rendre plus charnelle ? Avouez que, comparée à Marianne, la coquette mais émouvante Française, la digne Europe trônant entre les cornes de son taureau est assez réfrigérante.*

— On rend l'Europe ennuyeuse, hélas ! Et les bons Européens surtout sont les champions de ce sport ! Quand on leur parle d'institutions, les gens bâillent. Dans les États-membres, qui est-ce qui s'occupe d'expliquer les détails de la constitution nationale ? Personne. En revanche, les organismes européens s'amusent à discuter à longueur de temps de problèmes institutionnels. Il faut relancer dans le débat européen des problèmes aussi importants que la sécurité. Alors, vous verrez comme le public reviendra à l'Europe.

— *Mais la crise dans l'ex-Yougoslavie, dit-on, a fait la preuve de l'incapacité de l'Europe à instaurer la paix.*

— Ce reproche manque de précision. Laissons de côté les années 1945-50 quand l'Europe était exténuée et occupée. Ensuite, dès qu'on a commencé, à partir de 1952, à créer des communautés européennes, tous les conflits se sont résolus à l'amiable. Pourtant, depuis des siècles, l'Europe était déchirée par les guerres. On semble l'avoir oublié. Sur le territoire de la Communauté européenne, il n'y pas eu de conflit armé depuis 1945. Et à propos de l'ex-Yougoslavie, les divergences franco-allemandes héritées de l'histoire ont été aplanies amicalement. Maintenant, est-ce que la Communauté pourra, à l'avenir, être un facteur de stabilité, un ancrage pacificateur pour l'ensemble du continent et sa périphérie ? Il faudra travailler intensément à lui donner les instruments et la volonté de cette politique.

— *Au début des années 80, on parlait d'« eurosclérose ». Puis le tandem franco-allemand insuffla un second souffle à l'intégration. A présent, au début des années 90, notre vieille Europe souffre d'« euroarthrose ». Votre vision d'un avenir positif est-elle vraiment réaliste ?*

— C'est précisément dans les moments de dépression qu'il faut faire des projets d'avenir. Déjà, la maladie dont vous parlez est en voie de guérison. Après les deux ans d'euphorie allant de la chute du mur de Berlin à celle du régime soviétique, on a connu deux années de désillusion. Disons que l'enthousiasme pour la CE et l'Otan triomphants s'est volatilisé dans les montagnes de Bosnie tandis que la récession économique répandait partout l'amertume.

Il est clair qu'une alliance comme l'Otan ne peut plus résoudre tous les problèmes affectant la sécurité européenne, le conflit dans l'ex-Yougoslavie en a apporté la preuve. Il faut donc créer un cadre plus vaste, avec l'Otan tant qu'il existe et avec la Communauté, mais en donnant à celle-ci les moyens d'organiser la défense de l'Europe et de ses intérêts dans le monde. Il va de soi aussi que le marché ne peut plus résoudre à lui seul tous les problèmes du redressement de l'Europe de l'Est ni nous restituer à brefs délais la croissance et le plein emploi. Il faudra qu'une politique de développement européen fixe certaines priorités. Depuis 1993, on adopte une attitude plus réaliste et plus constructive. Qu'une chose soit claire : les grands problèmes de notre temps ne peuvent plus être résolus dans le cadre national.

Conclusion

L'histoire en mouvement

Jean-Paul Picaper : A l'issue de la guerre froide, le politologue américain Francis Fukoyama annonça « la fin de l'histoire ». L'antagonisme global entre les États-Unis et l'Union soviétique étant aboli, l'histoire allait désormais faire du sur-place, la pendule s'arrêter, le combat finir faute de combattants. Deux ans après, sa prophétie n'est-elle pas déjà contredite par les événements ?

Otto de Habsbourg : La thèse de Fukoyama était absurde « ab initio ». L'histoire ne prendra jamais fin. Sa loi fondamentale, le changement, restera toujours en vigueur.

— A la même époque, Georges Bush proposait de mettre en œuvre un « nouvel ordre mondial ». Deux ans après, nous faisons face à un « nouveau désordre mondial ». Croyez-vous que les hommes parviendront à créer un ordre humain et pacifique ? Ou bien la loi de la jungle continuera-t-elle à régir les relations internationales ?

— Je suis persuadé qu'une bonne politique pourrait mettre fin à la loi de la jungle. Nous en avons fait l'expérience, dans un cadre limité, par le traité de Vienne après les guerres napoléoniennes. La grande performance de ce traité était d'appliquer les mêmes principes aux vainqueurs et aux vaincus et d'associer les vaincus à l'œuvre de paix. Comme nous l'avons déjà mentionné dans une de nos conversations, le grand malheur s'est produit après les deux guerres mondiales quand on a créé l'ordre de Versailles et de Saint-Germain et l'ordre de Yalta, en faisant exactement l'inverse qui consistait à appliquer la règle « malheur aux vaincus », « vae victis » : le désordre que nous connaissons en a résulté.

Quant à l'ONU qui prétend instaurer l'équité dans les relations internationales, je ne crois pas qu'elle soit la solution définitive. L'idée des Nations-Unies est tributaire de la date à laquelle elle est née, durant la Deuxième Guerre mondiale, comme une continuation de l'alliance qui avait conduit à la solution de ce conflit. Or, il y a un principe immuable dans l'histoire, à savoir que les alliances d'une guerre ne survivent jamais à la fin de cette guerre.

— *Déçu par l'attitude des Européens, en particulier celle des Allemands, pendant la crise bosniaque, le président Clinton en revient pourtant à l'alliance américano-russe, laissant l'Europe au second plan. Ses rivaux potentiels sont le Japon et la Chine. Ses adversaires, les candidats au club nucléaire, Libye, Iran, Irak, Ukraine et Corée du Nord. Au fond, les Américains ont toujours rêvé de voir se reconstituer leur alliance de la guerre avec la Russie.*

— Oui, mais n'oubliez pas que le président Clinton n'est élu que pour quatre ans. D'ici là, l'Europe devra s'être dotée d'institutions plus solides. Espérons qu'elle n'aura pas à faire face auparavant à une grande crise. Le Caucase est en train de s'enflammer à l'instar des Balkans et l'ancien ambassadeur soviétique, Valentin Faline, a dit récemment que, « comparée à une guerre des nationalités en Russie, la guerre dans l'ex-Yougoslavie n'aura été qu'un murmure du vent dans les arbres ».

— *Les spécialistes du comportement se battent sur la question de savoir si l'homme a une nature génétiquement agressive ou pacifique. En attendant leur réponse qui ne saurait tarder, pensez-vous que la guerre soit une fatalité inévitable et donc le grand moteur de l'histoire ?*

— Non, la guerre n'est pas une fatalité absolue. Mais c'est une fatalité que l'on ne pourra que très graduellement neutraliser.

On a l'exemple de la Suisse qui a été une des nations les plus guerrières de l'histoire. Un grand saint homme, Nicolas de Flue (1417-1487), a réussi à en faire une nation pacifique, sans que ce soit une nation pacifiste. Les Suisses ont continué à sauvegarder leur indépendance et leur défense, tout en restant en paix. Nous pouvons prendre exemple sur eux.

— La Suisse témoignait aussi, du moins jusqu'à une époque récente, d'une très grande cohésion intérieure bien qu'elle ne fût soumise à aucune menace extérieure directe. Mais elle est secouée aujourd'hui par le besoin de rattrapage d'une intelligentsia qui « vire sa cuti » vingt-cinq ans après le reste de l'Europe. Elle subit aussi le sort des petits États restés en marge de l'histoire. Jusqu'ici à l'abri des fléaux de ce monde, ils reçoivent le choc de plein fouet sans y être préparés.

L'ancien ministre allemand des Affaires étrangères, Hans-Dietrich Genscher, me disait qu'à l'intérieur des grands pays occidentaux aussi, l'union sacrée se désagrège. D'après lui, à l'époque du conflit Est-Ouest, les partis et organisations sociales étaient mobilisés pour assurer la survie de la démocratie libérale et, désormais, cette contrainte a disparu. Nous traversons une crise de démotivation et de démobilisation. Les clivages gauche-droite, marxistes-libéraux se diluent. Comment retrouver nos chères certitudes ?

— L'opposition intérieure ne disparaîtra pas. Il y aura toujours des débats et des divergences. Genscher avait raison en indiquant que c'est l'adversaire qui crée l'unité. C'est une inquiétude à laquelle n'échappent pas certains hommes politiques israéliens auxquels j'ai parlé. Ils pensent qu'une fois la paix instaurée avec les voisins, Israël connaîtra des troubles politiques intérieurs considérables. Seulement, ces débats intérieurs sont préférables à des guerres internationales.

— L'écrivain Arthur Koestler pensait que la cause des malheurs de l'homme ne doit pas être cherchée dans sa cruauté et son égoïsme mais dans sa propension à se dévouer et à se sacrifier à de grandes causes. En notre siècle plus que jamais sans doute ?

— Je ne partage pas son avis. Il y a naturellement le péché

originel, chose que l'on oublie trop et qui est, néanmoins, une réalité politique, au-delà de toute définition théologique. Le dévouement aux grandes causes est très souvent un prétexte pour couvrir des intérêts qui leur sont totalement étrangers.

— *Mais le dévouement authentique aux bonnes causes existe aussi. Cependant les causes ne sont pas toutes nobles. Beaucoup se vendent à des dictateurs et à des démagogues ou encore à des sectes pseudo-religieuses ou idéologiques qui exigent un don total de l'individu.*

— Pour ce qui est des sectes, j'espère que l'Europe est mieux immunisée par son histoire ancienne et ses traditions que certains pays nouveaux. En outre, je pense que, sur le plan religieux, les sectes sont le miroir des faiblesses des églises établies. Si les églises se ressaisissent, les sectes disparaîtront.

Sur un plan strictement politique, j'ai peur que les charmeurs de serpents totalitaires ne puissent revenir en force une fois que le souvenir de la guerre et de la dictature se sera effacé. Les vieux comme nous sont vaccinés. Les jeunes ne connaissent pas les terribles réalités que leurs aînés ont vécues.

En politique comme en religion, des idoles s'installent là où l'on a abandonné le culte de certaines valeurs. Je vous ai déjà cité le mot de Jünger à propos des « autels abandonnés ». Il faudra revitaliser nos valeurs si nous voulons conserver notre libre-arbitre et survivre en tant que civilisation.

— *La dynastie des Habsbourg reposait sur une certaine idée du sacré. Cette idée peut-elle redevenir moderne ? L'homme moderne n'éprouve-t-il pas un besoin de sacré inassouvi ? Ce besoin, jadis, trouvait des exutoires religieux ou symboliques mais il tend dans notre civilisation hyperrationnelle à se mettre au service d'idoles.*

— L'idée du sacré peut être restaurée dans ses droits. Les gens en ont besoin. André Malraux avait raison de dire que le XXIe siècle sera religieux ou ne sera pas.

— *Les Français ont décapité leur souverain le 21 janvier 1793. Ne sont-ils pas, depuis, des orphelins, contents d'être émancipés, mais tenaillés par la peur de retomber dans l'anarchie ou la terreur ?*

— Il faut faire avec ce qu'on a. La France est une république. Je suis donc partisan de l'idée de septennat présidentiel. On doit accorder à un chef d'État un temps suffisant pour établir son autorité. Une élection présidentielle doit éviter de coïncider avec une élection parlementaire. Cela dérange l'équilibre intérieur des États.

— *Et les Autrichiens et les Hongrois, comment se sentent-ils en république ?*

— Je ne crois pas que la forme du régime soit, de nos jours, matière à discussion dans ces pays. On l'a bien vu en Hongrie où l'on a gravé la Sainte Couronne sur l'écusson de la République. Certaines personnes ont considéré cela comme illogique. Pas moi. La couronne de Hongrie représente la continuité de la nation. En refusant la couronne de l'empereur byzantin pour recevoir celle du pape de Rome, saint Étienne a orienté la destinée de son peuple vers l'Ouest où il l'a ancrée une fois pour toutes. Jusqu'à cette heure, les Hongrois sont restés fidèles à cette option.

— *Je dois vous avouer que je suis républicain. Depuis le berceau, comme l'immense majorité des Français. Vous m'avez dit un jour qu'il ne faut pas accorder trop d'importance à la forme d'un régime politique. Seulement, en France on définit l'État et la Nation par la République, plus peut-être que dans tout autre pays. Alors qu'en Allemagne, en Grande-Bretagne, en Autriche, on insiste plutôt sur le terme « démocratie » qui accorde un peu plus de marge aux institutions.*

— Pour vous préciser ma position, je vous répondrai ce que j'ai répliqué à la télévision allemande qui me demandait si j'étais républicain ou monarchiste. Je leur ai dit que je n'étais ni l'un ni l'autre, mais que j'étais légitimiste. C'est tout à fait différent. Étant légitimiste, je suis par exemple républicain en Suisse et monarchiste en Angleterre.

— *Je relève beaucoup de sagesse et de vérité dans la tradition dont vous êtes l'héritier. La monarchie libérale garantit stabilité et continuité, deux éléments essentiels d'équilibre politique. La coupure de 1789, en France, a été trop brutale. Cette césure dans notre histoire a divisé notre personnalité, alors que d'autres peuples avaient une évolution continue vers la démocratie. Nous sommes passés de la monarchie à la république par une proclamation et dans un bain de sang. Les Français ont inventé la liberté individuelle, mais au prix de l'amputation d'une partie de leur identité millénaire.*

— La France s'est coupée sans doute d'un précieux héritage, ce qui explique peut-être que les Français soient, dans leur inconscient, un peuple respectueux des traditions tout en étant des fervents de l'esprit libertaire. Cette notion de liberté, qui est venue de France, doit évoluer dans un sens plus harmonieux et non pas unilatéral. On a trop concentré la liberté sur l'individu sans tenir compte des libertés des collectivités qui confèrent à un pays son harmonie intérieure. Mais le mot « amputation » me paraît trop fort. Ces valeurs mises entre parenthèses remontent tôt ou tard à la surface.

— *Il y a deux siècles, j'aurais opté pour les Girondins et non pour les Jacobins. Je salue les efforts du gouvernement Balladur pour procéder à « l'aménagement du territoire », comme on dit chez nous. En réunissant le 8 juillet 1993 un conseil des ministres à Mende, en Lozère, le département le moins peuplé mais un des plus beaux de France, ce gouvernement a redécouvert le pays profond. De plus, le Premier ministre s'est prononcé pour le maintien de l'ENA à Strasbourg dont nous espérons faire la capitale de l'Europe.*

Mais il faut pardonner aux Français de ne pas oser encore s'avouer régionalistes. Cela ne veut pas dire qu'ils n'aiment pas leur pays dans sa réalité concrète — bien que pour beaucoup, la France ne soit souvent qu'un mythe pour chants patriotiques. Seulement, ils habillent d'euphémismes leurs efforts de décentralisation pour que cela passe mieux dans notre culture politique. Du moment qu'on reste sur le territoire national..., on peut « aménager ».

— L'aménagement de la France est tout de même préférable au « déménagement » de ses campagnes que vous avez connu depuis la publication du livre de Gravier, *Paris et le désert français*, en 1947 déjà.

— *Certes, et quand on voit notre ministre de l'Éducation nationale, François Bayrou, parler ma langue natale, le béarnais, et favoriser les écoles en langues locales, c'est une véritable révolution, voire une « contre-révolution ». Mes ancêtres, des bergers et des paysans des Pyrénées, qui n'avaient jamais admis la domination d'un suzerain, ont eu du mal à s'adapter à la France et au français. Le « pays de Béarn » autour d'eux avait su garder un statut de neutralité et d'indépendance. Il ne fut réuni qu'en 1620 au royaume de France et intégré en 1789, à la nation française. Depuis des temps immémoriaux, ses habitants s'administraient collectivement dans leurs vallées en parfaite autonomie, alors pourquoi changer ? La France ensuite leur a beaucoup demandé. Les longues listes sur nos monuments aux morts en témoignent. Leur a-t-elle donné assez en contrepartie ?*

— Vous avez la chance, grâce à l'Europe, que le passé de votre région ait désormais un avenir, si j'ose dire. Si vous prenez le passé pour l'admirer et n'en rien changer, faites-vous érudit ou gardien de cimetière. En revanche, vous en tirerez une grande force si c'est un point de départ pour l'avenir. Le passé est l'élément déterminant du présent. Certains Américains, à la fin de la Deuxième Guerre mondiale, savaient qu'on ne peut faire table rase du passé. Et c'est en fonction de ce passé-là qu'ils ont traité l'Allemagne. Pourtant, l'Allemagne d'après-guerre a été aussi une innovation. Jamais les Allemands n'avaient connu une telle période de paix et de prospérité dans leur histoire. La France aussi a évolué et évolue encore. C'est dur de remodeler son visage sans le rendre méconnaissable. Et c'est encore plus dur pour la Grande-Bretagne.

— *Quelle est la leçon à tirer des quarante années de communisme ?*

— Qu'on ne peut maîtriser les problèmes seulement avec des

moyens économiques. Il faut qu'il y ait aussi des solutions culturelles, intellectuelles, sociales. Dans la vie humaine, tout est interdépendant. Et ce sont les valeurs élevées qui l'emportent. Un des grands crimes du communisme a été d'essayer de sacrifier l'esprit à la matière. C'est relativement facile de maîtriser les problèmes économiques, mais si l'on a blessé ou tué l'esprit, cela durera longtemps avant que la situation ne s'améliore. Le dicton français « Plaie d'argent n'est jamais mortelle » a raison.

— *Au XXᵉ siècle, l'homme a fait un grand pas en avant dans les sciences de la nature et la technique mais un pas en arrière en politique et en morale. Est-ce que les guerres n'ont pas favorisé le progrès, idée diabolique, je l'admets... ?*
— C'est malheureusement vrai, les guerres ont favorisé le progrès technique. Mais je ne crois pas que nous avons vraiment fait un pas en arrière sur le plan moral bien que nous ayons eu beaucoup de monstres dans notre siècle. Simplement, ces monstres ont eu des moyens que les monstres antérieurs ne possédaient pas. Mais ne perdez pas de vue que la concurrence pacifique favorise elle aussi le progrès.

— *L'homme doit-il restreindre ses ambitions et renoncer, par exemple, à l'exploration spatiale ?*
— L'homme ne doit surtout pas renoncer à ses ambitions. Il devrait simplement renoncer à certains soi-disant progrès dès lors que ceux-ci servent à la destruction. Dans la conquête spatiale, nous pouvons développer beaucoup de choses utiles, mais il faut se garder de l'imprudence qui consisterait à pousser trop vite en avant.

— *Par l'exploration spatiale, il se rapproche pourtant de la connaissance de l'univers et, par la médecine, d'une quasi-immortalité, bref de l'absolu.*
— En êtes-vous vraiment certain ?

— *Donc, pas davantage de certitude éternelle par la science que par la politique ?*

— Les scientifiques sérieux vous diront que non. Pour moi qui m'occupe de politique, il y a deux mots qu'un politicien ne doit jamais employer. Ce sont les mots « jamais » et « éternel ». Celui qui sait que la loi de la politique est le changement, évitera le premier. Et le deuxième est réservé à Dieu.

— *Vous venez de répondre à la question que j'allais vous poser, Monseigneur. La certitude absolue n'est pas de ce monde.*

Au moment où nous mettons sous presse,
l'Archiduc Otto de Habsbourg nous fait parvenir
ces quelques mises au point.

1 – Sur l'équilibre des forces en Méditerranée

Jean-Paul Picaper : Dans le contexte méditerranéen, la paix entre
Israël et l'OLP n'apporte-t-elle pas une lueur d'espoir ? Il est vrai
qu'elle n'a pas été facile...

Otto de Habsbourg : J'ai toujours dit qu'il fallait comparer les
relations diplomatiques dans ces régions avec la pratique en
usage dans les souks. On y considère comme maladroit
d'accepter le premier prix donné par le vendeur. Il faut mar-
chander longuement jusqu'à ce que l'on s'accorde. Ce qui
comporte souvent des épisodes tragicomiques, comme de cla-
quer les portes, jurer sur l'honneur des aïeux ou même menacer de suicide. Ce n'est qu'après tout cela qu'on peut être
vraiment content de soi.

C'est pourquoi la diplomatie, dans cette région, ne devrait
jamais baisser les bras. C'est celui qui a le plus de patience qui
l'emporte. L'important était qu'on ait commencé à discuter,
car cela engendre un dynamisme porteur d'espoir.

— Mais les motifs de l'OLP n'étaient certainement pas seulement
d'ordre psychologique ?

— Non, pour comprendre, il faut remonter aux premières
heures de la guerre du Golfe, à la polarisation du monde arabe
provoquée par l'invasion de Saddam Hussein au Koweit. La
majorité conservatrice, Égypte, Maroc, les Émirats — Arabie
Saoudite incluse — n'était pas disposée à accepter cette inva-

273

sion, à la différence du camp dit « progressiste » qui comprenait le Soudan, le Yémen et, avec moins d'enthousiasme, la Jordanie. L'OLP de Yasser Arafat avait rejoint ces derniers. Et il cria plus fort que les autres en pensant qu'après la guerre, il toucherait des subsides financiers importants.

A l'Ouest, on a régulièrement perdu de vue que l'OLP n'est pas seulement une organisation militante, mais aussi une multinationale économique qui a réalisé des investissements importants et gère un groupe bancaire dans des pays comme le Nicaragua, Cuba, le Vietnam et le Mozambique. Ajoutez-y ses représentations internationales qui coûtent cher. Tout cela avait été financé à l'aide de subsides des pays frères arabes, surtout du Koweit. Pour ne pas perdre cette source après une victoire de Saddam Hussein, Arafat était allé au-devant de lui, le prenant pour le plus fort. Quand la guerre s'est achevée de la manière qu'il attendait le moins, la logique a voulu que les pays arabes riches lui ferment le robinet. Son mouvement se retrouva donc en compagnie de banqueroutiers insolvables, genre Khartoum, Aden ou La Havane. Il n'aurait pas fallu plus de trois ans pour épuiser les réserves financières.

— *Et ses concurrents, soutenus par l'Iran, avaient de l'argent, eux ?*

— Dans le camp arabe, nous avons assisté à l'émergence d'un nouvel extrémisme. Cela ne convenait pas à l'OLP dont les héros d'hier étaient devenus vieux, gras et corrompus. La vieille génération était certes fidèle à Arafat, mais la jeunesse militante se tournait vers un autre mouvement, le Hamad, qui gagnait du terrain tous les jours. Il n'était pas difficile de voir qu'il doublerait bientôt l'OLP. Les dirigeants de l'OLP l'ont compris assez vite. Cela n'a pas échappé non plus au célèbre Mossad qui conseille le gouvernement de Jérusalem. Celui-ci a saisi cette chance unique.

— *Mais l'avenir sera difficile, l'OLP ayant perdu une partie de son autorité sur les Palestiniens ?*

— Certes, mais si l'on parvient dans les semaines et les mois qui viennent à faire grandir l'œuvre qui a été commencée, la paix aura une chance authentique. Car au Moyen-Orient, il y a certes des inimitiés mais pas d'ennemi héréditaire. Il ne faut pas oublier que l'antisémitisme qu'on a connu en Europe n'existe pas au Moyen-Orient. Des doctrinaires nazis tels Streicher ou Rosenberg seraient impensables là-bas. Il y a certes des gens hostiles à l'Etat d'Israël, mais ils ne haïssent pas les Juifs en tant que tels. Dans de nombreux pays arabes et en Turquie, il y a des Juifs qui vivent et travaillent comme citoyens tout à fait normaux, à condition de ne pas être sionistes. Beaucoup de sépharades qui ont émigré en Israël sont restés en relations avec leur pays d'origine.

Vous me direz qu'on trouve dans le Coran des passages qui n'ont rien d'aimable pour les Juifs. C'est vrai. Mais il ne faudrait pas perdre de vue d'autres passages qui disent exactement le contraire.

En fait, tout dépend de l'intelligence des deux parties pour utiliser au maximum cette chance unique dans l'histoire. La politique d'autres Etats pourra aussi y contribuer. Ce ne sera pas facile.

2 – Sur la Yougoslavie et les Balkans

— *N'y a-t-il pas dans la CE également des déficits en ce qui concerne les droits de l'homme, des dénis de justice ?*

— La CE et ses organes s'occupent beaucoup des droits de l'homme. Nous avons même un sous-comité compétent pour cela. Il y a un tribunal des droits de l'homme et le parlement européen se penche souvent sur cette question dans toutes les régions du monde. Malheureusement, on s'occupe des droits de l'homme quand ils sont lésés hors de la Communauté. Comme dans tous les organismes nationaux et internationaux, on essaye de traîner les autres devant les tribunaux, tout en refusant de s'y rendre soi-même.

— *Un exemple ?*

— Il y a chez nous des sujets tabous dont il serait indécent de parler. Ils concernent la plupart du temps des individus isolés qui ne pèsent guère dans notre ordre social et contre lesquels on peut mobiliser les préjugés.

Puisque vous voulez un exemple, parlons de la façon dont la Grèce traite son ancien souverain, le roi Constantin. Certes, tout le monde a des défauts et Constantin n'en est pas exempt, mais il y a une chose qu'on ne peut lui reprocher, c'est d'avoir été responsable de la dictature, du régime des colonels. Si quelqu'un les a combattus vraiment, c'était bien le roi. Mais on ne lui en a jamais su gré.

Constantin est citoyen grec. Selon les principes de la Communauté européenne, il a donc le droit de vivre dans son pays et d'y exercer des activités politiques. Il a même un passeport grec. Il y a quelque temps, alors qu'il entrait dans son pays, le Premier ministre Mitsotakis lui a imposé des contraintes très sévères, il lui a interdit d'aller dans certaines régions et l'a menacé de conséquences très dures s'il s'exprimait sur la politique. En d'autres termes, il y a dans la démocratie grecque des gens qui peuvent dire librement ce qu'ils veulent et d'autres qui ne le peuvent pas. Je ne parle pas de ce que le chef socialiste Papandréou a dit de Constantin. Passons aussi sur les clameurs qu'il a poussées pour demander qu'on lui retire la jouissance des droits de l'homme. On ne peut pas prendre au sérieux, de toute manière, ce plaisantin de Papandréou.

Mitsotakis avait dit que Constantin n'avait pas le droit de s'exprimer sur le régime politique. Il semblait avoir oublié que les républicains grecs pouvaient diffuser leurs idéaux à l'époque où la Grèce était une monarchie.

Mais ce n'est pas le seul cas litigieux en Grèce. La façon dont on y traite la minorité turque soulèverait une tempête de critiques dans tout autre pays. On relève des cas d'oppression religieuse, nonobstant le fait que les lois grecques donnent moins de possibilités aux musulmans pour l'éducation de leurs enfants qu'aux représentants de la majorité. Il arrive aujourd'hui encore en Grèce que des gens comme les témoins de Jéhova, qui refusent le service militaire pour des raisons de conscience, soient jetés en prison.

De tout cela, il n'est jamais question dans la Communauté. C'est une grave erreur de la part d'une institution qui se permet de critiquer le monde entier. Et n'oublions pas non plus que le gouvernement grec fait tout pour protéger des poursuites dans la Communauté les crimes de Milosevic, y compris sa persécution des Albanais du Kosovo. Dans la guerre de Bosnie, Athènes a rejoint le camp de Belgrade et de Karadczic. Il est incontestable que cela a contribué à ébranler le crédit de la Communauté européenne.

— *Croyez-vous que la multiplication actuelle des conflits tienne aux fautes commises par l'Ouest ?*

— En tout cas, le comportement des instances diverses qui sont censées sauvegarder la paix empire de jour en jour. On a honte de voir la manière dont se comportent l'ONU et l'Otan dans le conflit bosniaque. Si elles avaient au moins l'honnêteté d'admettre leur propre lâcheté et leur indignité, on pourrait les prendre en pitié. Les menaces vides, l'annonce d'opérations qui n'ont jamais lieu, tout cela dépasse la mesure du supportable. Le plus tragique, c'est la manière dont l'Ouest et ses représentants, en particulier Lord Owen, menacent pour ensuite capituler devant le fait accompli. Puis ils se cherchent des boucs-émissaires, telle la Croatie, selon le principe : « Tenez le voleur ». La propagande de Milosevic utilise les meilleures agences occidentales pour influencer l'opinion publique mondiale. Sa propagande a fait beaucoup de progrès.

Rien n'est plus dangereux en politique que de ne pas être pris au sérieux. Maintenant, on en est arrivé au point où, dans les rangs des agresseurs, que ce soit en Serbie ou en Russie, on traite l'Ouest comme une horde de tigres de papier ou de lions en peluche. Les faits confirment cette façon de voir. Il ne faut se faire aucune illusion : les dirigeants actuels de la Serbie ne s'arrêteront pas là. Ils doivent continuer parce qu'ils ont peur du jugement de leur peuple. Après la victoire en Bosnie, ce sera le tour du Kosovo, de Novi Pazar et de la Macédoine. Il est plus que douteux qu'on parvienne à localiser le conflit.

— *Parlons justement de la Russie que vous avez nommée. L'Ouest assiste en spectateur passif à ce qui s'y passe, tout juste bon à donner de l'argent qui ne sera jamais remboursé, semble-t-il.*

— La chute de l'Union soviétique a été une des grandes heures de l'histoire. Mais elle n'a rencontré que des faibles à l'Ouest et dans le camp des vainqueurs. Aujourd'hui, l'attitude de l'ONU et de l'Otan face aux projets des généraux russes est pitoyable. Ceux-ci préparent systématiquement la reconquête des territoires qui ont profité des événements pour se libérer. Ils ne cachent pas qu'ils souhaitent ramener sous la tutelle russe les Etats baltes, de même que la Finlande, ou encore les républiques islamiques d'Asie centrale.

L'attitude de l'Ouest en Bosnie et auparavant en Croatie ne peut que les y avoir encouragés. Visiblement, dans nos capitales, on ne lit toujours pas les publications de l'armée russe. Si c'était le cas, on verrait où mène le voyage. Et l'avantage de l'armée russe, c'est qu'elle peut montrer des ennemis à ses soldats. Ce n'est pas une armée qu'on aurait transformée en bataillons d'infirmiers à des fins humanitaires, comme à l'Ouest. Non, elle est préparée à ses tâches militaires, comme il se doit. Et après sa victoire sur les militaires putschistes, le commandement actuel est plus fort que jamais. Si un conflit international éclate, avec toutes ses horreurs, alors on pourra dire que la responsabilité en incombe, à l'Ouest, à tous ceux qui n'ont pas tiré les leçons de l'histoire, mais qui ont au contraire tout fait pour encourager les agresseurs.

— *Manquons-nous de personnalités capables de tirer ces leçons historiques ?*

— Quand on pense qu'il y avait chez nous, il n'y a pas si longtemps, des personnalités comme Winston Churchill, Charles de Gaulle ou Konrad Adenauer et qu'on est retombé sur des gens qui n'ont certainement pas une dimension historique ! Le pays du président Reagan a maintenant un Clinton. Margaret Thatcher a laissé sa place à John Major et à son ministre des Affaires étrangères, Douglas Hurd. En France, on verra dans quelques années où l'on en sera. Au moins, en Allemagne, le chancelier Kohl perpétue-t-il une sorte de continuité, mais le malheur **veut** que cet homme qui a été grandiose à l'heure de la réunification, ait laissé, depuis, la politique étrangère à des ministres. D'abord Genscher, à présent Kinkel, des hommes dont on n'ose pas prononcer les noms quand on a dit Metternich ou Bismarck. Et un observateur de l'ONU a laissé tomber récemment le mot terrible selon lequel Boutros-Ghali réussira encore à faire de son prédécesseur un personnage historique.

FIN

Table des matières

Cet ouvrage a été réalisé par la
SOCIÉTÉ   NOUVELLE   FIRMIN-DIDOT
Mesnil-sur-l'Estrée
pour le compte des Éditions de la Coupole
en décembre 1993

Imprimé en France

N° d'impression : 25899